一 覧 表

〔10万円以下又は10万円以上……10万円は含まれます。
10万円を超え又は10万円未満…10万円は[illegible]〕

番号	文書の種類(物件名)	印紙[illegible]	[illegible]
5	**合併契約書又は吸収分割契約書若しくは新設分割計画書** (注) 1 会社法又は保険業法に規定する合併契約を証する文書に限ります。 2 会社法に規定する吸収分割契約又は新設分割計画を証する文書に限ります。	[illegible]	[illegible]
6	**定　款** (注) 株式会社、合名会社、合資会社、合同会社又は相互会社の設立のときに作成される定款の原本に限ります。	[illegible]	[illegible]社の[illegible]会の規定により公証人の保存するもの以外のもの
7	**継続的取引の基本となる契約書** (注) 契約期間が3か月以内で、かつ、更新の定めのないものは除きます。 (例) 売買取引基本契約書、特約店契約書、代理店契約書、業務委託契約書、銀行取引約定書など	4千円	
8	**預金証書、貯金証書**	200円	信用金庫その他特定の金融機関の作成するもので記載された預入額が1万円未満のもの
9	**倉荷証券、船荷証券、複合運送証券** (注) 法定記載事項の一部を欠く証書で類似の効用があるものを含みます。	200円	
10	**保険証券**	200円	
11	**信用状**	200円	
12	**信託行為に関する契約書** (注) 信託証書を含みます。	200円	
13	**債務の保証に関する契約書** (注) 主たる債務の契約書に併記するものは除きます。	200円	身元保証ニ関スル法律に定める身元保証に関する契約書
14	**金銭又は有価証券の寄託に関する契約書**	200円	
15	**債権譲渡又は債務引受けに関する契約書**	記載された契約金額が1万円以上のもの 200円 契約金額の記載のないもの 200円	記載された契約金額が1万円未満のもの
16	**配当金領収証、配当金振込通知書**	記載された配当金額が3千円以上のもの 200円 配当金額の記載のないもの 200円	記載された配当金額が3千円未満のもの
17	**1 売上代金に係る金銭又は有価証券の受取書** (注) 1 売上代金とは、資産を譲渡することによる対価、資産を使用させること（権利を設定することを含みます。）による対価及び役務を提供することによる対価をいい、手付けを含みます。 2 株券等の譲渡代金、保険料、公社債及び預貯金の利子などは売上代金から除かれます。 (例) 商品販売代金の受取書、不動産の賃貸料の受取書、請負代金の受取書、広告料の受取書など	記載された受取金額が 100万円以下のもの 200円 100万円を超え 200万円以下のもの 400円 200万円を超え 300万円以下 〃 600円 300万円を超え 500万円以下 〃 1千円 500万円を超え1千万円以下 〃 2千円 1千万円を超え2千万円以下 〃 4千円 2千万円を超え3千万円以下 〃 6千円 3千万円を超え5千万円以下 〃 1万円 5千万円を超え 1億円以下 〃 2万円 1億円を超え 2億円以下 〃 4万円 2億円を超え 3億円以下 〃 6万円 3億円を超え 5億円以下 〃 10万円 5億円を超え 10億円以下 〃 15万円 10億円を超えるもの 20万円 受取金額の記載のないもの 200円	次の受取書は非課税 1 記載された受取金額が5万円未満のもの 2 営業に関しないもの 3 有価証券、預貯金証書など特定の文書に追記した受取書
	2 売上代金以外の金銭又は有価証券の受取書 (例) 借入金の受取書、保険金の受取書、損害賠償金の受取書、補償金の受取書、返還金の受取書など	200円	
18	**預金通帳、貯金通帳、信託通帳、掛金通帳、保険料通帳**	1年ごとに 200円	1 信用金庫など特定の金融機関の作成する預貯金通帳 2 所得税が非課税となる普通預金通帳など 3 納税準備預金通帳
19	**消費貸借通帳、請負通帳、有価証券の預り通帳、金銭の受取通帳などの通帳** (注) 18に該当する通帳を除きます。	1年ごとに 400円	
20	**判取帳**	1年ごとに 4千円	

令和５年11月改訂

印紙税ハンドブック

便利な文書名索引つき

杉村 勝之 編

公益財団法人 納税協会連合会

まえがき

印紙税は、日常の経済取引に伴って作成される不動産売買契約書や領収書など、印紙税法に定める特定の文書（課税文書）に課税される税金です。

納付については、原則として、課税文書の作成者自らがその文書に納付すべき印紙税額に相当する金額の収入印紙を貼り付け、消印することによって納税が完結する仕組みになっています。

このため、日常の経済取引等において作成される個々の文書について、「課税文書に該当するかどうか」、「納付すべき印紙税額はいくらであるか」を作成者自らが判断しなければなりません。

その判断に当たっては、単に文書の名称や記載文言によるのではなく、記載文言等の実質的な意義に基づいて総合判断するのですが、近年における社会経済構造の変化に伴いまして、経済取引が複雑化・多様化しており、作成される文書の内容も複雑多岐なものとなっております。

そこで本書は、課税文書の種類ごとに具体的な文書名を掲載するとともに、50音順による文書名の索引を設け、その取扱いや留意事項をできるだけ分かりやすいものとするよう工夫した内容としております。

今回の改訂においては、納税者の方に影響する法律改正を盛り込むとともに、最新の実例を追加しております。

本書が皆様方の実務の一助となり、お役に立てれば幸いです。

なお、本書は、大阪国税局課税第二部消費税課に勤務する者が休日等を利用して執筆したものであり、本文中意見にわたる部分については、執筆者の個人的見解であることをお断りしておきます。

令和５年11月

編　　者

目　次

この本の活用のしかた

〔索引による文書の課否判断〕

文書の課否判断は、次の順序で行います。

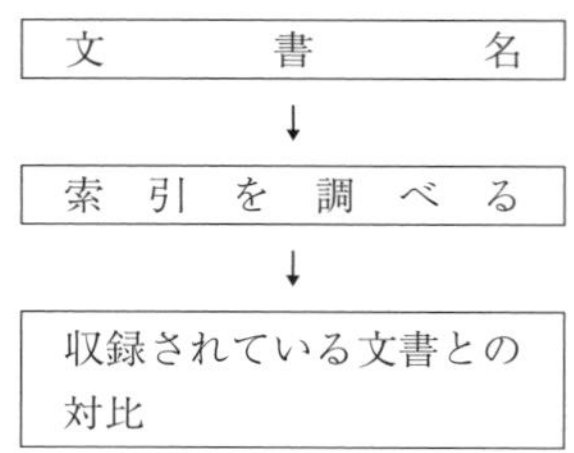

文　書　名
↓
索引を調べる
↓
収録されている文書との対比

（1）　本書の文書は、一般に広く作成されていると認められる文書について、通常用いられている名称により収録してありますから、例えば固有名詞や丁寧語を冠した文書の課否判断に当たっては、これらを除いて検索してください。

（2）　索引の文書名の頭部にある記号は、その文書の課否を表わしています。

頭部の記号

○……課税文書

●……非課税文書又は不課税文書

（3）　文書の課否は、その名称からだけでは即断できないので、課否判定表の内容と課否判断をする文書の内容を十分に対比して、その課否を判断してください。

〔課税物件の範囲の明確化〕

収録した各文書ごとに「印紙税法の取扱い」欄と「留意事項」欄を設け、課税物件の範囲等が十分理解できるようにしました。

〔基本的事項の解説〕

印紙税の課否判断に当たってよく問題とされる事項のうち、「契約と契約書」、「契約金額」、「申込書等と表示された文書」、「営業の意義」、「印紙税の還付」、「課税物件表の２以上の号に該当する文書の所属決定」及び「請負契約書の単価変更契約書等に対する取扱い」について、基本的な事柄を別に紙面を割いて解説しました（429ページ参照）。

〔印紙税関係法令の集約〕

印紙税法をはじめとして、印紙税関係の法令を完全収録し、印紙税法が体系的に理解できるようにしました。

凡　例

本文中の主な法令・通達等については、次の略語を用いました。

法……印紙税法
施行令……印紙税法施行令
施行規則……印紙税法施行規則
措置法……租税特別措置法
基本通達……印紙税法基本通達
課税物件表……法別表第一の課税物件表
通則……法別表第一の課税物件表の「課税物件表の適用に関する通則」
課税文書……課税物件表の「課税物件」欄に掲げる文書のうち、法第５条《非課税文書》の規定又は他の法令の規定により印紙税を課されないこととされる文書以外の文書
非課税文書……法第５条の規定又は他の法令の規定により印紙税を課されないこととされる文書
不課税文書……課税物件表の「課税物件」欄に掲げる文書以外の文書
課税事項……課税物件表の「課税物件」欄に掲げる文書により証されるべき事項
第○○号文書……課税物件表の「課税物件番号」欄に該当する文書
重要な事項……印紙税法基本通達別表第二「重要な事項の一覧表」に掲げる事項

（注）令和５年11月１日現在の法令通達によっています。

50音順による文書名索引

50音順による文書名索引

○＝課税
●＝非課税・不課税

ア

イ

ウ

エ

オ

カ

キ

ク

ケ

コ

サ

シ

ス

セ

ソ

タ

チ

ツ

テ

ト

ナ

ニ

ネ

ノ

ハ

ヒ

フ

へ

ホ

マ

ミ

ム

メ

モ

ヤ

ユ

ヨ

リ

ル

レ

ロ

ワ

文書例による課否判定表

課税物件表による第１号文書の取扱い

番号	課税物件		非課税物件
	物件名	定義	
1	1　不動産、鉱業権、無体財産権、船舶若しくは航空機又は営業の譲渡に関する契約書 2　地上権又は土地の賃借権の設定又は譲渡に関する契約書 3　消費貸借に関する契約書 4　運送に関する契約書（傭船契約書を含む。）	1　不動産には、法律の規定により不動産とみなされるもののほか、鉄道財団、軌道財団及び自動車交通事業財団を含むものとする。 2　無体財産権とは、特許権、実用新案権、商標権、意匠権、回路配置利用権、育成者権、商号及び著作権をいう。 3　運送に関する契約書には、乗車券、乗船券、航空券及び送り状を含まないものとする。 4　傭船契約書には、航空機の傭船契約書を含むものとし、裸傭船契約書を含まないものとする。	1　契約金額の記載のある契約書（課税物件表の適用に関する通則３イの規定が適用されることによりこの号に掲げる文書となるものを除く。）のうち、当該契約金額が１万円未満のもの

(注)　契約金額の引用

第１号に掲げる文書に、当該契約に係る契約金額又は単価、数量、記号その他の記載のある見積書､注文書その他これらに類する文書(課税物件表に掲げる文書を除きます｡)の名称、発行の日、記号、番号その他の記載があることにより、当事者間において、当該契約についての契約金額が明らかであるとき又は当該契約についての契約金額の計算をすることができるときは、当該明らかである契約金額又は当該計算により算出した契約金額が記載金額となります。

50音順による第１号の１文書例

文書名	文書の内容	印紙税法の取扱い	留意事項
育成者権の譲渡契約書	育成者権を譲渡（価格は200万円）することを定めた契約書	○第１号の１文書（無体財産権の譲渡に関する契約書） ○印紙税額は2,000円	育成者権の「専用利用権」又は「通常利用権」の設定又は譲渡に関する契約書は不課税文書となります。
遺産分割協議書	共同相続人間において遺産分割協議の結果を証する協議書	不課税文書	この文書は、共有遺産の各相続人への帰属関係を内容とするものであり、各相続人の間では不動産等の譲渡関係は生じないので、課税文書には該当しません。
売渡担保契約書	債務を担保するために建物を債権者に譲渡し、売渡人が使用料を支払うことにより引き続き使用できること及び期日までに債務の支払が完了した場合は譲渡契約を解除させ、原状を回復することを定めた契約書（譲渡価格2,000万円）	○第１号の１文書（不動産の譲渡に関する契約書） ○印紙税額は10,000円（軽減税率）又は20,000円	譲渡の対象となるものが機械等の物品の場合には、不課税文書となります。
営業譲渡契約書	営業を譲渡（のれん代1,000万円とのみ記載）することを定めた契約書	○第１号の１文書（営業の譲渡に関する契約書） ○印紙税額は10,000円	この文書は、のれん代の記載金額しか記載されていませんから、その金額が記載金額となります。
営業譲渡契約証書	営業を譲渡（価格は300万円）することを定めた契約証書	○第１号の１文書（営業の譲渡に関する契約書） ○印紙税額は2,000円	営業の一部譲渡の契約書についても営業の譲渡に関する契約書に含まれます。また、営業譲渡に関する契約書における記載金額は、財産組織体を譲渡することの対価として支払われる金額をいいます。

文書名	文書の内容	印紙税法の取扱い	留意事項
温泉分湯契約書	温泉権付きの泉源地を分割譲渡（価格は50万円）することを定めた契約書	○第１号の１文書（不動産の譲渡に関する契約書） ○印紙税額は200円（軽減税率）又は400円	この文書は、温泉権付きの泉源地の分割譲渡を約するものですから、第１号の１文書に該当します。なお、泉源地から独立した温泉権（温泉権は慣習上認められた特別の権利）のみを譲渡の対象とする場合の契約書は、課税文書には該当しません。
買戻しの定め等がある土地売買契約書	市議会の議決を停止条件とし、かつ、一定の条件違反の場合の買戻し特約（民法第579条に規定する売買の解除の方法による）付きの埋立地の売買（価格は3,000万円）とその埋立地の使用貸借について定めた契約書	○第１号の１文書（不動産の譲渡に関する契約書） ○印紙税額は10,000円（軽減税率）又は20,000円	停止条件付きの契約書であっても印紙税法上の契約書に該当します。 なお、買戻しに関する事項は、民法第579条（買戻しの特約）に規定する売買の解除の方法を取り決めるものですから、課税事項に該当しません。したがって、買戻し金額は記載金額にはなりません。 また、市の所持する文書が課税文書となり、売主の所持する文書は、非課税文書となります。
買戻約款付不動産売買賃貸借契約書	建物の売買（価格800万円）とその建物の賃貸借のほか一定の期限までは建物の買戻し（再売買の予約の方法により800万円で買い戻すことができる。）ができることを定めた契約書	○第１号の１文書（不動産の譲渡に関する契約書） ○印紙税額は10,000円（軽減税率）又は20,000円	不動産の買戻しは、再売買の予約の方法によるものですから、記載金額は当初の売買金額と買戻し金額との合計金額である1,600万円となります。
回路配置利用権の譲渡契約書	回路配置利用権を譲渡（価格は200万円）することを定めた契約書	○第１号の１文書（無体財産権の譲渡に関する契約書） ○印紙税額は2,000円	回路配置利用権の専用利用権や通常利用権の設定又は譲渡は、不課税文書となります。
割賦金総額確定契約書	既に締結した住宅譲渡契約書について、割賦金総額（1,000万円）及	○第１号の１文書（不動産の譲渡に関する契約書）	抵当権を設定することだけを定めた契約書は、不課税文書となります。

文書名	文書の内容	印紙税法の取扱い	留意事項
	びその支払方法等を補充するとともに建物に抵当権を設定することを定めた契約書	○印紙税額は5,000円（軽減税率）又は10,000円	
機械・装置の売買契約書	機械・装置の売買（価格は1,000万円）について定めた契約書	不課税文書	機械・装置は不動産ではなく動産であるため、所有者と買主との間で締結する売買契約書は、課税文書には該当しません。なお、機械・装置の売買と併せて、相当の技術を要する取付工事に関する事項が記載されている場合は、第２号文書（請負に関する契約書）に該当します。
基本協定書	不動産の等価交換方式による売買に際して作成する協定書（交換金額は２億円）	○第１号の１文書（不動産の譲渡に関する契約書） ○印紙税額は60,000円（軽減税率）又は100,000円	
キャラクター使用許諾契約書	キャラクターの著作権を有している者が、ゲームソフト販売会社に対し、ゲームソフトにおけるキャラクター使用を許諾することを定めた契約書	不課税文書	この文書は、キャラクターの使用を認めるものに過ぎず、著作権自体を譲渡するものではないことから、第１号の１文書（無体財産権の譲渡に関する契約書）には該当しません。
共有不動産持分譲渡契約書	共有不動産の持分を譲渡（価格は3,000万円）することを定めた契約書	○第１号の１文書（不動産の譲渡に関する契約書） ○印紙税額は10,000円（軽減税率）又は20,000円	
組合契約書	２以上の者が出資して共同事業を営む場合に作成する契約書で、事業の範囲、出資金額及び利益の分配割合等を	不課税文書	不動産を出資対象とするものは、第１号の１文書（不動産の譲渡に関する契約書）に該当します。

文書名	文書の内容	印紙税法の取扱い	留意事項
	定めた契約書		
現物出資引受書	会社の設立に当たって、土地を現物出資（価格は550万円）することを定めた引受書	○第１号の１文書（不動産の譲渡に関する契約書） ○印紙税額は5,000円（軽減税率）又は10,000円	この文書は、土地の所有権を移転することを内容とする契約書ですから、第１号の１文書に該当します。
交換契約書	土地（価格は2,100万円）と名画（価格は2,000万円）とを交換することを定めた契約書	○第１号の１文書（不動産の譲渡に関する契約書） ○印紙税額は10,000円（軽減税率）又は20,000円	不動産の価格が記載されている場合（動産の価額と交換差金とが記載されているなど、当該不動産の価額が計算できる場合を含む。）は、当該不動産の価格（2,100万円）を記載金額とします。 なお、交換差金のみが記載されていて、当該差金が動産提供者によって支払われる場合は、当該差金を記載金額とします。 また、上記以外の場合は、記載金額のないものとして取り扱います。
鉱業権の譲渡証書	鉱業権を譲渡（価格の記載はない）することを定めた証書	○第１号の１文書（鉱業権の譲渡に関する契約書） ○印紙税額は200円	鉱業法第59条（登録）その他の規定により登録されたものが鉱業権であり、未登録のものや外国の法律に基づくものは鉱業権に該当しません。
航空機の売買契約書	航空機の売買（価格は2,000万円）について定めた契約書	○第１号の１文書（航空機の譲渡に関する契約書） ○印紙税額は20,000円	
鉱山の売買契約書	鉱山（鉱業権）の売買（価格は２億円）について定めた契約書	○第１号の１文書（鉱業権の譲渡に関する契約書） ○印紙税額は100,000円	

文書名	文書の内容	印紙税法の取扱い	留意事項
購入の定め等がある土地信託基本協定書	甲と乙及び信託銀行丙の三者間で、乙の土地を一定期間（乙が甲の仕様に基づく住宅を建設し、丙から甲に売り渡すまでの間）丙に信託すること（甲に対する売却及び売却に至るまでの賃貸を目的）と甲丙間で賃貸借契約を締結し賃貸借期間満了等の場合、甲は丙から土地を購入することを定めた協定書（契約金額の記載はない。）	○第１号の１文書（不動産の譲渡に関する契約書） ○印紙税額は200円	この文書は、土地の購入に関する事項を定めていることから、第１号の１文書に該当し、また、住宅の信託に関する事項を定めていることから、第12号文書（信託行為に関する契約書）にも該当しますが、通則３イの規定により第１号の１文書となります。 なお、納税義務者は甲及び丙ですが、乙の所持する文書も課税対象となります。
雇用著作契約書	ソフトウェアの開発に際し、プログラマー等を雇用して業務を行う際に作成する契約書	不課税文書	この文書は、著作権等の帰属を明らかにしているものであり、雇用者がプログラマー等から成果物の著作権等の譲渡を受けることを約したものではありませんから、第１号の１文書（無体財産権の譲渡に関する契約書）には該当しません。
財産形成住宅貯蓄契約書	貯蓄者と事業主と貯蓄取扱機関との間で、勤労者財産形成貯蓄約款に基づいて財形住宅貯蓄契約を締結する際に作成する契約書	○第１号の１文書（不動産の譲渡に関する契約書） ○又は、第１号の３文書（消費貸借に関する契約書） ○又は、第14号文書（金銭の寄託に関する契約書） ○印紙税額は200円	積立を完了した場合に住宅等を譲渡することが記載されているものは、第１号の１文書に該当します。 なお、積立を完了した場合に住宅等の取得に要する資金を貸付けることが記載されているものは、第１号の３文書に該当します。 また、積立金額が記載されていても、この金額は第１号文書の契約金額ではないため、記載金額のないものとして取り扱われます。
死因贈与契約書	贈与者の死亡により効力が生じる贈与契約書	不課税文書	贈与するものが不動産の場合は、第１号の１文書（不動産の譲渡に関する契約書）に該当します。

文書名	文書の内容	印紙税法の取扱い	留意事項
実用新案権の譲渡契約書	実用新案権を譲渡（価格は100万円）することを定めた契約書	○第１号の１文書（無体財産権の譲渡に関する契約書） ○印紙税額は1,000円	実用新案権とは、実用新案を独占的排他的に支配する権利で、実用新案法第14条（実用新案権の設定の登録）の規定により登録されたものをいい、未登録のものや外国の法律に基づくものは該当しません。
借地権付建物譲渡契約書	借地権（価格は400万円）と建物（価格は500万円）を譲渡することを定めた契約書	○第１号の１文書（不動産の譲渡に関する契約書）及び第１号の２文書（土地の賃借権の譲渡に関する契約書） ○印紙税額は5,000円（軽減税率）又は10,000円	この文書は、借地権の譲渡に関する事項を定めていることから、契約金額400万円の第１号の２文書に該当し、また、建物の譲渡に関する事項を定めていることから、第１号の１文書にも該当しますが、通則４イの規定により、記載金額900万円の第１号文書になります。
住宅譲渡契約書	借地上に地方住宅供給公社が建設した住宅の譲渡（住宅の分譲価格の記載はない。）と、抵当権の設定及び土地の賃借権の設定（設定の対価の価額の記載はない。）について定めた契約書	○第１号の１文書（不動産の譲渡に関する契約書）及び第１号の２文書（土地の賃借権の設定に関する契約書） ○印紙税額は200円	この文書は、住宅の譲渡に関する事項を定めていることから、第１号の１文書に該当し、また、土地の賃借権の設定に関する事項を定めていることから、第１号の２文書にも該当します。 なお、地方住宅供給公社は非課税法人ですから法第４条第５項の規定により、地方住宅供給公社が所持する文書は課税文書となり、契約の相手方（非課税法人（国等を含む。）以外の者に限る。）が所持する文書は非課税文書となります。
重要事項説明書	宅建業者が宅地建物取引業法第35条（重要事項の説明等）の規定に基づき説明内容を記載して相手方から署名、押印を受け保存する説明書	不課税文書	この文書は、相手方の署名、押印がありますが、課税事項を証明するためのものとは認められないので、課税文書には該当しません。

文書名	文書の内容	印紙税法の取扱い	留意事項
しゅんせつ船売買契約書	推進機のないしゅんせつ船の売買について定めた契約書	不課税文書	推進機を有しないしゅんせつ船及び総トン数20トン未満の船舶は印紙税法上の船舶には当たらないため、このような船舶の譲渡契約書は課税文書には該当しません。
商号譲渡契約書	商号を譲渡（価格は200万円）することを定めた契約書	○第１号の１文書（無体財産権の譲渡に関する契約書） ○印紙税額は2,000円	商号（登録の有無は問わない。）は無体財産権に含まれますから、これを譲渡する旨の契約書は、第１号の１文書に該当します。
譲渡担保約定書（不動産）	不動産を担保として譲渡（価格は２億円）することを定めた約定書	○第１号の１文書（不動産の譲渡に関する契約書） ○印紙税額は60,000円（軽減税率）又は100,000円	
商標権の譲渡契約書	商標法第18条（商標権の設定の登録）の規定により登録された商標権を譲渡することを定めた契約書（契約金額は6,000万円）	○第１号の１文書（無体財産権の譲渡に関する契約書） ○印紙税額は60,000円	商標権の「実施権」又は「使用権の設定又は譲渡」に関する契約書は、課税文書には該当しません。
情報提供に関する契約書	インターネット情報提供サービスに情報を提供することを定めた契約書	不課税文書	この文書は、情報をユーザーへ配信する目的で使用することを許諾したものであり、配信する情報の著作権等を譲渡するものではありませんから、第１号の１文書（無体財産権の譲渡に関する契約書）には該当しません。
職務発明に関する特許権の譲渡契約書	特許権者が勤務先に、登録済の特許権を譲渡（価格は２億円）することを定めた契約書	○第１号の１文書（無体財産権の譲渡に関する契約書） ○印紙税額は100,000円	この文書は、特許権を譲渡することを定めていることから、第１号の１文書に該当します。

文書名	文書の内容	印紙税法の取扱い	留意事項
船舶売買契約書	船舶の売買（価格は5,000万円）について定めた契約書	○第１号の１文書（船舶の譲渡に関する契約書） ○印紙税額は20,000円	「船舶」とは、船舶原簿に登録を要する総トン数20トン以上の船舶及びこれに類する外国籍の船舶をいい、その他の船舶は物品として取り扱います。
船舶引渡書	船舶の建造をした者が発注者へ船舶を引き渡すために作成される契約書	不課税文書	この文書は、建造した船舶の引渡しの事実を証明するものであり、契約の成立等を証明する目的で作成されるものではないので、契約書には該当しません。
ソフトウェア使用許諾契約書	ソフトウェアの著作権を有している者が、その使用を希望する者に対して許諾することを定めた契約書	不課税文書	この文書は、ソフトウェアの利用を認めるものに過ぎず、著作権を譲渡するものではないことから、第１号の１文書（無体財産権の譲渡に関する契約書）には該当しません。
ソフトウェア製品の複製及び頒布に関する契約書	ソフトウェアの著作権等を有する者が、複製・頒布する権利を許諾することを定めた契約書（使用許諾料は500万円、契約期間は１年）	不課税文書	この文書は、ソフトウェアを複製して販売する権利を相手方に対して許諾しているに過ぎず、著作権を譲渡するものではないので、第１号の１文書（無体財産権の譲渡に関する契約書）には該当しません。 なお、著作権者から提供されたマスターディスクを基に、ソフトウェアを複製して販売する行為は、契約当事者間で、ソフトウェアを継続的に売買する旨を定めたものではないので、第７号文書（継続的取引の基本となる契約書）には該当しません。
ソフトウェアリース契約書	ソフトウェアの使用許諾権を有する者が、ソフトウェアをリースすることを定めた契約書	不課税文書	ソフトウェアを目的物とする賃貸借契約を定めたものは、課税文書には該当しません。
損害賠償契約書	損害賠償の方法として不動産を引き渡すこと	○第１号の１文書（不動産の譲渡に	不動産の時価、評価額が記載されていても、契約金額には該当

文書名	文書の内容	印紙税法の取扱い	留意事項
	により、賠償の義務を免れることを定めた契約書（賠償額は1,000万円）	関する契約書） ○印紙税額は5,000円（軽減税率）又は10,000円	しません。記載金額は賠償額の1,000万円です。
損失補償契約書	道路拡張工事のため生ずる損失を補償（補償金は10万円）することを定めた契約書	不課税文書	「損失補償に関する事項」は、課税事項には該当しません。
代物弁済の予約の定めのある根抵当権設定契約証書	債務者の負担する債務を担保するため不動産上に根抵当権を設定するとともに、債務不履行のときは、当該不動産によって代物弁済すること（代物弁済の実行に当たっての根抵当物件の価格は、通常の評価方法により別途評価するとしているもの）を予約する契約証書	○第１号の１文書（不動産の譲渡に関する契約書） ○印紙税額は200円	この文書は、代物弁済の実行に当たっての根抵当物件の価格を通常の評価方法によって別途評価するものとしていますから、記載金額のない文書に該当します。このように負担する債務額及び差額（消滅する債務額と不動産の価格との差額）のいずれも記載のないもの又は時価評価額をもって代物弁済する等、具体的な数値の記載のないものは、記載金額のないものに該当します。
立退料支払契約書、承諾書	建物から立ち退くこと（立退料は500万円）を承諾する文書	不課税文書	この文書は、いわゆる損失補償契約（金銭による補償）を内容とするものですから、課税文書には該当しません。
建物譲渡契約書	消費税の課税事業者が譲渡人であり、建物本体価格（1,000万円）と消費税及び地方消費税（10%）の金額（100万円）とが区分記載されている契約書	○第１号の１文書（不動産の譲渡に関する契約書） ○印紙税額は5,000円（軽減税率）又は10,000円	区分記載された場合、消費税及び地方消費税（10%）の金額（100万円）は記載金額に含めませんから、この文書の記載金額は1,000万円となります。
建物譲渡契約書	消費税の免税事業者が譲渡人であり、建物本体価格（1,000万円）と消費税及び地方消費税（10%）の金額（100万円）とが区分記載され	○第１号の１文書（不動産の譲渡に関する契約書） ○印紙税額は10,000円（軽減税率）又は20,000円	建物を譲渡する者が免税事業者の場合には、消費税及び地方消費税の金額を区分記載していても、消費税及び地方消費税（10%）の金額を記載金額に含めないこととして取り扱うことはできま

文書名	文書の内容	印紙税法の取扱い	留意事項
	ている契約書		せんから、この文書の記載金額は1,100万円となります。
著作権の譲渡契約書	著作物の著作権の譲渡（売渡価格の記載はない）について定めた契約書	○第1号の1文書（無体財産権の譲渡に関する契約書） ○印紙税額は200円	著作権とは、文学、学術、美術の範囲に属する著作物を独占的排他的に支配する権利であり、登録のないものも著作権に含まれます。
賃借人がいる土地の売買契約書	賃借権付きの土地を1,000万円で売買することを定めた契約書	○第1号の1文書（不動産の譲渡に関する契約書） ○印紙税額は5,000円（軽減税率）又は10,000円	賃借権者へ交付される場合も印紙税の課税対象となります。 なお、上記の場合の納税義務者は、契約当事者である土地の売渡人と買受人となります。
積立式宅地建物給付契約書	一定の期間毎月所定の金額を積み立てること及び積立金額の合計が目標額に達すれば土地付建物（金額の記載はない。）の給付が受けられることを定めた契約書	○第1号の1文書（不動産の譲渡に関する契約書） ○印紙税額は200円	この文書は、土地付建物の給付に関する事項を定めていることから、第1号の1文書に該当し、また、金銭の積立てに関する事項を定めていることから、第14号文書（金銭の寄託に関する契約書）にも該当しますが、通則3イの規定により第1号の1文書となります。
停止条件付土地売買契約書	現所有者から贈与されることを停止条件とする土地の売買（価格は600万円）について定めた契約書	○第1号の1文書（不動産の譲渡に関する契約書） ○印紙税額は5,000円（軽減税率）又は10,000円	停止条件付きの契約書であっても、印紙税法上の契約書に該当します。 なお、納税義務者は売主及び買主ですが、立会人へ交付する文書も課税対象となります。
登記承諾書	土地の所有権を移転登記することを承諾する文書	不課税文書	この文書は、土地の売買契約の成立を証明する目的で作成される文書ではないので、課税文書には該当しません。
土地売渡承諾書	土地（価格は500万円）を売り渡すことを承諾した土地所有者が作成して買主に交付する文書	○第1号の1文書（不動産の譲渡に関する契約書） ○印紙税額は1,000	契約当事者の一方のみが作成する文書も、印紙税法上の契約書に該当します。

文書名	文書の内容	印紙税法の取扱い	留意事項
		円（軽減税率）又は2,000円	
土地寄付証書	土地を寄付すること、すなわち贈与することを証する証書	○第１号の１文書（不動産の譲渡に関する契約書） ○印紙税額は200円	贈与契約書は、贈与の目的物の時価等が記載されていても、その金額は記載金額にはなりません。
土地交換契約書	甲所有の土地（価格は1,100万円）と乙所有の土地（価格は1,000万円）とを交換する契約書	○第１号の１文書（不動産の譲渡に関する契約書） ○印紙税額は10,000円（軽減税率）又は20,000円	土地の交換契約書は、土地の所有権を移転させることを内容とする契約書ですから、第１号の１文書に該当します。 なお、交換契約書に交換対象物の双方の価格が記載されているときはいずれか高い方（等価交換のときは、いずれか一方）の金額が、交換差金のみが記載されているときは当該交換差金が、それぞれ記載金額となります。
土地、建物売買契約書	土地（価格は800万円）建物（価格は400万円）の売買契約書	○第１号の１文書（不動産の譲渡に関する契約書） ○印紙税額は10,000円（軽減税率）又は20,000円	土地、建物は共に不動産であるため、その合計金額（1,200万円）が記載金額となります。
土地の再売買予約契約書	いったん売り渡した土地の再売買の予約について定めた契約書（契約金額については「○月○日付売買契約書記載の額」と記載されている）	○第１号の１文書（不動産の譲渡に関する契約書） ○印紙税額は200円	予約契約書も、印紙税法上の契約書に該当します。 なお、契約金額については、他の課税文書（第１号の１文書）を引用していますので、記載金額はないものとして取扱われます。
土地売買契約書	土地（価格は6,000万円）の売買と、これに伴う手付金（300万円）の額及び支払方法を定めた契約書	○第１号の１文書（不動産の譲渡に関する契約書） ○印紙税額は30,000円（軽減税率）又は60,000円	手付金額は記載されていても、売買契約金額には含めません。 なお、取引の立会人である宅建業者へ土地売買契約書を交付される場合でも、印紙税の課税対象となります。

文書名	文書の内容	印紙税法の取扱い	留意事項
土地売買契約変更契約書	土地を実測した結果に基づき、既存の土地売買契約の内容を変更することを定めた契約書（当初の売買金額を100万円増額すると記載したもの）	○第１号の１文書（不動産の譲渡に関する契約書） ○印紙税額は500円（軽減税率）又は1,000円	既存の契約の内容を変更する契約書は、印紙税法上の契約書に該当します。 なお、契約金額を変更する契約書の記載金額は、次のようになります。 １　変更前の契約金額を記載した契約書が作成されていることが明らかな場合 (1)　変更金額（変更前後の契約金額の差額に担当する金額）が記載されているとき イ　変更前の契約金額を増加させる→その変更金額 ロ　変更前の金額を減少させる→記載金額のないもの (2)　変更後の金額のみが記載され、変更金額が明らかでないとき→変更後の金額 ２　変更前の契約金額を記載した契約書が作成されていることが明らかでない場合 (1)　変更後の金額が記載されているとき→変更後の金額 (2)　変更金額のみが記載されているとき→その変更金額
土地予約申込書、受付票	○土地予約申込書は、土地の購入予約申込みをするための文書 ○受付票は、購入予約申込みを受け付けたこと及び土地（価格は1,000万円）の買受予約金（50万円）を受領したことを証する文書	○土地予約申込書は不課税文書 ○受付票は第１号の１文書（不動産の譲渡に関する契約書） ○印紙税額は5,000円（軽減税率）又は10,000円	土地予約申込書は、売買契約の申込文書ですから、印紙税法上の契約書には該当しません。 なお、受付票は土地の購入予約申込みを受け付けたことを定めていることから、第１号の１文書に該当し、また、買受予約金の受領事実を証していることから第17号の１文書（売上代金に係る金銭の受取書）にも該当しますが、通則３イの規定により第１号の１文書となります。 また、買受予約金及び手付金の額は、第１号の１文書の記載金額には該当しません。

文書名	文書の内容	印紙税法の取扱い	留意事項
特許等の出願権の譲渡契約書	特許及び実用新案の登録を受ける権利（出願権）の譲渡について定めた契約書	不課税文書	特許出願権や実用新案出願権は無体財産権である特許権や実用新案権には該当しません。
根抵当権設定代物弁済予約賃貸借予約契約書	土地の売買取引に関連して、土地に根抵当権を設定すること、債務不履行の場合には土地を代物弁済すること及びその土地に賃借権を設定することを定めた契約書（代物弁済の対象となる債務金額の記載はない。）	○第１号の１文書（不動産の譲渡に関する契約書） ○第１号の２文書（土地の賃借権の設定に関する契約書） ○印紙税額は200円	この文書は、土地の代物弁済に関する事項を定めていることから、第１号の１文書に該当し、また、土地の賃借権の設定に関する事項を定めていることから、第１号の２文書にも該当します。
農地停止条件付売買契約書	農地法第５条（農地又は採草放牧地の転用のための権利移動の制限）による都道府県知事又は農林水産大臣の宅地等への転用許可を条件とする農地の売買契約書（契約金額は7,000万円）	○第１号の１文書（不動産の譲渡に関する契約書） ○印紙税額は30,000円（軽減税率）又は60,000円	
ノウハウ実施契約書	特定製品の製造技術（ノウハウ）を供与することを定めた契約書	不課税文書	この文書は、ノウハウの実施に関する契約ですが、ノウハウは無体財産権に含まれないことから、第１号の１文書（無体財産権の譲渡に関する契約書）には該当しません。
負担付贈与契約書	受贈者が贈与者の債務の履行を引き受けることを条件とする不動産の負担付贈与契約書	○第１号の１文書（不動産の譲渡に関する契約書） ○印紙税額は200円	負担付贈与契約は、無償による契約ですから、原則として、契約金額の記載のない第１号の１文書に該当します。ただし、負担の価格が贈与の目的物の価格と同等又はそれ以上である等その実質が売買契約又は交換契約と認められる場合は、負担の価格が記載金額となります。

文書名	文書の内容	印紙税法の取扱い	留意事項
負担付贈与契約書	マンションを贈与する代わりに受贈者に残ローンの支払を引き受けてもらうことを定めた契約書	○第１号の１文書（不動産の譲渡に関する契約書） ○印紙税額は200円	贈与するものが不動産の場合は、第１号の１文書に該当します。 なお、負担付贈与は無償の契約ですから、原則として記載金額のない契約書となります。
物件移転契約書	土地の上に存在する物件（建物等）の移転と移転に伴う損失を補償（補償金は100万円）することを定めた契約書	不課税文書	この文書は、いわゆる損失補償契約であり、建物等の売買を内容とするものではないので、課税文書には該当しません。
物件移転を伴う土地売買契約書	土地の売買（価格は600万円）とその土地の上にある物件の移転（移転料及び補償金100万円）について定めた契約書	○第１号の１文書（不動産の譲渡に関する契約書） ○印紙税額は5,000円（軽減税率）又は10,000円	土地の上にある物件の移転料及び損失の補償金100万円は売買金額ではないので、第１号の１文書の記載金額とはなりません。
不動産売渡証	不動産（価格は250万円）を売り渡したことの証書	○第１号の１文書（不動産の譲渡に関する契約書） ○印紙税額は1,000円（軽減税率）又は2,000円	
不動産売渡証書	土地の売買について売買契約書を作成した後、登記の際に作成する売渡証書（記載金額なし）	○第１号の１文書（不動産の譲渡に関する契約書） ○印紙税額は200円	
不動産権利証書預り証	不動産権利証の預りの事実を証する文書	不課税文書	不動産権利証（登記済証）は、不動産の登記が完了したことを証明する文書であって、文書上に財産権を化体しているものではないので、有価証券には該当しません。 なお、権利証はいわゆる「権利証預け」と称し、担保の目的で交付する場合もありますが、不動産の譲渡を内容とするものではないので、課税文書には該当しません。

文書名	文書の内容	印紙税法の取扱い	留意事項
不動産購入申込書	建売住宅(価格は2,000万円）の購入申込者が、２部複写の方法により所要事項を記載して販売会社に提出し、うち１部に販売会社の宅地建物取引主任の氏名を記載して、購入申込者に返却する申込書（契約の際には、別途、売買契約書を作成することが明記されている。)	○第１号の１文書（不動産の譲渡に関する契約書） ○印紙税額は10,000円（軽減税率）又は20,000円	販売会社の担当者がサインをして購入申込者に返却するものは、印紙税法上の契約書に該当し、課税文書となります。 なお、販売会社が保存するものは、当該申込書を受理することによって自動的に契約が成立するとしても、別途、売買契約書を作成することが記載されていますから、印紙税法上の契約書には当たらず、課税文書には該当しません。
不動産購入申込登録受付書	不動産の購入申込順位確保のための申込みを受け付けたことを証する文書	不課税文書	この文書は、不動産の購入申込みに対する応諾事実を証する文書ではないので、印紙税法上の契約書には当たらず、課税文書には該当しません。
不動産代物弁済予約契約書	債務不履行の場合における不動産の代物弁済の予約について定めた契約書（代物弁済により消滅する債務の金額は6,000万円)	○第１号の１文書（不動産の譲渡に関する契約書） ○印紙税額は30,000円（軽減税率）又は60,000円	不動産の代物弁済契約書は不動産の所有権を移転させることを内容とする契約書ですから、第１号の１文書に該当します。 なお、予約契約書も、印紙税法上の契約書に該当します。
不動産の売渡証書	不動産（価格は500万円）の売渡しと売渡代金(500万円）を領収したこと証する文書	○第１号の１文書（不動産の譲渡に関する契約書） ○印紙税額は1,000円（軽減税率）又は2,000円	第１号の１文書と第17号の１文書（売上代金に係る金銭の受取書）に該当しますが、通則３イの規定により第１号の１文書となります。
不動産の売却、買入、賃借、あっせん申込書	不動産の売却等を宅地建物取引業者へ委託する際、委託者が不動産業者に提出する申込書	不課税文書	この文書は、単なる申込文書ですから、課税文書には該当しません。
不動産引渡書	不動産売買契約締結後、物件の引渡しを通知する文書	不課税文書	この文書は、目的物の引渡しを一方的に通知する文書ですから、課税文書には該当しません。

文書名	文書の内容	印紙税法の取扱い	留意事項
プログラム著作権譲渡契約書	営業者間においてプログラム著作権を譲渡することを定めた契約書（譲渡価格は6,000万円）	○第１号の１文書（無体財産権の譲渡に関する契約書） ○印紙税額は60,000円	著作権の譲渡は、印紙税法上の無体財産権の譲渡に該当します。
分譲地・住宅申込書	分譲地・住宅の申込事項と申込みのあった土地の売却(価格は1,500万円）の承諾に関する事項が記載された申込書	○第１号の１文書（不動産の譲渡に関する契約書） ○印紙税額は10,000円（軽減税率）又は20,000円	契約の申込みに関する事項は、課税事項には該当しません。 なお、契約の申込みがあった土地売却の承諾に関する事項は、申込みに対する応諾の意思表示、すなわち契約が成立した事実を証明するものですから、この文書は第１号の１文書に該当します。
無体財産権の譲渡契約書	無体財産権を譲渡することを定めた契約書（契約金額は200万円）	○第１号の１文書（無体財産権の譲渡に関する契約書） ○印紙税額は2,000円	
立木売買契約書	立木(登記されたもの)を売買(売買代金は100万円）することを定めた契約書	○第１号の１文書（不動産の譲渡に関する契約書） ○印紙税額は500円（軽減税率）又は1,000円	登記された立木は土地とは独立した不動産ですから、その売買契約書は第１号の１文書に該当します。 なお、登記した立木であっても、これを立木としてではなく、伐採して木材等とするものとして譲渡した場合は、課税文書には該当しません。

50音順による第１号の２文書例

文書名	文書の内容	印紙税法の取扱い	留意事項
自動車保管場所賃貸借契約書	自動車の保管場所として空地を賃貸借することを定めた契約書（賃料は月額30万円、権利金は100万円）	○第１号の２文書（土地の賃借権の設定に関する契約書） ○印紙税額は1,000円	駐車場の利用を内容とする契約書については、次のように取り扱われます。 ①　駐車場として土地の賃貸借を約するもの→第１号の２文書（土地の賃貸借契約） ②　車庫の賃貸借を約するもの→不課税文書（車庫という施設の賃貸借契約） ③　駐車場の一定の場所に特定の車両を有料で駐車させることを約するもの→不課税文書（駐車場という施設の賃貸借契約） ④　車両の保管（寄託）を約するもの→不課税文書（車両という物品の寄託契約） なお、記載金額は、権利金の100万円となります。
自動販売機設置協定書	飲料類の自動販売機を設置する敷地を、対価（売上高の10%）を払って使用することを定めた協定書	○第１号の２文書（土地の賃借権の設定に関する契約書） ○印紙税額は200円	有償で土地を使用することを約する文書は、第１号の２文書に該当します。 なお、賃料（売上高の10%）は、契約金額とはなりません。 また、無償の場合は土地の使用貸借権の設定契約書となりますから、課税文書には該当しません。
借地権譲渡契約書	借地権を譲渡（価格は100万円）することを定めた契約書	○第１号の２文書（土地の賃借権の譲渡に関する契約書） ○印紙税額は1,000円	
借地権放棄補償契約書	借地権を放棄し、これに補償料（50万円）を支払うことを定めた契約書	不課税文書	この文書は、権利放棄により借地権を消滅させる契約書ですから、印紙税法上の契約書に当たらず、課税文書に該当しません。

文書名	文書の内容	印紙税法の取扱い	留意事項
住宅建築に関する地主の承諾書	借地上の建物を担保に供する場合に、将来担保権実行により建物の所有者が変更になっても、引き続き土地を貸与することを承諾する文書（契約金額の記載のないもの）	○第１号の２文書（土地の賃借権の設定に関する契約書） ○印紙税額は200円	将来、建物を取得した者に土地を貸与することについての承諾は、土地の賃借権設定契約の予約ですから、第１号の２文書に該当します。
送水管埋設についての協定書	市と所有者との間において、私道に市が送水管を埋設すること及び使用料のほかに占有料の一時金20万円を支払うことを定めた協定書	○第１号の２文書（土地の賃借権の設定に関する契約書） ○印紙税額は400円	地中の使用（有料使用）も、土地の賃貸借となります。 なお、占有料の一時金は、記載金額に該当します。 また、市は地方公共団体ですから、法第４条第５項の規定により市が所持する文書が課税となり、契約の相手方（非課税法人（地方公共団体等）以外の者に限る。）が所持する文書は非課税文書となります。
地上権設定契約書	地上権を設定（地上権設定に対する補償金は1,000万円）することを定めた契約書	○第１号の２文書（地上権の設定に関する契約書） ○印紙税額は10,000円	この補償金は、地上権設定の対価ですから、記載金額に該当します。
地上権設定承諾書	土地の借地人がその借地上に他の者が地上権を設定することを承諾する文書	不課税文書	この文書は、地上権設定契約における第三者（借地人）の作成する文書ですから、課税文書には該当しません。
地上権の設定契約書（第三者のために契約するもの）	国と地主の間で、県道の付替工事を行うために必要な土地について、道路管理者（県）のために国が費用を負担して地上権を設定することを定めた契約書（契約金額の記載のないもの）	○第１号の２文書（地上権の設定に関する契約書） ○印紙税額は200円	契約当事者の一方（諾約者）が相手方（要約者）に対し、第三者（受益者）のために地上権を設定することを約する契約は、民法第537条（第三者のためにする契約）に定める契約に該当し、それにより有効に地上権設定契約が成立することとなりますから、第１号の２文書に該当します。

文書名	文書の内容	印紙税法の取扱い	留意事項
地線埋設承諾書	使用料の支払いを条件に、地主が電力会社に対し、所有地に電線を埋設することを承諾する文書（契約金額の記載のないもの）	○第１号の２文書（土地の賃借権の設定に関する契約書） ○印紙税額は200円	地中の使用（有料使用）も土地の賃貸借に該当します。
賃借権放棄についての承諾書	土地の賃借権の放棄及び地上物件を移転することを承諾する文書	不課税文書	権利放棄により賃借権を消滅させるものですから、課税文書には該当しません。 なお、地上物件の移転は、物件を譲渡するものではないので、第１号の１文書（不動産の譲渡に関する契約書）には該当しません。
電線路架設に関する契約書	電力会社が、送電線路の架設に当たり、その送電線下の土地の所有者との間で作成する契約書で、他人の土地の上に電線路を架設し、これを保持すること及び土地の所有者がその土地の上に建造物を築造しないことを定めた契約書	不課税文書	この文書は、土地の賃貸借を内容とするものではありませんから、第１号の２文書（土地の賃借権の設定に関する契約書）には該当しません。
電柱敷設承諾書	電柱の敷地として土地を有料で使用することを承諾する文書（契約金額の記載のないもの）	○第１号の２文書（土地の賃借権の設定に関する契約書） ○印紙税額は200円	
電話線埋設承諾書	土地に電話線を埋設すること（埋設使用料は年１万円）を承諾する文書	○第１号の２文書（土地の賃借権の設定に関する契約書） ○印紙税額は200円	地中の使用（有料使用）も土地の賃貸借となります。 なお、埋設使用料は、記載金額には該当しません。
土地賃貸借契約改	既存の土地賃貸借契約の内容の一部（賃料）	○第１号の２文書（土地の賃借権の	この文書は、既存の土地賃貸借契約書（第１号の２文書）につ

文書名	文書の内容	印紙税法の取扱い	留意事項
定書	を変更することを定めた文書	設定に関する契約書） ○印紙税額は200円	いて、賃料を変更するものですから、第1号の2文書に該当します。 なお、賃料は、記載金額には該当しません。
土地賃貸借契約書	土地を賃貸借（賃料は月10万円）することを定めた契約書	○第1号の2文書（土地の賃借権の設定に関する契約書） ○印紙税額は200円	賃料は、記載金額には該当しません。
土地賃貸借契約の更新契約書	土地の賃貸借契約の更新（更新料は60万円）について定めた契約書	○第1号の2文書（土地の賃借権の設定に関する契約書） ○印紙税額は1,000円	更新料は、土地の賃借権の設定の対価ですから、記載金額に該当します。
土地の転貸契約書	土地を転貸することを定めた契約書（契約金額の記載のないもの）	○第1号の2文書（土地の賃借権の設定に関する契約書） ○印紙税額は200円	
墓地賃貸借契約書	墓地を永代賃貸借するに際し永代賃借料として50万円を一括で支払うことを定めた契約書	○第1号の2文書（土地の賃借権の設定に関する契約書） ○印紙税額は400円	この文書は、賃借料の名称を用いていますが、実質的には権利金と同様、賃借権の設定の対価として支払われるものと認められますから、この場合の永代賃貸料50万円は記載金額に該当します。

50音順による第１号の３文書例

文書名	文書の内容	印紙税法の取扱い	留意事項
育英資金借用証書	高校の学生が、学資金（10万円）を借り入れた際、貸付者である県知事に対して提出する金銭の借用証書	非課税文書	都道府県が行う高等学校の生徒に対する学資としての資金の貸付けに係る消費貸借契約書については非課税とされています（措置法91の３）。
カード利用申込書	カードローン契約（消費貸借契約）に基づき、現金自動支払機を利用し、反復して金銭の借入れができることを申し込むための文書（申込みにより自動的に借入利用可能となるもの）	○第１号の３文書（消費貸借に関する契約書） ○印紙税額は200円	この文書は、カードローン規定を承諾の上、利用を申し込むものであり、印紙税法上の契約書に該当します。 なお、現金自動支払機による貸出しは、消費貸借契約における目的物の引渡し方法を定めており、第１号の３文書に該当します。
カードローン契約書（当座貸越契約書）	貸越極度額を50万円とする当座貸越取引を定めた契約書（極度額の範囲内で貸付けを反復して行うもの）	○第１号の３文書（消費貸借に関する契約書） ○印紙税額は200円	この文書は、いわゆる当座貸越契約書のように、当座預金残高を超過して振り出した小切手の支払を委託するものでなく、借入金の貸出し及びその返済方法を定めたものですから、第１号の３文書に該当します。 なお、極度額は、貸付けの予約の最高額を定めるものではないので、記載金額には該当しません。
買掛債務の弁済契約書	買掛債務（100万円）を消費貸借債務へ切り替えるとともに、約束手形を受領したことを証するための契約書	○第１号の３文書（消費貸借に関する契約書） ○印紙税額は1,000円	この文書は、買掛債務の消費貸借契約への切替えについて定めていることから、第１号の３文書に該当し、また、約束手形の受領事実を証していることから、第17号の２文書（売上代金以外の有価証券の受取書）にも該当しますが、通則３イの規定により第１号の３文書となります。

文書名	文書の内容	印紙税法の取扱い	留意事項
会社と社員の間で作成される金銭借用証書	社員が勤務先の会社から金銭を借り入れる場合に、借入金額及び返済期日を記載して貸主に差し入れる文書（借入金額は50万円）	○第１号の３文書（消費貸借に関する契約書） ○印紙税額は400円	会社と社員との間で作成される消費貸借契約書は、それぞれ独立した人格を有する者の間で作成したものですから、同一法人内で作成する文書には該当しません。
貸付決定通知書	貸付け申込みのあった資金（50万円）を貸し付けることを承諾した旨を通知する文書	○第１号の３文書（消費貸借に関する契約書） ○印紙税額は400円	この文書は、通知書の形態をとっていますが、資金の貸付けの申込みに対して承諾したことを内容とするものですから、第１号の３文書に該当します。
貸付実行通知書、融資実行通知書	保証人に対して、貸付けの実行があった旨を通知する文書	不課税文書	この文書は、貸付けを実行したことを通知する文書であり、これにより消費貸借契約の成立を証明するものではないので、課税文書には該当しません。
貸付明細書	消費者金融業者等が金銭を貸し付ける場合に借入者に交付する明細書（借入者からは別途借用書を徴している。）	不課税文書	この文書は、成立した契約の内容及び条件を記載したものであるが、借入者の便宜のため交付するものであり、別途借用書を徴していることから、単なる通知文書と認められ、課税文書には該当しません。
ガソリン貸借契約書	ガソリンを消費貸借することを定めた契約書	○第１号の３文書（消費貸借に関する契約書） ○印紙税額は200円	物品についての消費貸借契約書は、記載金額のない第１号の３文書に該当します。
学校債券	学校が設備拡充の資金（20万円）を借り入れた際に発行する債券（会社法等の規定に基づき発行されるものではなく、また、借入金の返還請求権を表彰するものでもない。）	○第１号の３文書（消費貸借に関する契約書） ○印紙税額は400円	金銭の借入れを証明する目的で作成される文書は、第１号の３文書に該当します。

文書名	文書の内容	印紙税法の取扱い	留意事項
借入金の償還についての確約書	協同組合から貸付けを受ける組合員が返済方法を記載して協同組合に差し入れる確約書	○第１号の３文書（消費貸借に関する契約書） ○印紙税額は200円	
借入金の領収書	消費貸借契約が成立した旨を付記した金銭（100万円）の領収書	○第１号の３文書（消費貸借に関する契約書） ○印紙税額は1,000円	この文書は、消費貸借契約が成立した旨を付記していることから、第１号の３文書に該当し、また、借入金の受領事実を証していることから、第17号の２文書（売上代金以外の金銭の受取書）にも該当しますが、通則３イの規定により第１号の３文書となります。
借入金の領収書（借入金の返済方法を付記したもの）	借入金の返済方法を付記した金銭（10万円）の領収書	○第１号の３文書（消費貸借に関する契約書） ○印紙税額は200円	この文書は、借入金の返済方法を付記していることから、第１号の３文書に該当し、また、金銭の受領事実を証していることから、第17号の２文書（売上代金以外の金銭の受取書）にも該当しますが、通則３イの規定により第１号の３文書となります。
借入金の利率を変更する覚書	既に成立している金銭消費貸借契約書の借入金の利率を変更する覚書	○第１号の３文書（消費貸借に関する契約書） ○印紙税額は200円	覚書に記載されている貸借金額の残額は、原契約において確定している金額ですから、記載金額とはなりません。
借入金利息の支払方法についての承諾書	銀行から資金を借り受けている者が、その借入金の利息等について当座預金又は普通預金の勘定口から、小切手、預金払戻請求書等による通常の預金払戻しの方法によらずに引き落としてもよいことを承諾する文書（契約金額の記載のないもの）	○第１号の３文書（消費貸借に関する契約書） ○印紙税額は200円	この文書は、消費貸借に関する利息の支払方法について承諾していることから、第１号の３文書に該当し、また、預金契約の内容を変更していることから、第14号文書（金銭の寄託に関する契約書）にも該当しますが、通則３イの規定により第１号の３文書となります。

文書名	文書の内容	印紙税法の取扱い	留意事項
借入申込書・請求書（コミットメントライン契約（リボルビング・クレジット・ファシリティ契約）に係るもの）	基本契約書であるコミットメントライン契約（リボルビング・クレジット・ファシリティ契約）に基づき借入れ（1億円）を申し込む際に交付する申込書（基本契約書において、「借入人が借入申込書等を提出した場合には、貸付人は基本契約書に定められた貸付けの前提条件の充足を条件に貸付けを実行しなければならない。」と定められているもの）	○第1号の3文書（消費貸借に関する契約書） ○印紙税額は60,000円	この文書は、基本契約書に基づく申込書等であることが記載されており、その申込みによって自動的にその申込みに係る契約が成立する（貸付けが実行）こととなっているものですから、第1号の3文書に該当します。
借受金受領書	借受金（300万円）の受領事実を証明するとともに、その返還期日又は返還方法若しくは利率等が記載証明されている文書	○第1号の3文書（消費貸借に関する契約書） ○印紙税額は2,000円	この文書は、消費貸借の返還期日等を定めていることから、第1号の3文書に該当し、また、借入金の受領事実を証していることから、第17号の2文書（売上代金以外の金銭の受取書）にも該当しますが、通則3イの規定により第1号の3文書となります。
為替予約締結証	外貨建預金契約者又はインパクトローン契約者が為替リスクをヘッジするため銀行と締結する為替予約に関する文書	不課税文書	為替予約は、消費貸借契約又は寄託契約についての補充契約ではなく、将来、一定のレートで外貨と邦貨を売買することを約する個別の契約ですから、課税文書には該当しません。
業務提携契約書	テニスクラブの経営に関し、業務の分担、経費の負担等のほか、保証金について定めた契約書（保証金7,000万円）	○第1号の3文書（消費貸借に関する契約書） ○印紙税額は60,000円	保証金という名目ではあっても、その契約期間中、その全額を保証金の預り者のもとに保管するものではなく、その一部を「テニスコートの設備投資に対する回収金」等の名目で返還することを約しているものは、その実質は債務の担保と資金の融資と

文書名	文書の内容	印紙税法の取扱い	留意事項
			いう両者の性格を併せ有するものと認められますから、消費貸借契約の成立事実を証明するものであり、第１号の３文書に該当します。
極度貸付契約証書	手形貸付けの方法により、一定の金額(1,000万円）の範囲内で反復して金銭を借用することを定めた契約証書	○第１号の３文書（消費貸借に関する契約書） ○印紙税額は200円	極度金額が借入最高残高を定めるものである場合は、貸付けの予約金額の最高額を定めるものではないので、記載金額には該当しません。
極度変更及び追加担保差入約定書	既存の極度貸付契約兼根抵当権設定契約書の内容について、極度金額の変更と担保を追加することを定めた約定書	○第１号の３文書（消費貸借に関する契約書） ○印紙税額は200円	極度金額が借入最高残高を定めるものである場合は、貸付けの予約金額の最高額を定めるものではないので、記載金額には該当しません。
銀行取引約定書の変更契約書	銀行取引約定書（貸付け、支払承諾、外国為替その他の取引によって生ずる当該銀行に対する一切の債務の履行について包括的に履行方法その他の基本的事項を定めたもの）の約定事項のうち、貸付けに係る債務の履行方法を変更又は補充する契約書	○第１号の３文書（消費貸借に関する契約書） ○印紙税額は200円	銀行取引約定書等、令第26条第３号に該当するものは、その性質上、変更又は補充する契約書を作成しても、部分的変更である限り第７号文書（継続的取引の基本となる契約書）には該当しませんが、他の号の課税事項を多く含む場合があり、他の号の文書に該当することがあります。
金銭借用証書	金銭（100万円）を借用するとともに公正証書の作成を委任することを定めた証書	○第１号の３文書（消費貸借に関する契約書） ○印紙税額は1,000円	連帯保証に関する事項が併記されていても、「主たる債務の契約書に併記された保証契約書」に該当するので、第13号文書（債務の保証に関する契約書）とはなりません。
金銭消費貸借契約証書	金銭（200万円）の消費貸借と公正証書の作成を委任することを定め	○第１号の３文書（消費貸借に関する契約書）	連帯保証に関する事項が併記されていても、「主たる債務の契約書に併記された保証契約書」に

文書名	文書の内容	印紙税法の取扱い	留意事項
	た契約証書	○印紙税額は2,000円	該当するので、第13号文書（債務の保証に関する契約書）とはなりません。 なお、納税義務者は貸主及び借主ですが、連帯保証人へ交付する文書も課税対象となります。
金銭消費貸借契約の変更契約証書	既存の金銭消費貸借契約証書の債務元本（２億円）の返還期日を変更することを定めた契約証書	○第１号の３文書（消費貸借に関する契約書） ○印紙税額は200円	返還期日は、金銭消費貸借契約の重要事項に該当します。 なお、文書に記載されている金額は、契約の内容の変更について直接証明の目的となっているものではないので、記載金額には該当しません。
契約栽培の前渡契約書	農業協同組合とその組合員である生産者との間で、農産物を契約栽培するに際し、農業協同組合が種苗等を生産者に前渡ししてその代金（100万円）は貸付金とすることを定めた契約書	○第１号の３文書（消費貸借に関する契約書） ○印紙税額は1,000円	農作物の栽培を委託する契約は委任契約ですが、当事者間において、種苗等の代金を金銭の消費貸借の目的とすることを約した文書は、第１号の３文書に該当します。
建築協力金に関する定めのある賃貸借契約書	貸室の賃借に際しての建築協力金（１億２千万円）の預入れ及び返済について定めた契約書	○第１号の３文書（消費貸借に関する契約書） ○印紙税額は100,000円	この文書は、賃借人から建築協力金、保証金等として一定の金額を受領し、賃貸借契約期間に関係なく、一定期間据置き後一括返還（又は分割返還）することを定めていますので、第１号の３文書に該当します。
限度貸付契約書	貸付累計額が一定の限度（500万円）に達するまで貸し付けることを定めた契約書	○第１号の３文書（消費貸借に関する契約書） ○印紙税額は2,000円	貸付けの予約金額の最高額を定めるものですから、500万円が記載金額となります。 なお、一定の金額の範囲内で貸付けを反復して行うことを約する場合の、当該一定の金額は記載金額となりません。

文書名	文書の内容	印紙税法の取扱い	留意事項
原本と相違ない旨を記載した契約書の写し（コピー）	貸主が借主の控えとするため、金銭消費貸借契約書をコピーし、原本と相違ない旨を記載し、署名又は押印して借主に交付した契約書（借入金額は300万円）	○第１号の３文書（消費貸借に関する契約書） ○印紙税額は2,000円	契約書のコピーであっても、契約の相手方当事者が、原本に相違ない旨を証明したものは、契約書に該当します。
公正証書	公正証書のうち、金銭消費貸借契約（借入金額は1,000万円）に係るものとして作成された証書	○第１号の３文書（消費貸借に関する契約書） ○印紙税額は10,000円	公正証書は極めて強い証明力を有しており、消費貸借という課税事項が記載されているものは第１号の３文書に該当します。 なお、公証人の保存する原本のみが課税され、副本、謄本は課税されません。
公正証書作成のための委任状	借入金の受領事実（受取金額は1,000万円）と、金銭消費貸借契約事項（借入金額は1,000万円）が併記された、公正証書作成のために債務者が作成する委任状（受任者が貸主の社員であり、この委任状の作成により、借用証書の作成は省略されているもの）	○第１号の３文書（消費貸借に関する契約書） ○印紙税額は10,000円	この文書は、金銭消費貸借契約事項が記載されていることから、第１号の３文書に該当し、また、借入金の受領事実を証していることから第17号の２文書（売上代金以外の金銭の受取書）にも該当しますが、通則３イの規定により第１号の３文書となります。 なお、「債務弁済契約公正証書作成委任状（P88）」も参考にしてください。
ゴルフクラブ会員証（譲渡できないもの）	ゴルフクラブの会員としての資格を証する文書（保証金は2,000万円）	○受け入れた保証金等を一定期間据置き後一括返還又は分割返還することを約するものは第１号の３文書（消費貸借に関する契約書）に該当します。 ○印紙税額は20,000円 ○受け入れた保証金等を退会時にのみ返還することとしているもので、金	保証金という名目であっても、実質的には金銭の消費貸借を証する契約書になります。

文書名	文書の内容	印紙税法の取扱い	留意事項
		銭の受領事実の記載があるものは第17号の２文書（売上代金以外の金銭の受取書）に該当します。 ○印紙税額は200円	
ゴルフクラブ入会証（流通性を持たせたもの）	ゴルフクラブの入会金の預り事実を証するとともに預り金の返還請求権を表彰する証書	不課税文書	有価証券の性質を有するものは、課税文書には該当しません。
債券貸借取引に関する基本契約書	債券貸借取引に関する基本的事項を借主と貸主との間で定めた基本契約書	○第１号の３文書（消費貸借に関する契約書） ○印紙税額は200円	
債券貸借取引に関する基本契約書に係る個別取引契約書	債券貸借取引に関する基本契約書に基づき、個別の債券貸借取引を行う場合に目的物の種類、引渡方法を定めた契約書	○第１号の３文書（消費貸借に関する契約書） ○印紙税額は200円	貸借する有価証券の額面金額等を記載しても、当該金額は有価証券の目的物を特定しているにすぎず、消費貸借金額ではないから、記載金額には該当しません。
債券貸借取引明細表	債券貸借契約の成立した債券の種類等を記載して相手方に交付する明細表	○第１号の３文書（消費貸借に関する契約書） ○印紙税額は200円	この文書は、成立した債券の消費貸借契約について、その事実を証明するために作成し、借主が貸主に交付するものであり、第１号の３文書の重要な事項である目的物の内容を定めるものですから、記載金額のない第１号の３文書に該当します。
債務確認弁済契約書	借入金のうち弁済未済額を確認するとともに、一部の弁済を一時猶予することを定めた契約書	○第１号の３文書（消費貸借に関する契約書） ○印紙税額は200円	この文書は、債務の弁済方法を定めるために、既存の金銭消費貸借に係る債務の金額を記載しているものですから、契約の成立、変更又は補充の目的となっている金額ではないので、記載金額には該当しません。

文書名	文書の内容	印紙税法の取扱い	留意事項
債務承認書	現存する消費貸借債務についての承認書	不課税文書	この文書は、既に成立している消費貸借債務の承認を内容とするもので、消費貸借契約の成立、更改又は補充を内容とするものではないので、第１号の３文書（消費貸借に関する契約書）には該当しません。
債務弁済及び抵当権設定に関する契約書	住宅建設資金（200万円）の貸付けと抵当権及び質権の設定を定めた契約書	○第１号の３文書（消費貸借に関する契約書） ○印紙税額は2,000円	連帯保証に関する事項が併記されていても、「主たる債務の契約書に併記された保証契約書」に該当するので、第13号文書（債務の保証に関する契約書）とはなりません。
債務弁済契約公正証書作成委任状	消費貸借債務弁済契約の公正証書を作成することを内容とする委任状（債権者と債務者との間における消費貸借契約に関する債務の弁済方法等が記載されているもの）	不課税文書	消費貸借契約についての事項は、委任契約の内容となっているものであり、直接証明の目的となっているものではありませんから、第１号の３文書（消費貸借に関する契約書）には該当しません。 なお、「公正証書作成のための委任状（Ｐ86）」も参考にしてください。
債務弁済契約証書	既存の金銭消費貸借契約証書に基づく債務の支払方法を定めるとともに抵当権を設定することを定めた契約証書	○第１号の３文書（消費貸借に関する契約書） ○印紙税額は200円	この文書は、債務の支払方法を定めるために、既存の金銭消費貸借に係る債務の金額を記載しているものですから、この契約証書において成立、変更又は補充の目的となっている金額ではないので、記載金額には該当しません。
支払保証の取扱いについての協定書	債権者と保証人との間において支払保証をしている債務が不履行となったことに伴い保証債務の履行方法等を定めた協定書	○第１号の３文書（消費貸借に関する契約書） ○印紙税額は200円	この文書は、代位弁済をするために必要な資金の融資条件を定めたものであることから、第１号の３文書に該当し、また、保証債務の履行方法を定めていることから、第13号文書（債務の保証に関する契約書）にも該当しますが、通則３イの規定により第１号の３文書となります。

文書名	文書の内容	印紙税法の取扱い	留意事項
借用証書（外国通貨により表示されているもの）	契約金額が外国通貨により表示されている借用証書（金額は10万米ドル）	○第1号の3文書（消費貸借に関する契約書） ○印紙税額は20,000円	契約金額が外国通貨により表示されている場合は、文書作成日における基準外国為替相場又は裁定外国為替相場により本邦通貨（円）に換算した金額を記載金額とします。 なお、記載金額は、1ドル=148円で換算した金額1,480万円（10万米ドル×148円）となります。 （参考）基準外国為替相場（令5.11.1～令5.11.30） アメリカ合衆国通貨1米ドルにつき本邦通貨148円
住宅資金借用証	住宅資金（100万円）の借用証（保証人が連帯保証しているもの）	○第1号の3文書（消費貸借に関する契約書） ○印紙税額は1,000円	金銭借用書に連帯保証に関する事項が併記されている場合は、「主たる債務の契約書に併記された保証契約書」に該当するため、第13号文書（債務の保証に関する契約書）とはなりません。
住宅融資制度に関する覚書	健康保険組合と金融機関の間で、金融機関が健康保険組合の組合員に住宅資金を融資することについて、その基本事項を定めた覚書	不課税文書	この文書は、健康保険組合と金融機関の間で作成されたものであり、住宅資金の消費貸借契約は、個々の組合員と金融機関との間で締結されるものですから、第1号の3文書（消費貸借に関する契約書）には該当しません。
住宅ローン本審査のご案内	住宅ローンの仮審査を通過した申込者のうち、当該結果について、通知を希望する者に対して送付するご案内	不課税文書	この文書は、申込人が住宅ローンの仮審査を通過し、本審査の申込みをすることができることとなったことを案内しているに過ぎず、住宅ローン契約の成立（将来の成立を含みます。）又は住宅ローンの実行の決定についての意思表示の合致を証したものとは認められません。
準消費貸借契約書	売買によって生じた代金支払債務（200万円）を、当事者がこれを消	○第1号の3文書（消費貸借に関する契約書）	印紙税法の消費貸借には、準消費貸借も含みます。

文書名	文書の内容	印紙税法の取扱い	留意事項
	費貸借の目的（借金）に改めることを定めた契約書	○印紙税額は2,000円	
消費貸借更改契約証書	既存の金銭（100万円）の消費貸借契約を更改し債権者が交替することを定めた契約証書	○第１号の３文書（消費貸借に関する契約書） ○印紙税額は1,000円	
総合口座取引約定書	普通預金残高がない場合でも、定期預金を担保として一定の金額までの払戻しに応じることを定めた約定書	○第１号の３文書（消費貸借に関する契約書） ○印紙税額は200円	預金残高を超えて払い戻すことを約定しているので、第１号の３文書に該当し、また、預貯金の取扱いについての特約を定めるものとして第14号文書にも該当しますが、通則３イの規定により第１号の３文書となります。 なお、この約定書に貸越限度額を記載しても、これは反復する貸付けの範囲を定めたものであり、記載金額として取り扱われません。
建物賃貸借契約書（保証金に関する定めがあるもの）	建物の賃貸借において、保証金を徴し、一定期間（建物の賃貸期間にはかかわりない一定期間）後に同額の金銭を返還することを定めた契約書（保証金は3,000万円）	○第１号の３文書（消費貸借に関する契約書） ○印紙税額は20,000円	この文書は、保証金として受け取った金銭を賃貸借期間に関係なく、一定期間据え置き後一括返還（又は分割返還）することを定めていますから、第１号の３文書に該当します。
地方債引受承諾書	銀行が地方公共団体の長に対し、地方公共団体の発行する公債について、起債が許可された場合には、当該文書に記載した条件で引き受けることを定めた承諾書	不課税文書	この文書は、起債の許可があった場合に公債（地方債）を引き受けるということを承諾したものであって、そのことが直ちに融資をすることにはならないので、第１号の３文書（消費貸借に関する契約書）には該当しません。 なお、公債の引受契約は消費貸借類似の無名契約であり、地方

文書名	文書の内容	印紙税法の取扱い	留意事項
			債証券（有価証券）の譲渡を内容とするものではありません。
抵当権設定金銭消費貸借契約証書	金銭（500万円）を借用するとともに抵当権を設定することを定めた契約証書	○第１号の３文書（消費貸借に関する契約書） ○印紙税額は2,000円	連帯保証に関する事項は、「主たる債務の契約書に併記された保証契約書」に該当するので、第13号文書（債務の保証に関する契約書）とはなりません。
手形貸付実行・回収記入票	信用組合が手形貸付（200万円）を実行し、融資金を手渡した際に、借主から徴求する文書（別途契約書は作成されない。）	○第１号の３文書（消費貸借に関する契約書） ○印紙税額は2,000円	この文書は、融資金の受領事実のほか、貸付金利息、最終支払期日等消費貸借契約の重要な事項の記載がありますから、第１号の３文書となります。
手形借入約定書	約束手形を差し入れる方法により金銭（1,000万円）を借用することを定めた約定書（貸付けの予約金額の最高額を定めるもの）	○第１号の３文書（消費貸借に関する契約書） ○印紙税額は10,000円	貸付けの最高予約金額は、記載金額に該当します。
テナント契約書（保証金に関する定めがあるもの）	建物の一部に店舗を設ける契約書で、保証金を徴し、一定期間（建物の賃貸期間にはかかわりのない一定期間）後に同額の金銭を返還することを定めた契約書（保証金は300万円）	○第１号の３文書（消費貸借に関する契約書） ○印紙税額は2,000円	この文書は、保証金として受け取った金銭を賃貸借期間に関係なく、一定期間据置き後一括返還（又は分割返還）することを定めていますから、第１号の３文書に該当します。
当座借越約定書の借越金の利率を変更する念書	当座借越金の利率を変更することを定めた念書	不課税文書	当座借越約定書は、当座預金残額のない場合にも預金者等の振り出した小切手等の支払に応ずることとした立替払契約の性格を有することから、不課税文書である委任に関する契約書として取り扱われています。この場合、借越金に対する利息は、立替払契約（委任契約）の費用、報

文書名	文書の内容	印紙税法の取扱い	留意事項
			酬に該当しますから、この利率を変更する念書は、委任契約の変更契約書であり、第１号の３文書（消費貸借に関する契約書）には該当しません。
特約手形借入約定書	約束手形を差し入れる方法により金銭（極度金額500万円）を借用することを定めた約定書	○第１号の３文書（消費貸借に関する契約書） ○印紙税額は200円	この文書は、一定の金額の範囲内で貸付けを反復して行うことを約するものであり、極度金額は、貸付けの予約金額の最高額を定めるものではないことから、記載金額には該当しません。
取引明細	貸金業者とその客との間における借入限度額設定契約に基づき、客が現金自動支払機を利用して金銭を引き出した際に打ち出される文書	不課税文書	この文書は、貸付けの明細が記載されたものであり、金銭消費貸借契約の成立を証明するものとは認められないので、印紙税法上の契約書に当たらず、課税文書に該当しません。
根質権設定極度貸付契約書	極度貸付け（極度金額1,000万円）と根質権の設定について定めた契約書	○第１号の３文書（消費貸借に関する契約書） ○印紙税額は200円	この文書は、一定の金額の範囲内で貸付けを反復して行うことを約するものであり、極度金額は、貸付けの予約金額の最高額を定めるものではないことから、記載金額には該当しません。
ビル賃貸借契約書（保証金を含むもの）	保証金（1,000万円）を賃貸借期間に関係なく一定期間据置き後返還する条件付きの建物賃貸借の契約書	○第１号の３文書（消費貸借に関する契約書） ○印紙税額は10,000円	この文書は、賃借人から建築協力金、保証金等として一定の金額を受領し、賃貸借契約期間に関係なく、一定期間据置き後一括返還（又は分割返還）することを定めていますから、第１号の３文書に該当します。
ビル賃貸借予約契約書（建設協力金を含むもの）	建設協力金（1,000万円、賃貸借期間に関係なく、一定期間据置き後、返還するもの）を差し入れることとしている建物賃貸借の予約契約書	○第１号の３文書（消費貸借に関する契約書） ○印紙税額は10,000円	この文書は、賃借人から建築協力金、保証金等として一定の金額を受領し、賃貸借契約期間に関係なく、一定期間据置き後一括返還（又は分割返還）することを定めていますから、第１号の３文書に該当します。

文書名	文書の内容	印紙税法の取扱い	留意事項
弁済期限変更契約証書	既存の金銭（100万円）の借用証書の弁済期限を変更することを定めた契約書	○第１号の３文書（消費貸借に関する契約書） ○印紙税額は200円	既存の消費貸借契約に基づく元本の金額は、この契約証書において成立、変更又は補充の目的となっているものではないので、記載金額には該当しません。
前貸金契約書	商品の販売委託を行うに際し、販売代金(300万円）の前貸しをするとともに委託販売の事項を定めた契約書	○第１号の３文書（消費貸借に関する契約書） ○印紙税額は2,000円	営業者の間において継続する売買の委託について、目的物の種類、取扱数量等を定めるものである場合には、第７号文書（継続的取引の基本となる契約書）にも該当します。
約束手形のついた借入約定書	借入約定書と約束手形が１枚の用紙に記載されたもので、債務不履行の場合に約束手形の部分を切り離して手形取立ての方法により貸付金を回収する文書 ①借入約定書の部分 ②約束手形の部分 （契約金額は90万円）	①第１号の３文書（消費貸借に関する契約書） ○印紙税額は1,000円 ②第３号文書（約束手形） ○印紙税額は200円	この文書の約束手形の部分は、将来切り離して行使することが予定されているので、借入約定書の部分と約束手形の部分はそれぞれ独立した一の文書となります。
融資に伴う団体信用生命保険加入に関する覚書	銀行から融資を受けるに当たり、銀行のあっせんする団体信用生命保険に加入することを定めた覚書	不課税文書	
「融資の明細と返済予定」と称する通知書	融資をした銀行が借主に対するサービスとして、融資金額の返済日、利息を含めた返済金額等を通知する文書（融資金額及び利率等が記載されている。）	不課税文書	この文書は、融資日、融資金額、利率等、消費貸借契約の条件が記載されていますが、消費貸借契約の成立等を証明する目的で作成されたものではなく、返済日、返済金額等を通知しておくことにより、借主の計画的な返済に資する目的で作成するものですから、印紙税法上の契約書に当たらず、課税文書には該当しません。

文書名	文書の内容	印紙税法の取扱い	留意事項
預金口座振替解約・変更届	消費者ローン等の借入金の返済を口座振替により行っている返済者が、その口座を変更するために借入先である銀行に提出する届出書	○第1号の3文書（消費貸借に関する契約書） ○印紙税額は200円	この文書は、借入金の返済方法を変更するものですから、第1号の3文書に該当します。
利率変更に関する確認書	既に締結している限度貸付契約の利率を協議の上、変更することができる旨合意した確認書	不課税文書	この文書は、利率を変更することができる旨を内容とするものであり、消費貸借契約の重要な事項を変更又は補充するものではないことから、第1号の3文書（消費貸借に関する契約書）には該当しません。 なお、利率の変更を具体的に取り決めるものは、第1号の3文書に該当します。この場合、たとえ元本残額が記載されていても、その金額は変更金額ではないので、記載金額には該当しません。
和解契約書	売買取引により生じた一方の債務金額（500万円）を双方が確認するとともに、和解金（200万円）を支払うことで合意し、和解が成立したことを証する契約書	不課税文書	この文書は、和解が成立したことを記載しており、いずれの課税事項にも該当しません。 なお、和解金の弁済方法として、不動産を譲渡することを約する場合は、第1号の1文書（不動産の譲渡に関する契約書）に該当します。
和解契約書（新たに金銭消費貸借契約を結ぶもの）	金銭消費貸借取引において、借入金の返済が滞った場合に、債権者と債務者との間で既存の債務金額（20万円）を確認するとともに、改めて、借入金額（10万円）や支払方法を取り決めた契約書	○第1号の3文書（消費貸借に関する契約書） ○印紙税額は200円	この文書は、既存の債務金額を確認するとともに、新たに金銭消費借契約の成立（10万円）を証明するものであることから、第1号の3文書に該当します。

50音順による第１号の４文書例

文書名	文書の内容	印紙税法の取扱い	留意事項
揚荷役協定書	運送業者と運送依頼人との間で締結された海上運送契約に基づき、その運送契約履行の過程で、船長と荷受人が揚荷の数量を相互に確認するための協定書	不課税文書	この文書は、協定書となっていますが、契約に定められた揚地まで運送した貨物を、荷受人が受領した事実を証明する文書ですから、課税文書には該当しません。
運送承り書	貨物運送の依頼を受けた運送業者が、運送の引受けを証して、貨物の内容、積込地、積卸地、運賃等を記載して依頼主に交付する承り書 （契約金額は２万円）	○第１号の４文書（運送に関する契約書） ○印紙税額は200円	
運送状・送り状（インボイス）	商品の発送に際し発送人が品名、種類、数量、価格、運送方法、代金支払方法等を記載して荷受人に送付する文書	不課税文書	課税物件表第１号「定義」欄３の規定により課税されません。 なお、運送状、送り状と称するものであっても運送人が署名し、発送人に交付する場合は、第１号の４文書（運送に関する契約書）に該当します。
エア・ウェイビル	航空輸送の依頼を受けた運送人が、貨物の内容、発地、着地等を記載して荷送人に交付する文書（運賃は100万円）	○第1号の4文書（運送に関する契約書） ○印紙税額は1,000円	この文書は、航空運送人が荷送人に対し、貨物の受領及び運送の引受けを証する文書であり、このうち運送人がサインして荷送人に交付するものは、運送契約書に該当します。印紙税額は、運賃の額に応じた階級定額税率が適用されます。
汚物の運送契約書	公益法人が運送業者との間で汚物の運送について定めた契約書(対価の支払方法を定めるもので、契約期間は１年)	○第１号の４文書（運送に関する契約書） ○印紙税額は200円	この文書は、３か月を超える期間にわたって継続する汚物の運送に関して対価の支払方法を定めたものですが、営業者間（公益法人は営業者に該当しませ

文書名	文書の内容	印紙税法の取扱い	留意事項
			ん。）において行われるものではないことから、第7号文書（継続的取引の基本となる契約書）には該当しません。
オフ・ハイヤー開始協定書、オフ・ハイヤー終了協定書	傭船者と船主との間で、オフ・ハイヤーの開始及び終了の時間等を確認するための協定書	不課税文書	この文書は、傭船者と船主との間でオフ・ハイヤーの開始及び終了の事実を確認し合う文書であり、傭船契約の成立等の事実を証明するものではありませんから、課税文書には該当しません。 なお、オフ・ハイヤーとは、傭船期間中、船体の掃除又は破損、衝突、火災等の事故によって連続して何時間か傭船を継続することができないとき、本船が原状に復して再び業務に就くまでの時間に対してその間の傭船料等を傭船者の負担としないで船主の負担とすることをいいます。
貸切バス乗車券	バス会社等が団体旅行の申込みを受けた際に、使用車両、旅行日程、運賃及び料金（14万円）、並びに支払方法と運送を引き受けた旨を記載して交付する文書	○第1号の4文書（運送に関する契約書） ○印紙税額は400円	「乗車券」又は「乗船券」として発行されるものであっても、乗車等の際に乗員に提示する必要のないもの又は運送を引き受けた旨の文言若しくは運賃料金の支払方法に関する文言の記載のあるものは、第1号の4文書として取り扱われます。
貨物受取書	運送人が貨物の荷送人に交付する文書で、発地、着地、荷送人、荷受人、運送費（6,300円）等が記載されている受取書	非課税文書	この文書は、貨物受取書となっていますが、運送契約に関する重要な事項が記載されており、第1号の4文書（運送に関する契約書）になります。 なお、記載金額が10,000円未満のものは、非課税文書となります。
貨物運送状・送り状	航空貨物の運送状	不課税文書	課税物件表第1号「定義」欄3の規定により課税されません。

文書名	文書の内容	印紙税法の取扱い	留意事項
			なお、運送状・送り状と称するものであっても、運送の引受けの証として、運送人から荷送人に交付されるものは、第１号の４文書（運送に関する契約書）に該当します。
貨物の運送契約書	営業者間で貨物自動車の借上げと借り上げた貨物自動車による貨物運送（運送料は月額20万円で、契約期間は１年）を行うことについて定めた契約書（貨物自動車の提供者の責任のもとに運送業務を行うもの）	○第１号の４文書（運送に関する契約書） ○印紙税額は2,000円	この文書は、貨物の運送を約するものであるとともに、営業者間において３か月を超える期間の継続的な運送取引について、その単価等を定めていることから、第１号の４文書と第７号文書（継続的取引の基本となる契約書）に該当しますが、契約金額の記載がある（@20万円×12か月=240万円）ことから、通則３イの規定により第１号の４文書となります。
貨物引受書	運送人が荷送人から貨物の運送を引き受けた際に荷送人に交付する文書（運送料の記載がないもの）	○第１号の４文書（運送に関する契約書） ○印紙税額は200円	文書上から貨物の運送を引き受けたことが明らかなものは第１号の４文書に該当します。 なお、運送賃の記載のないものは、たとえその金額が10,000円未満であっても印紙税が課税されます。 また、運賃と区分して記載される品代金取立料（代引手数料）、運送保険料、荷掛立替金は、運送契約とは別個の代金取立委託契約、運送保険契約などの対価等として支払われるものであり、運送の対価ではないことから、記載金額には含まれません。
観光バスによる運送契約書	観光バスによる運送内容を定める契約書（運賃は60万円）	○第１号の４文書（運送に関する契約書） ○印紙税額は1,000円	

文書名	文書の内容	印紙税法の取扱い	留意事項
航空運送状・送り状	貨物を航空運送する際、荷送人が３部作成する書類で次のもの １枚目　運送人用として荷送人が署名し、運送人が保管するもの ２枚目　荷受人用として荷送人及び運送人が署名し、貨物とともに荷受人に送付されるもの ３枚目　運送人が署名し、運送引受けの証として荷送人に交付するもの （運賃は２万円）	○１枚目及び２枚目は不課税文書 ○３枚目は第１号の４文書（運送に関する契約書） ○印紙税額は200円	１枚目、２枚目は送り状に該当しますので、課税物件表第１号「定義」欄３の規定により課税文書には該当しません。
航空機賃貸借契約書	航空会社が自己の責任において軽飛行機を運航（契約金額は100万円）することを定める契約書	○第１号の４文書（運送に関する契約書） ○印紙税額は1,000円	この文書は、名称が航空機賃貸借契約書となっていますが、航空会社が飛行機を賃貸するのではなく、自己の責任において飛行機を運航することを内容とする文書ですから、賃貸借に関する契約書（不課税文書）ではなく、第１号の４文書に該当します。
交通事故についての覚書	運送契約の履行の過程で発生する交通事故の取扱いを定めた覚書（第三者が任意賠償保険を代行して付保することを含む。）	不課税文書	この文書は、既に成立した運送契約の内容を補充する契約ですが、補充する事項は交通事故の取扱いに関するものであり、第１号の４文書（運送に関する契約書）の重要な事項ではないことから、課税文書には該当しません。 なお、第三者が任意賠償保険を代行して付保することの契約は、委任に関する契約書（不課税文書）に該当します。

文書名	文書の内容	印紙税法の取扱い	留意事項
ご進物品承り票	顧客が商品の配達先を指定して商品を購入する時に百貨店等がその申込みを承諾したことを証するもので、売買代金とは別に送料を徴収することとしている文書（送料は15,000円）	○第１号の４文書（運送に関する契約書） ○印紙税額は200円	送料を徴しない場合や売買代金に送料を含めている場合には、全体が商品の売買契約とされることから、第１号の４文書に該当しません。
ご贈答品お申込票	百貨店で商品及び配達先等を指定し、購入を申し込む際に作成する申込票の顧客控え	不課税文書	この文書は、申込票と複写で作成されるものですが、顧客の単なる控えにすぎませんから、課税文書には該当しません。 なお、商品の売買代金とは別に送料を徴する場合であっても、購入物品の配達は売買契約の一部として評価され、その実費弁償して送料を徴するものであり、独立した運送契約ではありませんから、第１号の４文書（運送に関する契約書）には該当しません。
産業廃棄物処理委託契約書（収集・運搬用）	排出業者と処分業者との間で産業廃棄物を収集・運搬することを定めた契約書（契約金額は100万円）	○第１号の４文書（運送に関する契約書） ○印紙税額は1,000円	
シー・ウェイビル	海上輸送の依頼を受けた運送人が、貨物の内容、発地、着地等を記載して荷送人に交付する文書（運賃の記載がないもの）	○第１号の４文書（運送に関する契約書） ○印紙税額は200円	この文書は、運送人が貨物の受領及び運送の引受けを証する文書であり、運送人がサインして交付するものは運送契約書に該当します。運賃の記載のあるものは、その金額に応じた印紙税が課税されます（第１号の４文書）。
車両賃貸借契約書	営業者間で運転手付きの車両を提供し、運送業務を遂行することを	○第１号の４文書（運送に関する契約書）	この文書は、運送を約するとともに、営業者間において３か月を超える期間の継続的な運送取

文書名	文書の内容	印紙税法の取扱い	留意事項
	定めた契約書（運送料は月額５万円で、契約期間は１年）	○印紙税額は1,000円	引についてその単価等を定めていることから、第１号の４文書と第７号文書（継続的取引の基本となる契約書）に該当しますが、契約金額の記載がある（@５万円×12か月=60万円）ことから、通則３イの規定により第１号の４文書となります。
定期傭船契約書	営業者間で船舶を一定期間（１年）傭船（傭船料は月額100万円）することを定めた契約書	○第１号の４文書（運送に関する契約書） ○印紙税額は20,000円	定期傭船契約書は、傭船契約書（第１号の４文書）として取り扱われます。 なお、この文書は、定期傭船という運送を約するとともに、営業者間において３か月を超える継続的な運送取引についてその単価等を定めていることから、第１号の４文書と第７号文書（継続的取引の基本となる契約書）に該当しますが、契約金額の記載がある（@100万円×12か月＝1,200万円）ことから、通則３イの規定により第１号の４文書となります。
定期傭船契約の期間延長に関する協定書	営業者間で定期傭船契約書の契約期間を延長することについての協定書（８か月間延長する）	○第７号文書（継続的取引の基本となる契約書） ○印紙税額は4,000円	定期傭船契約書は、傭船契約書（第１号の４文書）として取り扱われます。 なお、この文書は、運送を約していることから、第１号の４文書（運送に関する契約書）に該当するとともに、営業者間において３か月を超える契約期間の延長という重要事項の変更を行うことから、第７号文書に該当しますが、契約金額の記載がない（計算できない）ことから、通則３イのただし書の規定により第７号文書となります。
定期傭船契約の傭	営業者間で締結した定期傭船契約の傭船料	○第１号の４文書（運送に関する契	定期傭船契約書は、傭船契約書（第１号の４文書）として取り

文書名	文書の内容	印紙税法の取扱い	留意事項
船料についての協定書	（月額500万円で期間は１年）を定めた協定書	約書） ○印紙税額は60,000円	扱われます。 なお、この文書は、運送を約するとともに、営業者間において３か月を超える期間の継続的な運送取引についてその単価等を定めていることから、第１号の４文書と第７号文書（継続的取引の基本となる契約書）に該当しますが、契約金額の記載がある（@500万円×12か月＝6,000万円）ことから、通則３イの規定により第１号の４文書となります。
定期傭船契約の傭船料についての協定書	営業者間における定期傭船料（月額単価を改定する）を定めた協定書	○第７号文書（継続的取引の基本となる契約書） ○印紙税額は4,000円	定期傭船契約書は、傭船契約書（第１号４文書）として取り扱われます。 なお、この文書は、運送を約するとともに、営業者間において３か月を超える期間の継続的な運送取引についてその単価等を定めていることから、第１号の４文書（運送に関する契約書）と第７号文書に該当しますが、契約金額の記載がない（計算できない）ことから、通則３イのただし書の規定により第７号文書となります。
荷物受取書	運送を依頼された荷物の受取書で、品名、個数、運賃（５万円）等が記載された受取書	○第１号の４文書（運送に関する契約書） ○印紙税額は200円	文書の名称が荷物受取書であっても、貨物の品名、数量、運賃等具体的な運送契約の成立の事実を証明しているものは、第１号の４文書となります。
荷物運送証	荷物を運送（運賃は20万円）することを定めた文書	○第１号の４文書（運送に関する契約書） ○印紙税額は400円	
バス輸送引受書	観光バス会社がバス輸送の申込人に対して申	○第１号の４文書（運送に関する契	

文書名	文書の内容	印紙税法の取扱い	留意事項
	込書記載のとおりの条件（運賃は15万円）でバス輸送をする旨を表示した引受書	約書） ○印紙税額は400円	
引越荷物の運送契約書	引越荷物の運送（運賃は20万円）を定めた契約書	○第１号の４文書（運送に関する契約書） ○印紙税額は400円	
郵便物運送契約書	郵便物を、郵便局から特定の場所まで運送することを定めた契約書（契約金額は50万円）	○第１号の４文書（運送に関する契約書） ○印紙税額は400円	
輸送契約書	営業者間で業務用車両の傭車（傭車料は月額10万円で、契約期間は６か月）を行うことを定めた契約書	○第１号の４文書（運送に関する契約書） ○印紙税額は1,000円	この文書は、運送を約するとともに、営業者間において３か月を超える期間の継続的な運送取引についてその単価等を定めていることから、第１号の４文書と第７号文書（継続的取引の基本となる契約書）に該当しますが、契約金額の記載がある（@10万円×６か月=60万円）ことから、通則３イの規定により第１号の４文書となります。
輸送契約書	営業者間で人員の輸送（輸送料は月額10万円で契約期間は６か月）を行うことを定めた契約書	○第１号の４文書（運送に関する契約書） ○印紙税額は1,000円	この文書は、運送を約するとともに、営業者間において３か月を超える期間の継続的な運送取引についてその単価等を定めていることから、第１号の４文書と第７号文書（継続的取引の基本となる契約書）に該当しますが、契約金額の記載がある（@10万円×６か月=60万円）ことから、通則３イの規定により第１号の４文書となります。
傭車契約書	運転手付きで自動車を貸すことを定めた文書（傭車料は10万円で契	○第１号の４文書（運送に関する契約書）	継続して傭車することとする傭車契約書は、第１号の４文書と第７号文書（継続的取引の基本

文書名	文書の内容	印紙税法の取扱い	留意事項
	約期間は３か月以内であり、かつ、更新の定めがないもの）	○印紙税額は200円	となる契約書）に該当しますが、契約期間が３か月以内であることから、第７号文書には該当せず、契約金額の記載がある（10万円）第１号の４文書となります。

（参考） 運賃10,000円未満と表示された貨物引受書等の取扱い

運送業者が貨物の運送を引き受けた際に、その引受けの証として荷送人に交付する「貨物引受書」、「運送状」、「送り状」等は、第１号の４文書（運送に関する契約書）に該当しますが、引き受けた貨物の運送料がその運送内容からみて明らかに10,000円未満であっても、貨物引受書等を交付する時点では確定金額が不明なため、運送賃の記載ができない場合に、「運送料10,000円未満」等、運送料が１万円未満である旨を記載したものは、記載金額１万円未満のものとして非課税文書となります。

課税物件表による第2号文書の取扱い

番号	課税物件		非課税物件
	物件名	定義	
2	請負に関する契約書	請負には、職業野球の選手、映画の俳優その他これらに類する者で政令で定めるものの役務の提供を約することを内容とする契約を含むものとする。	契約金額の記載のある契約書（課税物件表の適用に関する通則3イの規定が適用されることによりこの号に掲げる文書となるものを除く。）のうち、当該契約金額が1万円未満のもの

（注） 契約金額の引用

第2号に掲げる文書に、当該契約に係る契約金額又は単価、数量、記号その他の記載のある見積書、注文書その他これらに類する文書（課税物件表に掲げる文書を除きます。）の名称、発行の日、記号、番号その他の記載があることにより、当事者間において、当該契約についての契約金額が明らかであるとき又は当該契約についての契約金額の計算をすることができるときは、当該明らかである契約金額又は当該計算により算出した契約金額が記載金額となります。

50音順による第2号文書例

文書名	文書の内容	印紙税法の取扱い	留意事項
アウトソーシング・サービス契約書	情報システムの移行と運用をアウトソーシングすることを定めた契約書	不課税文書	事務処理に限らず、具体的な仕事の完成を約し、これに報酬を支払うものは第2号文書（請負に関する契約書）に該当します。
アフターサービス委託契約書	電気製品等のメーカーが品質保証書に基づくアフターサービスの業務を第三者に委託する場合に、メーカーと第三者との間で定めた契約書（委託料は、月額100万円で、契約期間は1年）	○第2号文書（請負に関する契約書） ○印紙税額は20,000円	この文書は、アフターサービスという請負に関する事項を定めるとともに、営業者間の継続的な請負取引に関して、目的物の種類を定めたものであることから、第2号文書と第7号文書（継続的取引の基本となる契約書）に該当しますが、契約金額の記載がある（@100万円×12か月＝1,200万円）ことから、通則3イの規定により第2号文書となります。

文書名	文書の内容	印紙税法の取扱い	留意事項
委託訓練契約書	都道府県等が民間教育訓練機関に就職訓練の実施を委託することを定めた契約書	不課税文書	この文書は、職業訓練及び就職支援を実施するものですから、委任契約に該当し、課税文書には該当しません。
請負契約書	家屋を建築することを定めた契約書（建築代金は1,500万円）	○第２号文書（請負に関する契約書） ○印紙税額は10,000円（軽減税率）又は20,000円	
請負契約変更契約書（１通の変更前の契約書に係る２以上の契約金額を変更するもの）	請負契約の契約金額を変更（Ａ工事を20万円減額、Ｂ工事を30万円増額）する契約書（契約金額の記載のある変更前の契約書の作成が明らかにされているもの）	○第２号文書（請負に関する契約書） ○印紙税額は200円	契約金額の記載のある変更前の契約書（１通のもの）に係る２以上の契約金額を変更（契約の一部取消しを含む）する契約書については、これらの変更金額の合計額（増額と減額とがある場合には、増加額から減少額を控除した金額）が通則４ニの規定により、記載金額（10万円）となります。 （注）変更前の契約書に係る契約の全部を取り消す契約書は、契約の消滅の事実を証する文書となりますから、不課税文書となります。
請負契約変更契約書(２通以上の変更前の契約書に係る契約金額を１通の変更契約書で変更するもの)	請負契約の契約金額を変更（Ａ契約書に係るＡ工事を20万円減額、Ｂ契約書に係るＢ工事を30万円増額）する契約書（契約金額の記載のある変更前の契約書の作成が明らかにされているもの）	○第２号文書（請負に関する契約書） ○印紙税額は200円	各別の変更前の契約書に係る２以上の契約金額を変更する契約書については、各別の変更金額の合計額（増額の場合は増加額とし、減額の場合は金額なしとして計算した金額）が通則４ニの規定により記載金額（30万円）となります。
請書	家屋の補修依頼を受けた際に施主に交付する文書（補修金額は150万円）	○第２号文書（請負に関する契約書） ○印紙税額は200円	

文書名	文書の内容	印紙税法の取扱い	留意事項
		（軽減税率）又は400円	
映画業務委託契約書	映画製作業務の一部（委託する業務が、監督、演出家又はプロデューサーとしての業務の場合）を委託することを定めた契約書（報酬は200万円）	○第２号文書（請負に関する契約書） ○印紙税額は400円	
映画俳優専属契約書	映画会社と俳優との間において作成される映画の専属契約書（専属料は1,000万円）	○第２号文書（請負に関する契約書） ○印紙税額は10,000円	専属契約は、請負関係のほか委任関係又は雇用関係が混然一体となったものですが、印紙税法上、プロ野球の選手、映画の俳優のほか、施行令第21条第１項に掲げる者（プロボクサー、プロレスラー、演劇の俳優等）と役務の提供を約する契約は、請負に含むこととされています。
エステサービス契約書	全身脱毛、美顔等のエステティックサービスの内容や料金等を定めた契約書	不課税文書	エステティックサービスの提供を受ける契約は、一般的に委任契約に当たりますから、第２号文書（請負に関する契約書）には該当しません。
エレベータ機能保持に関する契約書	営業者間におけるエレベータを保守することを定めた契約書（毎月の報酬額は15,000円、契約期間は１年）	○第２号文書（請負に関する契約書） ○印紙税額は200円	この文書は、保守（請負）を約するとともに、営業者間において３か月を超える期間の継続的な請負取引についてその単価を定めていることから、第２号文書と第７号文書（継続的取引の基本となる契約書）に該当しますが、契約金額の記載がある（@15,000円×12か月=18万円）ことから、通則３イの規定により第２号文書となります。
オーダー洋服の引換証	洋服の注文を受けた際、注文者に品名、価格（６万円）、お渡し日等を記載して交付する引換証	○第２号文書（請負に関する契約書） ○印紙税額は200円	この文書は、注文者の指示した規格等に従い一定の物品を製作することを内容とするものですから、第２号文書に該当します。

文書名	文書の内容	印紙税法の取扱い	留意事項
			なお、記載金額は、生地及び加工代の合計金額（６万円）となります。
会計監査人就任に関する契約書	株式会社の会計監査人に就任することを定めた契約書	不課税文書	この文書は、会社の会計監査人に就任することを定めており、委任契約ですから、課税文書には該当しません。
会計参与契約書	会社が公認会計士や税理士に対し会計参与としての職務を担うことを委嘱する契約書	不課税文書	会計参与は、公認会計士（監査法人を含む。）や税理士（税理士法人を含む。）から選任する必要があり、計算書類（貸借対照表、損益計算書等）の作成、会計参与報告の作成、計算書類に対する株主総会における説明、計算書類の開示等を主な職務内容としています。 なお、この文書は、会計参与への就任を約するものですから、委任契約であり、課税文書には該当しません。
介護保険サービス契約書	介護サービス事業者と介護サービス利用者との間において、提供する介護サービスの内容や料金を定めた契約書	不課税文書	一般的に介護支援を内容とする契約は、準委任契約に該当しますが、仕事の完成を約し、その結果に対し報酬を支払うものは請負契約に該当します。
貸切契約書	演劇等の催物を一定の料金（450万円）で提供する、いわゆる貸切契約書	○第２号文書（請負に関する契約書） ○印紙税額は2,000円	この文書は、催物の上演という仕事の完成に対し、一定の料金（対価）を支払うことを定めているものですから、第２号文書に該当します。
歌手専属契約書	歌手が一定期間、レコード会社に専属してレコードの吹き込みを行い、レコード会社がこれに対して毎月一定の専属料（契約期間内の専属料は300万円）を支	○第２号文書（請負に関する契約書） ○印紙税額は1,000円	専属契約は、請負関係のほか委任関係又は雇用関係が混然一体となったものですが、印紙税法上、プロ野球の選手、映画の俳優のほか、施行令第21条第１項に掲げる者（プロボクサー、プロレスラー、演劇の俳優、音楽

文書名	文書の内容	印紙税法の取扱い	留意事項
	払うことを定めた契約書		家等）と役務の提供を約する契約は、請負に含むこととされています。 なお、歌手は、音楽家に含まれます。
家内労働手帳	家内労働法第３条（家内労働手帳）の規定に基づき、委託者が家内労働者に物品の製造又は加工等を委託した際に、その業務の内容、工賃の単価、支払期日等の事項を定めた文書	不課税文書	委託者と家内労働者は、雇用関係にはありませんが、その実態からみて両者間の契約は、一種の雇用類似契約と解されますので、第２号文書（請負に関する契約書）又は第19号文書（請負通帳）には該当しません。
家畜預託証書	農家が農業協同組合から家畜の預託を受け、これを肥育管理し、組合がこれに対して報酬（金額は50万円）を支払うことを定めた文書	○第２号文書（請負に関する契約書） ○印紙税額は200円	
仮工事請負契約書	市条例により、市議会の議決があったときに初めて契約が成立することとなる仮工事請負契約書（市と建設業者間で作成したもので、工事代金は700万円）	○第２号文書（請負に関する契約書） ○印紙税額は5,000円（軽減税率）又は10,000円	議会の議決を経て初めて契約が成立することとなる停止条件付きの契約書も、印紙税法上の契約書に該当します。 なお、市は地方公共団体ですから、法第４条第５項の規定により市が所持する文書が課税対象となり、契約の相手方が所持する文書は非課税文書となります。
為替レート約定書	契約金額がドルで記載されている第２号文書（請負に関する契約書）で、その支払が円決済となっているものについて別途作成した為替レートを定めた約定書	不課税文書	為替レートそのものは、第２号文書（請負に関する契約書）の重要な事項とは認められないことから、課税文書には該当しません。

文書名	文書の内容	印紙税法の取扱い	留意事項
冠婚葬祭互助会加入申込書	冠婚葬祭互助会の会員になろうとする者が同会に提出する文書で、文書上約款に基づく申込みであることが記載されていないもの	○一方的な申込みであるものは不課税文書ですが、２部提出させて、その１部に互助会において受付印等を押し返却する場合の返却分は第２号文書（請負に関する契約書）に該当します。 ○印紙税額は200円	冠婚葬祭互助会は、会員に対して契約金額に応じて結婚式、葬祭等に関する役務の提供を約し、会員から掛金を収納するものです。
冠婚葬祭互助会の加入者証	冠婚葬祭互助会への加入を承諾するとともに将来冠婚葬祭に関する一定の役務の提供を約束し、これに対して一定の対価を支払うことを定めた文書	○第２号文書（請負に関する契約書） ○印紙税額は200円	契約の内容についての記載がなく会員であることの資格を証明する目的でのみ作成されるものは、不課税文書となります。
監督業務委託契約書	宅地造成又は住宅建築の際の監督業務を委（受）託すること及びその報酬の支払方法等を定めた契約書	不課税文書	この文書は、建設等の現場監督業務を委託するものであり、委任契約ですから、第２号文書（請負に関する契約書）には該当しません。
監督契約書	映画会社と映画監督との間で作成され、映画監督がその役務を提供することを約し、映画会社がこれに対して報酬を支払うことを定めた契約書（契約金額は500万円）	○第２号文書（請負に関する契約書） ○印紙税額は2,000円	
管理業務委託契約書	マンション等の管理業務を委託する契約書で、床のワックス磨きや窓ガラス清掃等の清掃業務を委託することを定めた契約書（委託金額は600万円）	○第２号文書（請負に関する契約書） ○印紙税額は10,000円	この文書は、ワックス磨きや窓ガラス清掃などの清掃に対して対価を支払うことを定めており、請負契約ですから、第２号文書に該当します。

文書名	文書の内容	印紙税法の取扱い	留意事項
機械のメンテナンス同意書	営業者間で機械のメンテナンスを委託する同意書（保守料は月額20万円で契約期間は１年）	○第２号文書（請負に関する契約書） ○印紙税額は1,000円	この文書は、機械の保守（請負）を約するとともに、営業者間において３か月を超える継続的な請負取引についてその目的物の種類、単価等を定めていることから、第２号文書と第７号文書（継続的取引の基本となる契約書）に該当しますが、契約金額の記載がある（@20万円×12か月＝240万円）ことから、通則３イの規定により第２号文書となります。
技術援助契約書	工業的技術（いわゆるノウハウ）を他の会社に提供するとともに、その技術指導のため技術員を派遣することを定めた契約書	不課税文書	この文書は、技術員を派遣して実技指導する契約であり、技術の指導という事務処理を委託する委任契約ですから、課税文書には該当しません。
技術者派遣基本契約書	技術者を派遣するに当たって、派遣業務、成果物の帰属、月額基本料などの基本事項について定めた契約書	不課税文書	この文書は、派遣労働者が派遣先の指揮命令を受けて派遣先のために労働を提供するという労働者派遣契約ですから、印紙税の課税事項には該当しません。
技術者派遣個別契約書	技術者を派遣することについて定めた個別契約書で、業務内容、派遣期間、月額派遣基本料を定めた契約書	不課税文書	この文書は、派遣労働者が派遣先の指揮命令を受けて派遣先のために労働を提供するという労働者派遣契約ですから、印紙税の課税事項には該当しません。
基本契約に基づく製造発注書	基本契約に基づき作成される製造発注書（契約金額は300万円で、基本契約に基づく発注である旨の記載がある。）	○第２号文書（請負に関する契約書） ○印紙税額は1,000円	この文書は、基本契約に基づく発注である旨が記載されており、これを提出することにより自動的に契約が成立しますから、第２号文書に該当します。
協賛契約書	イベントの開催に協賛の形で参加するに当たって、主催者との間で作成した協賛契約書で、	○第２号文書（請負に関する契約書） ○印紙税額は20,000円	この文書は、ポスター、入場券、パンフレット等に主催者の責任で社章や製品名等を掲載又は表示することを内容としており、

文書名	文書の内容	印紙税法の取扱い	留意事項
	主催者がその責任の下で、ポスターや入場券に協賛者の商標、製品名等を掲載するなどの広告活動を行い、これに対して協賛者が対価を支払うことを定めた契約書（協賛する対価は1,200万円）		主催者が報酬を得て広告宣伝を引き受ける契約ですから、請負契約に該当します。
協賛契約書	イベントの開催に協賛の形で参加するに当たって、主催者との間で作成した協賛契約書で、ポスター、入場券、パンフレット等に協賛者名を表示することを定めた契約書（協賛料は10万円）	不課税文書	この文書は、ポスター、入場券、パンフレット等に「協賛 ○○株式会社」のように、単に協賛していることのみを表示することを内容としており、請負契約には該当しません。
協賛契約書	イベントの開催に協賛の形で参加するに当たって、主催者との間で作成した協賛契約書で、イベント会場で主催者が提供する広告スペースに、協賛者の責任において広告を行うことを定めた契約書（協賛料は100万円）	不課税文書	この文書は、イベント会場等で、主催者が広告スペースを確保して協賛者に提供し、協賛者の責任において広告を行うことを内容としており、広告場所を有料で使用させる契約ですから、請負契約には該当しません。
共同開発研究契約書	共同して研究・開発することを約する契約書で、研究テーマ、事務分担及び費用負担等を定めた契約書	不課税文書	この文書は、研究開発するに当たり、取り決める事務分担や費用負担を定めており、課税事項には該当しません。
業務委託契約書	巡回介護業務を委託することを定めた契約書	不課税文書	この文書は、食事づくり、清掃、洗濯等の業務の内容が記載されているものの、個々の仕事の完成に対し、報酬を支払うことを約したものではなく、請負契約には該当しません。

文 書 名	文 書 の 内 容	印紙税法の取扱い	留 意 事 項
クリーニング承り票	クリーニングの依頼があった際、依頼者に交付する承り票（金額は5,000円）	非課税文書	この文書は、対価を得てクリーニングを行う契約であり、請負契約ですが、記載金額が１万円未満のものは非課税文書となります。
計算事務処理受託契約書	計算センターが営業者との間で継続して計算事務を受託し、一定の文書を作成すること、また、その成果物に対して対価を受け取ることを定めた契約書（契約期間１年、１か月最低基本料金７万円）	○第２号文書（請負に関する契約書） ○印紙税額は200円	この文書は、請負と解せられる計算事務の処理を約するとともに、営業者間において３か月を超える継続的な請負取引についてその単価等を定めていることから、第２号文書と第７号文書（継続的取引の基本となる契約書）に該当しますが、契約金額の記載がある（月額最低基本料金@７万円×12月＝84万円）ことから、通則３イの規定により第２号文書となります。
計算書作成委託書、計算書作成受託書	一定の報酬（10万円）を支払って１会計年度の会計計算書の作成を委託することを内容とする委託書とそれを引き受けた旨を証明する受託書	○計算書作成委託書は不課税文書 ○計算書作成受託書は第２号文書（請負に関する契約書） ○印紙税額は200円	
警備保障契約書	営業者間で建物等に対する警備保障について定めた契約書（契約期間は３年で月額の契約料金は20万円）	○第２号文書（請負に関する契約書） ○印紙税額は10,000円	この文書は、警備（請負）を約するとともに、営業者間において３か月を超える継続的な請負取引についてその単価等を定めていることから、第２号文書と第７号文書（継続的取引の基本となる契約書）に該当しますが、契約金額の記載がある（@20万円×36か月＝720万円）ことから、通則３イの規定により第２号文書となります。
警備保障契約の契約料金の	警備保障契約の月額契約料金を変更することを定めた覚書（契約期	○第２号文書（請負に関する契約書） ○印紙税額は400円	この文書は、警備保障契約により取り決めた契約料金を変更するものですから、第２号文書と

文書名	文書の内容	印紙税法の取扱い	留意事項
変更覚書	間は１年で月額10万円増額）		第７号文書（継続的取引の基本となる契約書）に該当しますが、契約金額の記載がある（@10万円×12か月＝120万円）ことから、通則３イの規定により第２号文書となります。 なお、契約の相手方が国、地方公共団体、公益法人のように営業者でないときには、そもそも第７号文書には該当しません。
警備保障契約の契約料金の変更覚書	警備保障契約の月額契約料金を変更することを定めた覚書（契約金額が計算できないもの）	○第７号文書（継続的取引の基本となる契約書） ○印紙税額は4,000円	この文書は、警備保障契約により取り決めた契約料金を変更するものですから、第２号文書（請負に関する契約書）と第７号文書に該当しますが、契約金額の記載がないことから、通則３イのただし書の規定により第７号文書となります。 なお、契約の相手方が国、地方公共団体、公益法人のように営業者でないときには、第２号文書となります（印紙税額は200円）。
月額単価を定めた請負契約書	契約金額に関する定めが「１か月当たり100万円とし、１か月未満の端数期間は、日割計算とするが、○月分については56万7,000円とする。」となっている請負契約書（契約期間の定めなし）	○第７号文書（継続的取引の基本となる契約書） ○印紙税額は4,000円	記載された契約金額に関する定めは契約金額の一部を定めたものではなく、請負契約の月額単価を定めたものです。
結婚式場ご予約書	結婚式場とあっせん業者の間の「結婚式等のあっせん引受基本契約書」に基づいてあっせん業者が結婚式場をあっせんし、利用内容と費用総額（150万円）のほか予約金10万円を受	○第２号文書（請負に関する契約書） ○印紙税額は400円	この文書は、対価を得て結婚式、披露宴等無形の仕事を行うことを予約していることから、第２号文書に該当し、また、予約金の受領事実をも併せて証明していることから、第17号の１文書（売上代金に係る金銭の受取書）にも該当しますが、通則３

文書名	文書の内容	印紙税法の取扱い	留意事項
	け取った旨記載して顧客に交付する文書		イの規定により第２号文書となります。
研究委託契約書	相手方の有する知識、経験、才能により、特定のテーマについての研究を委託することを定める契約書	不課税文書	研究を委託する契約は委任契約ですから、課税文書には該当しません。 なお、著作権の譲渡について定めているものは、第１号の１文書（無体財産権の譲渡に関する契約書）に該当します。
建設機械売買契約書並びに据付工事契約書	生コンプラントのメーカーが、生コンプラント全体の建設を請け負う場合に作成する契約書で、生コンプラントを構成する機械については売買契約（価格は3,600万円）、据付工事については請負契約（据付代金7,600万円）とそれぞれ区分して記載した契約書	○第２号文書（請負に関する契約書） ○印紙税額は60,000円（軽減税率）又は100,000円	生コンプラントの機械部分と機械据付工事部分とを区分している場合であっても、生コンプラント全体の建設を請け負っているものであり、機械部分は構成部品の明細等を示しているにすぎませんから、その機械部分を物品売買の金額とし、据付工事部分のみを請負金額として取り扱うことはできません。 なお、生コンプラントを構成する機械の価格（3,600万円）と据付工事代金（7,600万円）の合計額（１億1,200万円）が記載金額となります。
工業デザインに関する契約書	工具類の工業デザインに関する技術指導を行うことを定めた契約書	不課税文書	この文書は、委任契約である工業デザインに関する技術指導を行うことを定めるものですから、第２号文書（請負に関する契約書）には該当しません。
広告掲出についての契約書	営業者間で広告看板の掲出及び保守等の業務の請負契約（契約金額は2,000万円）で、広告看板の掲出及び保守期間を５年とし、この間における広告看板の種類並びに掲出及び保守料金等を定めた契約書	○第２号文書（請負に関する契約書） ○印紙税額は20,000円	この文書は、広告掲出（請負）を約するとともに、営業者間において３か月を超える継続的な請負取引についてその目的物の種類、単価等を定める第２号文書と第７号文書（継続的取引の基本となる契約書）に該当しますが、請負金額の記載があることから、通則３イの規定により第２号文書となります。

文書名	文書の内容	印紙税法の取扱い	留意事項
広告契約書	新聞広告を掲載することを定めた契約書（広告料20万円）	○第２号文書（請負に関する契約書） ○印紙税額は200円	
広告塔設置工事契約書	広告塔設置の工事(200万円）と官庁への諸手続を代行することを定めた契約書	○第２号文書（請負に関する契約書） ○印紙税額は200円（軽減税率）又は400円	
広告物掲出契約書	チラシなどの広告物の掲出を目的として、建物その他の構築物の壁面や電車、バスの車内の一定の場所等を有償で使用させることを定めた契約書	不課税文書	単に壁面等の利用を許諾するものではなく、壁面等を利用した広告宣伝の引受けを内容とする契約書は、対価を得て行う広告宣伝の引受けという請負契約ですから、第２号文書（請負に関する契約書）に該当します。
工事請負契約書	消費税の課税事業者が請負人であり、請負金額（500万円）と消費税及び地方消費税(10%）の金額（50万円）とが区分記載されている契約書	○第２号文書（請負に関する契約書） ○印紙税額は1,000円（軽減税率）又は2,000円	区分記載された消費税及び地方消費税（10%）の金額（50万円）は記載金額に含めませんので、この文書の記載金額は500万円となります。
工事請負契約書	消費税の免税事業者が請負人であり、請負金額（500万円）と消費税及び地方消費税(10%）の金額（50万円）とが区分記載されている契約書	○第２号文書（請負に関する契約書） ○印紙税額は5,000円（軽減税率）又は10,000円	工事請負業者が免税事業者の場合には、消費税及び地方消費税（10%）の金額を区分記載していても、記載金額に含めないこととして取り扱うことはできませんので、この文書の記載金額は550万円となります。
工事請負契約書	工事の請負（500万円）と事務を代行することを定めた契約書	○第２号文書（請負に関する契約書） ○印紙税額は1,000円（軽減税率）又は2,000円	
工事請負契約書（共同施	請負工事を共同受注する場合に、当該２以上の請負業者間において	不課税文書	甲が受注した工事の一部を乙が負担して工事を実施する等その工事を分割実施することとした

文書名	文書の内容	印紙税法の取扱い	留意事項
工）	作成するもので、民法上の組合契約を定めた契約書		ものは、実質的には請負契約（下請）の成立を証明するものとなり、第２号文書（請負に関する契約書）に該当します。
工事請負変更契約書（原契約の作成が明らかにされておらず、契約金額を減額するもの）	請負契約の契約金額を変更（減額）する契約書（当初の請負金額1,000万円を100万円減額すると記載したもの）	○第２号文書（請負に関する契約書） ○印紙税額は5,000円（軽減税率）又は10,000円	変更前の契約金額の記載のある契約書の作成が明らかにされていない場合で、当初の契約金額を減額させるものは、その変更後の契約金額（変更前の契約金額と変更金額の双方が記載されていることにより変更後の契約金額を計算できるものも含まれます。）が記載金額となります。 なお、記載金額は900万円となります。
工事請負変更契約書（原契約の作成が明らかにされておらず、契約金額を増額するもの）	請負契約の契約金額を変更（増額）する契約書（当初の請負金額500万円を100万円増額すると記載したもの）	○第２号文書（請負に関する契約書） ○印紙税額は5,000円（軽減税率）又は10,000円	変更前の契約金額の記載のある契約書の作成が明らかにされていない場合で、当初の契約金額を増額させるものは、その変更後の契約金額（変更前の契約金額と変更金額の双方が記載されていることにより変更後の契約金額が計算できるものも含まれます。）が記載金額となります。 なお、記載金額は600万円となります。
工事請負変更契約書（原契約の作成が明らかにされており、契約金額を減額するもの）	請負契約の契約金額を変更（減額）する契約書（○年○月○日付工事請負契約書の請負金額1,000万円を900万円に変更すると記載したもの）	○第２号文書（請負に関する契約書） ○印紙税額は200円	変更前の契約金額の記載のある契約書の作成が明らかにされている場合で、その変更契約書の契約金額を減額させるもの（変更前の契約金額と変更後の契約金額の双方が記載されていることにより変更金額を明らかにできるものも含まれます。）は、記載金額のないものとなります。
工事請負変更契約	請負契約の契約金額を変更（増額）する契約	○第２号文書（請負に関する契約書）	変更前の契約金額の記載のある契約書の作成が明らかにされて

文書名	文書の内容	印紙税法の取扱い	留意事項
書（原契約の作成が明らかにされており、契約金額を増額するもの）	書（○年○月○日付工事請負契約書の請負金額500万円を100万円増額すると記載したもの）	○印紙税額は200円	いる場合で、その変更契約書の変更金額が記載されているものは、その変更金額（変更前の契約金額と変更後の契約金額の双方が記載されていることにより変更金額が明らかにできるものも含まれます。）が記載金額となります。 なお、記載金額は100万円となります。
工事下請負契約書	工事の下請負（100万円）について定めた契約書	○第２号文書（請負に関する契約書） ○印紙税額は200円	工事を下請させる契約は、請負契約です。
工事についての請書	請負工事（800万円）について定めた請書	○第２号文書（請負に関する契約書） ○印紙税額は5,000円（軽減税率）又は10,000円	
工事入札書	工事請負契約に係る入札において、応札者（建設業者）が入札申出人（注文主）に提出する文書	不課税文書	この文書は、単なる申込文書であり、印紙税法上の契約書に当たらず、課税文書には該当しません。
工事負担金契約書	電気供給設備について需要者が電気供給者に工事負担金を支払うことを定めた契約書	不課税文書	電気供給設備は、完成後需要者に引き渡されるものではなく、電気供給者の所有に帰するものですから、その工事について、供給者が工事代金の一部を負担しても請負契約とはなりません。
工事目的物引渡書	請負契約に基づく完成物（建物）の引渡書（完成物の引渡事実のみを記載したもの）	不課税文書	この文書は、請負契約に基づく完成物（建物）の引渡事実を明らかにするためのものであり、請負契約又は目的物の譲渡契約の成立等を証明するためのものではありませんから、印紙税法上の契約書に当たらず、課税文書には該当しません。

文書名	文書の内容	印紙税法の取扱い	留意事項
公認会計士の監査契約書	公認会計士（監査法人を含む）の会計監査（報酬金額は30万円）について定めた契約書	○第２号文書（請負に関する契約書） ○印紙税額は200円	公認会計士の監査契約は、会計監査と監査報告書の作成という仕事の完成に対し報酬が支払われる契約ですから、請負契約です。 なお、株式会社の会計監査人に就任することを承諾する場合に作成する会計監査人就任承諾書等、監査報告書の作成までも約するものではない契約書は、課税文書には該当しません。
ゴルフクラブ建設事業に伴う覚書	ゴルフ場を建設しようとする者が、建設予定地の漁業組合に対し、環境保全に努めること及び協力援助金を支払うことを定めた覚書	不課税文書	この文書は、金銭贈与契約を内容とするものですから、課税文書には該当しません。
コンサルタント業務契約書	国内及び国外の経済情報等諸資料の分析及び調査活動を通じて、依頼者の相談にのり、その診断をなす事務を委託することを定めた契約書	不課税文書	この文書は、委任契約であるため、課税文書には該当しません。
コンピュータシステムコンサルタント業務契約書	コンピュータシステムに関するコンサルタント業務を委託することを定めた契約書	不課税文書	この文書は、コンピュータシステムに関する専門的知識に基づく助言を受け、これに対して報酬を支払うことを内容とするものであり、準委任契約に該当します。
コンピュータソフト開発契約書	プログラム開発をソフト開発業者に委託することを定めた契約書（契約金額1,000万円）	○第２号文書（請負に関する契約書） ○印紙税額は10,000円	
再委託同意書	既に成立している請負契約に関して、受注者がその受注した業務を	不課税文書	受注者と協力会社とが契約当事者として作成する文書は、新たな請負契約の成立を証する文書

文書名	文書の内容	印紙税法の取扱い	留意事項
	更に協力会社に再委託することについて、発注者が同意する文書		となりますから、第２号文書（請負に関する契約書）に該当します。
在宅福祉事業契約書	委託者が事業者に対し、介護や家事援助などの身の回りの世話等を委託することを定めた契約書	不課税文書	この文書は、食事づくり、清掃、洗濯等の業務の内容が記載されているものの、個々の仕事の完成に対し、報酬を支払うことを約したものではなく、請負契約には該当しません。
サポート業務委託契約書	自己の開発したソフトウェアについて、顧客から質問や問合せがあった場合の回答業務を委託することを定めた契約書	不課税文書	この文書は、委託者が行うべき顧客からの質問等に対する回答業務を委託する契約ですから、準委任契約となります。
産業廃棄物処理委託契約書（収集・運搬及び処分用）	排出業者と収集・運搬・処分の兼業者との間において、産業廃棄物を収集・運搬及び処分することを定めた契約書（契約金額は100万円で、「収集･運搬」部分が20万円、「処分」部分が80万円に区分して記載されているもの）	○第２号文書（請負に関する契約書） ○印紙税額は200円	収集・運搬及び処分を同一の者に委託する際に、契約金額について「収集・運搬」部分と「処分」部分とが契約書上明確に区分して記載されている場合は、第１号の４文書（運送に関する契約書）と第２号文書（請負に関する契約書）に該当し、通則３ロの規定により、契約金額の高い方の文書に所属が決定されます。
産業廃棄物処理委託契約書（処分用）	産業廃棄物を処分することを定めた契約書（契約金額は100万円）	○第２号文書（請負に関する契約書） ○印紙税額は200円	
システム開発委託契約書	システムの開発業務を委託することについて、業務の内容や対価（２億円）及びその支払方法を定めるほか、本プログラムに関する著作権は、委託料の完済とともに委託者に移転す	○第２号文書（請負に関する契約書） ○印紙税額は100,000円	この文書は、システムの開発業務（請負）を委託していることから、第２号文書に該当するほか、プログラムの著作権が委託料の完済とともに受託者から委託者へ移転することから、第１号の１文書（無体財産権の譲渡に関する契約書）にも該当しま

文書名	文書の内容	印紙税法の取扱い	留意事項
	ることを定めた契約書		すが、通則３ロの規定により、第２号文書となります。
システム企画支援契約書	既に締結した「開発委託基本契約書」に基づき、システム企画支援業務（委託者によるシステム化計画等の立案に係る支援作業）を委託することを定めた契約書	不課税文書	この文書は、システム計画書の作成が、システム開発の委託者の責任で行われ、受託者は委託者の業務履行の支援を行うにとどまるものですから、委任契約であり、請負契約には該当しません。
システム設計契約書	既に締結した「開発委託基本契約書」に基づき、システム設計業務（受託者によるシステムの基本設計書又は詳細設計書の作成）を委託することを定めた契約書（契約金額は3,000万円）	○第２号文書（請負に関する契約書） ○印紙税額は20,000円	この文書は、システム設計業務が受託者を主体として実施され、委託者がシステムの基本設計書や詳細設計書の完成に対し対価を支払うこととされるため、請負契約に該当します。
システムプログラム・データ保守契約書	プログラム・データが障害により破損した場合に、復旧させることを定めた契約書（報酬料金は月額10万円、契約期間は１年）	○第２号文書（請負に関する契約書） ○印紙税額は400円	この文書は、保守（請負）を約しているとともに、営業者間において３か月を超える継続的な請負契約についてその単価等を定めていることから、第２号文書と第７号文書（継続的取引の基本となる契約書）に該当しますが、契約金額の記載がある（@10万円×12か月＝120万円）ことから、通則３イの規定により第２号文書となります。
指定管理者としての管理運営業務を定める協定書	地方公共団体とその地方公共団体所有の施設の指定管理者の指定を受けた者が管理運営業務に関する必要な事項を定める文書	不課税文書	この文書は、管理権限を委任された指定管理者が行うべき管理業務について、管理業務に必要な事項を定めているものの請負契約に該当するような仕事の完成を約したものであるとまではいえず、第２号文書（請負に関する契約書）には該当しません。

文書名	文書の内容	印紙税法の取扱い	留意事項
自動車の注文書（別途注文として光沢・撥水加工の記載があるもの）	自動車を注文する際に作成するもので、別途注文として「付属品明細」欄等に光沢・撥水加工（加工金額は75,000円）と記載された注文書	○第２号文書（請負に関する契約書） ○印紙税額は200円	この文書は、自動車の注文書（売買契約書）であり、通常課税文書には該当しませんが、「付属品明細」欄等に、例えば次のような記載がある場合は、第２号文書に該当します。 ①塗装、②塗装面の光沢・撥水加工、③特別注文によるエアロパーツ等の製作・加工、④トラックの荷台の板張り、鉄板張り、⑤ホイール塗装（アクリルウレタン塗装、メッキ塗装）、⑥付属品名とその取付代金が別途記載されているもの、⑦付属品の取付けを伴うことが記載され、付属品代と取付代金を区分せずに代金を一括記載しているもの、⑧契約期間中の定期点検（車検を含む。）やそれに伴う各種整備、そのための消耗品（エンジンオイル等）の交換を一括料金（前払い）で請け負うカーメンテナンス なお、再資源化預託金相当額の譲渡について記載されている場合は、債権の譲渡に当たることから、第15号文書（債権譲渡に関する契約書）に該当することとなります（１万円未満は非課税）。 また、第２号文書と第15号文書に該当する場合は、通則３イの規定により、第２号文書となります。
「支払方法等について」と称する文書	親事業者が下請事業者に対し、下請代金の支払方法について通知し、承諾を依頼する文書（下請代金支払遅延等防止法第３条（書面の交付等）の規定により	不課税文書	この文書は、契約の成立等を証するものではないことから、課税文書には該当しません。 なお、この文書に対する承諾文書は、第２号文書（請負に関する契約書）又は第７号文書（継続的取引の基本となる契約書）

文書名	文書の内容	印紙税法の取扱い	留意事項
	交付が義務付けられているもの）		に該当します。
住宅宿泊管理受託標準契約書	住宅宿泊事業法に基づき国土交通大臣の登録を受けた住宅宿泊管理業者が、住宅宿泊事業を営む者との間で、国土交通省が雛形として示している「住宅宿泊管理受託標準契約書」を用いて締結する、住宅宿泊管理業務の受託を約した契約書	不課税文書	この文書は、住宅宿泊管理業者が行うべき管理業務の詳細を定めたもので、その業務の処理は、当該管理業務を受託した住宅を善良なる管理者の注意をもって管理する旨が定められているにとどまり、仕事の完成に対し報酬を支払う旨を定めているものとは認められないことから、第２号文書（請負に関する契約書）には該当しません。
修理品お預り証	時計などの修理加工の依頼があった際、依頼者に交付する修理加工品の預り証	不課税文書	この文書は、修理加工品の預りですから単なる物品の受取書となり、課税文書には該当しません。 なお、仕事の内容（修理、加工箇所、方法等）、契約金額、期日又は期限のいずれか１以上の事項の記載のあるものは第２号文書（請負に関する契約書）に該当します。この場合、記載金額が１万円未満のものは非課税文書となります。
修理品の承り票（引受票）	百貨店等が時計、ライター等の修理を引き受けた際に依頼者に交付する文書（修理代は記載されていない）	○第２号文書（請負に関する契約書） ○印紙税額は200円	実際の修理・加工金額が１万円未満であっても文書に金額の記載のないものは、記載金額のない第２号文書になります。 なお、「修理代金10,000円未満」と記載されているものは、当該表示金額が記載金額となり、非課税文書として取り扱われます。
宿泊受付通知書	宿泊の申込みに対する承諾事実を証明する目的で通知する文書（宿泊料は２万円）	○第２号文書（請負に関する契約書） ○印紙税額は200円	単に宿泊申込者に対する宿泊の案内のために作成交付するものは、宿泊申込みに対する承諾事実を証明するものではありませんから、第２号文書には該当しません。

文書名	文書の内容	印紙税法の取扱い	留意事項
宿泊ご案内状	宿泊の申込みについて旅館等が顧客に交付する案内状	不課税文書	この文書は、宿泊の単なる案内を内容とするものですから、第２号文書（請負に関する契約書）には該当しません。
宿泊申込請書	宿泊申込みを受けた旅館等が顧客に交付する請書（宿泊料は１万円）	○第２号文書（請負に関する契約書） ○印紙税額は200円	この文書は、対価を得て宿泊させる契約であり、請負契約に該当します。
宿泊予約券	旅行あっせん業者が顧客の依頼によって旅館に宿泊予約をした場合に、顧客に交付する予約券（顧客はこれを予約旅館に呈示して宿泊することとしている。）	不課税文書	この文書は、旅行者がこれを呈示することによって宿泊できることとなるという宿泊等のサービスの給付請求権を証するものであり、第２号文書（請負に関する契約書）には該当しません。
出版物の編集業務委託契約書、覚書	出版物の編集業務を委託し、その対価として150万円を支払うことを定めた契約書と、その編集業務内容を定めた覚書	○編集業務委託契約書は第２号文書（請負に関する契約書） ○印紙税額は400円 ○編集業務の内容を定める覚書は第２号文書 ○印紙税額は200円	この文書は、編集業務委託契約書の重要な事項（請負の内容）を補充する契約書であることから、第２号文書となります。
消火設備保守点検契約書	警備保障会社がユーザーに販売した消火設備の保守点検を行うことを定めた契約書（契約金額は60万円）	○第２号文書（請負に関する契約書） ○印紙税額は200円	この文書は、消火設備の保守点検を行って、この設備の正常な機能を維持することを内容としたものであり、このような無形の仕事の完成を目的とする契約も請負契約となります。
照明看板設置工事契約書	発注者と受注者との間において照明看板設置の工事を行うこと及び官庁への諸手続を代行することを定めた契約書（契約金額は250万円）	○第２号文書（請負に関する契約書） ○印紙税額は500円（軽減税率）又は1,000円	

文書名	文書の内容	印紙税法の取扱い	留意事項
書物の製作契約書	書物を製作（製作費は300万円）することを定めた契約書	○第２号文書（請負に関する契約書） ○印紙税額は1,000円	この文書は、対価を得て書物を製作する契約ですから、請負契約に該当します。
新聞広告掲出についての契約書	広告主が新聞広告の掲載に当たって、その掲載の日、内容、寸法等に一定の条件を付け、新聞社はその条件に従って広告を掲載すること及びそれに対する報酬額（300万円）等を定めた契約書	○第２号文書（請負に関する契約書） ○印紙税額は1,000円	
森林経営委託契約書	森林経営に関して専門的知識を有する者（森林組合等）に森林経営を委託する目的で、森林所有者と受託者との間で作成される文書（森林の保護等のために森林の現状把握を行うなどの記載にとどまり、具体的な作業内容を定めていない）	不課税文書	この文書は、当事者間において請負契約に該当するような仕事の完成を約したものであるとまではいえず、第２号文書（請負に関する契約書）には該当しません。
水質調査の委託契約書	市が業者に水質調査を委託する契約書（調査結果を受託機関が取りまとめ、調査報告することを定めた契約書）	不課税文書	この文書は、委任契約である調査を委託することを定めるものですから、第２号文書（請負に関する契約書）には該当しません。
据付工事を含む注文請書	規格品である工作機械（価格は500万円）を、据え付けた後に引き渡すことを定めた契約書	○第２号文書（請負に関する契約書） ○印紙税額は1,000円（軽減税率）又は2,000円	この文書は、一定の物品を一定の場所に取り付けることにより、所有権を移転することを内容としており、物品売買契約と請負契約との混合契約に該当し、通則２の規定により第２号文書として取り扱われます。
政治資金監査契約書	国会議員関係政治団体と登録政治資金監査人との間で、政治資金監	○第２号文書（請負に関する契約書） ○印紙税額は200円	この文書は、政治資金監査報告書の作成という仕事の完成に対して報酬を支払うことを定める

文書名	文書の内容	印紙税法の取扱い	留意事項
	査業務（政治資金監査報告書の作成等）を委託することを定めた契約書（報酬の額は100万円）		契約ですから、請負契約に該当します。
清掃維持契約書	営業者間でビルディングの清掃（年間の清掃費は50万円）及び維持管理作業（月額の作業料は10万円）を行う（契約期間１年）ことを定めた契約書	○第２号文書（請負に関する契約書） ○印紙税額は400円	この文書は、清掃及び維持管理（請負）を約するとともに、営業者間において３か月を超える請負取引についてその目的物の種類及び単価を定めていることから、第２号文書と第７号文書（継続的取引の基本となる契約書）に該当しますが、契約金額の記載がある（維持管理費@10万円×12か月+清掃費50万円＝170万円）ことから、通則３イの規定により第２号文書となります。
清掃委託契約書	建物等の清掃作業の委託とこれに対する一定の報酬を支払うことを定めた契約書（契約金額は200万円）	○第２号文書（請負に関する契約書） ○印紙税額は400円	営業者間の契約のうち、契約期間が３か月超でかつ契約金額のないもの又は契約金額が計算できないものについては第７号文書（継続的取引の基本となる契約書）に該当します。
税理士委嘱契約書	税務代理人として税務に関する事務処理を委託することを定めた契約書（決算書等の作成報酬は20万円）	○第２号文書（請負に関する契約書） ○印紙税額は200円	この文書は、決算書や税務書類を作成することを目的として、これに対して報酬を支払うことを定める契約ですから、請負契約に該当します。
設計及び建築請負契約書	建物の設計図書の作成（報酬は200万円）とその設計図書に基づく建築請負（請負金額900万円）を定めた契約書	○第２号文書（請負に関する契約書） ○印紙税額は10,000円（軽減税率）又は20,000円	建設工事の請負に関する事項（建物の建築）と建設工事以外の請負に関する事項（設計図書の作成）とが記載されており、通則４イの規定により、記載金額は1,100万円となります。
設計監理委託契約書	工事注文者が建築士に対して、建築工事に必要な設計図書の作成と、	○第２号文書（請負に関する契約書） ○印紙税額は400円	この文書は、対価を得て設計図書を作成することを定めるものですから、請負契約に該当しま

文書名	文書の内容	印紙税法の取扱い	留意事項
	工事監理（受託者の責任において、工事が設計図書のとおりに実施されているか否かを確認すること）を併せて委託することを定めた契約書 （契約金額200万円）		す。 なお、工事監理事務だけを委託するものは委任契約であり、不課税となります。
洗車契約書	自動車等について清掃するということを定めた契約書（契約金額は５万円）	○第２号文書（請負に関する契約書） ○印紙税額は200円	この文書は、洗車という労務ないし労働によってなされる結果を目的とする契約を定めるものですから、請負契約に該当します。
専属専任媒介契約書	不動産の売買又は交換の媒介又は代理を行うことについて定めた契約書（依頼者は、依頼する宅地建物取引業者以外の業者とは契約できず、自ら発見した相手方と売買又は交換の契約を締結することができない）	不課税文書	不動産の媒介等は、委任契約ですから、第２号文書（請負に関する契約書）には該当しません。 また、依頼者が自ら発見した相手方と契約を締結することができる「専任媒介契約書」又は、他の業者に重ねて媒介等を依頼することができる「一般媒介契約書」も同様に委任契約に関する契約書に該当しますので、課税文書には該当しません。
造船契約書	海運業者等と造船業者との間における船舶建造契約の成立を定めた契約書（契約金額は5,000万円）	○第２号文書（請負に関する契約書） ○印紙税額は20,000円	
造船契約書（国外で作成された契約書の契約金額等を引用したもの）	元請造船会社と下請造船会社との間で締結する造船契約書（契約金額を、国外で作成された元請会社と船主との間の造船建造契約書（以下「原契約書」という）を引用し、「原契約書○条○項に規定の	○第２号文書（請負に関する契約書） ○印紙税額は20,000円	原契約書の作成場所が本法施行地外であれば、たとえ請負を内容とする契約書であっても法第２条（課税物件）は適用されず、不課税文書となります。したがって、国外作成の文書は「法別表第１の課税物件の欄に掲げる文書」に該当せず、原契約書は通則４ホ(2)に規定する「この表

文書名	文書の内容	印紙税法の取扱い	留意事項
	建造代価の○％とする」と規定している。なお、これにより算出される金額は4,000万円）		に掲げる文書」に該当しませんから、引用された原契約書の建造代価により算出される金額が記載金額となります。
ソフトウェア作成契約書	既に締結した「開発委託基本契約書」に基づきソフトウェア作成業務（委託者の納入した基本設計書に基づくソフトウェアの作成）を定めた契約書（契約金額は7,000万円）	○第２号文書（請負に関する契約書） ○印紙税額は60,000円	この文書は、ソフトウェア作成という仕事の完成に対し、報酬を支払うものですから、請負契約に該当します。
太陽光設備売買・請負工事契約書	住宅用太陽光発電システムの設置に係る契約書で、機器の代金950万円、工事代金250万円と定めた契約書（太陽光設備の各機器は、カタログに掲載された規格品）	○第2号文書（請負に関する契約書） ○印紙税額は10,000円（軽減税率）又は20,000円	この文書の記載金額は、住宅用太陽光発電システムが、太陽光モジュールなどの複数の機器の据付けや配電の工事を行うことによって利用できるものであるため、機器の代金部分は物品売買の対価ではなく、工事代金の一部と評価されます。したがって、この文書の記載金額は、各機器の売買代金（950万円）と工事代金（250万円）の合計額（1,200万円）となります。
団体貸切契約書	劇場を団体貸切（貸切料は100万円）することを定めた契約書	○第２号文書（請負に関する契約書） ○印紙税額は200円	この文書は、対価を得て催物を上演する契約であり、請負契約に該当します。
暖房設備保守契約書	暖房設備の保守に関して、作業範囲、保守料金及び支払方法等の諸条件を定めた契約書（記載金額1,000万円）	○第２号文書（請負に関する契約書） ○印紙税額は10,000円	営業者間の契約書のうち、契約期間が３か月超でかつ契約金額のないもの又は契約金額が計算できないものについては、第７号文書（継続的取引に関する契約書）に該当します。
端末機器売買契約書	カタログ商品である端末機を販売し、買主が指定する場所に据え付	○第２号文書（請負に関する契約書） ○印紙税額は200円	この文書は、端末機の売買に関する事項とその据付工事に関する事項が記載されていますから、

文書名	文書の内容	印紙税法の取扱い	留意事項
	け、使用できる状態に調整を行うことを定めた契約書（端末機代金1,000万円、据付工事費50万円）		第２号文書に該当します。 なお、端末機代金と据付工事費が区分されていますから、記載金額は50万円（据付工事費）となります。
注文書（見積書とワンライティングで作成されるもの）	見積書に取引内容を記入することで、複写により同じ内容が記載されるワンライティング形式による物品の加工注文書	不課税文書	見積書に基づく申込みであることが記載されている注文書は、契約書に該当するものとして取り扱われていますが、注文を受けようとする者が事務の簡素合理化等の見地から、ワンライティングで見積書と注文用紙にその内容を記載し、発注者がその注文用紙を注文書として使用した場合、実質的には見積書に基づく注文書ではあっても、見積書に基づく申込みであることが記載されていないので、印紙税法上の契約書に当たらず、課税文書には該当しません。
注文書（見積書に基づくもの）	見積書に基づく注文である旨が記載（金額は10万円）されている物品の加工を内容とする注文書	○第２号文書（請負に関する契約書） ○印紙税額は200円	この文書は、見積書に基づく注文書であり、見積りという契約の申込みに対する承諾の事実を証明するものですから、契約書に該当します。
注文書、注文請書	見積書に基づく道路工事の注文書と更に作成する注文請書（記載金額は100万円で注文書の文面に受注者が別途請書を作ることが明記されている。）	○注文書は不課税文書 ○注文請書は第２号文書（請負に関する契約書） ○印紙税額は200円	この文書は、見積書に基づく注文書であり、見積りという契約の申込みに対する承諾事実を証明していますので契約書となります。しかし、注文書の文面に、承諾の場合は別途請書を作成することが明記されているものは、契約の成立事実を証明するものではなく、契約書には該当しません。
注文書、注文請書	見積書に基づく工事の注文書とそれに対する注文請書（記載金額は	○注文書、注文請書は、いずれも第２号文書（請負に関	この文書は、見積書に基づく注文書であり、契約当事者間において見積りという契約の申込み

文書名	文書の内容	印紙税法の取扱い	留意事項
	200万円で注文書の文面に請書を作ることが明記されていない。）	する契約書） ○それぞれ印紙税額は200円（軽減税率）又は400円	に対する承諾の事実を証明するものの場合には、契約書に該当します。また、注文請書は契約の成立事実を証明する目的で作成されるものですから、契約書に該当します。
注文書控、申込書控（契約当事者双方の署名又は押印のあるもの）	注文者（申込者）の控えとして作成したもので、注文者（申込者）及び相手方の署名又は押印のあるもの（工事等請負に関するもので、注文（申込）金額200万円）	○第２号文書（請負に関する契約書） ○印紙税額は200円（軽減税率）又は400円	注文書や申込書等と称するものであっても、契約当事者双方の署名又は押印のあるものは、契約書に該当します。
テレビ映画業務委託契約書	テレビ映画製作業務の一部を委託することを定めた契約書	○委託する業務が監督、演出家又はプロデューサーとしての業務の場合は第２号文書（請負に関する契約書） ○印紙税額は200円	委託する業務が監督、演出家又はプロデューサーとしての業務の場合は、課税物件表第２号の「定義」欄の規定により第２号文書となります。
テレビ映画製作放映についての契約書	テレビ映画の製作放映（放映権取得の対価は5,500万円）を定めた契約書	○第２号文書（請負に関する契約書） ○印紙税額は60,000円	テレビ映画の製作は請負契約であり、放映権の取得は完成されたテレビ映画の引渡しにより発生するものですから、契約金額は放映権取得の対価の金額です。
テレビ番組放送承諾書	テレビ番組の放送依頼者の放送の申込みとそれに対する放送会社の承諾を定めた文書（契約金額は1,000万円）	○第２号文書（請負に関する契約書） ○印紙税額は10,000円	放送会社がテレビ放送という仕事の完成を約し、それに対し依頼者が報酬を支払うことを約する契約は、請負契約に該当します。
テレホンガイド契約書	スポンサーがインフォメーションサービスに対し、録音テープを作成させ、これを電話自動応答装置にセットしてテレホンガイドを行わせることを定めた契	○第２号文書（請負に関する契約書） ○印紙税額は1,000円	スポンサーが提供した資料を基にして録音テープを作成し、これを電話自動応答装置にセットし、装置を含むシステムの作動及び保守を行うことを内容とする契約は、請負契約に該当します。

文書名	文書の内容	印紙税法の取扱い	留意事項
	約書 （報酬額は300万円）		
電子計算機賃貸借契約書	電子計算機の賃貸借（リース）についての契約書で、賃貸人が保守管理債務を負い、これに対して報酬を支払うことを定めた文書 （契約金額は20万円）	○第２号文書（請負に関する契約書） ○印紙税額は200円	賃貸人が保守を行うことについて、民法第606条第１項(賃貸人による修繕等）に規定するその免責範囲等を定めたものや、保守管理の定めのないものについては、不課税文書になります。
電子メールで送信する注文請書	発注者に対して受注の意思を明示するために作成するもので、現物の交付に替えて、電磁的記録に変換した媒体を電子メールを利用して送信する注文請書	不課税文書	印紙税法に規定する課税文書の「作成」とは、「単なる課税文書の調製行為をいうのでなく、課税文書となるべき用紙等に課税事項を記載し、これを当該文書の目的に従って行使することをいう。」とされていますから、現物の交付がされない以上、ファクシミリ通信により送信したものと同様に、課税文書を作成したことになりません。 なお、電子メールで送信した後に現物を別途持参するなどの方法により相手方に交付し、その内容が請負契約の成立を証するものである場合には、課税文書を作成したことになり、第２号文書（請負に関する契約書）に該当します。
登記測量事務の委託契約書	住宅供給公社が登記関連事務及び関連調査を登記測量事務所に委託する場合に作成する契約書	不課税文書	この文書は、登記関連事務及び関連調査を委託することを定めており、委任契約ですから、第２号文書（請負に関する契約書）には該当しません。
土地改良工事施工契約書	石灰岩を採掘するとともに土地改良工事を施行することを定めた契約書	○第２号文書（請負に関する契約書） ○印紙税額は200円	

文書名	文書の内容	印紙税法の取扱い	留意事項
土地測量及び実測図作成委託契約書	土地の測量及び実測図の作成を委託された者と、委託者との間で、報酬の額、支払方法等を定めた契約書（報酬金額は200万円）	○第２号文書（請負に関する契約書） ○印紙税額は400円	
取付工事付機械等販売契約書	取付け又は据付けに相当の技術を要する大型機械の販売契約書（取付代金は50万円）	○第２号文書（請負に関する契約書） ○印紙税額は200円	請負（取付工事）に係る契約金額と売買に係る契約金額を区分することができないときは、合計金額が記載金額となります。
肉用素畜導入事業預託契約書	農業協同組合等が、肥育を目的として、肉用素畜（牛・豚）を一定期間農業者等に預託して飼育に対する報酬を支払うことを定めた契約書(契約金額は100万円)	○第２号文書（請負に関する契約書） ○印紙税額は200円	
納期確認書	既に締結の物品加工契約について、その納入期日を定めた確認書	○第２号文書（請負に関する契約書） ○印紙税額は200円	この文書は、物品加工の納入期日を定めており、請負の期日ですから、第２号文書に該当します。
俳優出演契約書	興行会社と俳優との間の専属契約書（出演契約料は200万円）	○第２号文書（請負に関する契約書） ○印紙税額は400円	
バナー広告掲載契約書	一定期間、バナー広告を他者の運営するインターネットのホームページに掲載することを定めた契約書（掲載期間は６か月、料金は30万円）	○第２号文書（請負に関する契約書） ○印紙税額は200円	この文書は、一定金額で一定期間内に広告を行うことを約するものですから、第２号文書に該当します。
美化工芸請負契約書	市が市民会館の美化のため、施工会社が提出した仕様書に示す図柄及び色調等により、同	○第２号文書（請負に関する契約書） ○印紙税額は1,000円（軽減税率）又	市は地方公共団体ですから、法第５条２号及び第４条第５項の規定により、市が所持する文書が課税対象で、契約の相手方(法

文書名	文書の内容	印紙税法の取扱い	留意事項
	会館の内壁及び天井に彩色を施すことを施工会社に委託し、施工会社がこれを引き受けることを定めた契約書（対価は500万円）	は2,000円	別表第2に掲げる非課税法人等以外の者に限ります。）が所持する文書は非課税文書です。
ビル管理委託契約書	営業者間で建物所有者がビル管理会社等に所有建物の清掃等請負業務を含む管理を委託することを定めた契約書（年間の委託料は、80万円で、契約期間は1年）	○第2号文書（請負に関する契約書） ○印紙税額は200円	この文書は、清掃等の維持管理（請負）を約するとともに、営業者間において3か月を超える継続的な請負取引についてその目的物の種類を定めていることから、第2号文書と第7号文書（継続的取引の基本となる契約書）に該当しますが、契約金額の記載があることから、通則3イの規定により第2号文書となります。
福祉支援事業委託契約書	地方公共団体と社会福祉法人との間で、福祉支援事業を委託することを定めた契約書	不課税文書	一般的に、福祉支援事業を内容とする契約は、社会福祉法人の知識経験を期待するもので、仕事の完成を目的とするものではないことから、委任契約に該当します。
物品保管契約書	倉庫等で物品を保管することを定めた契約書	不課税文書	単なる保管の引受けにとどまらず、保管物品の搬入、搬出等に係る荷役作業の引受けを併せて行う場合の契約書は、第2号文書（請負に関する契約書）又は第7号文書（継続的取引の基本となる契約書）に該当します。
プレハブ住宅の注文書（契約書）	建設業者の見積書に基づいて作成するプレハブ住宅（価格は1,500万円）の注文書（見積書に基づく申込みであることが記載されている。）	○第2号文書（請負に関する契約書） ○印紙税額は10,000円（軽減税率）又は20,000円	この文書は、見積書に基づく注文書であり、見積りという契約の申込みに対する承諾の事実を内容とするものですから、契約書に該当します。

文書名	文書の内容	印紙税法の取扱い	留意事項
プログラム作成請負契約書	注文者の指示によりコンピュータのプログラムの作成を請け負うことを定めた契約書（契約金額は500万円）	○第２号文書（請負に関する契約書） ○印紙税額は2,000円	
プロゴルフ選手専属契約書	プロゴルフの選手が特定の企業に専属してプレーすることを定めた契約書	不課税文書	専属契約書が第２号文書（請負に関する契約書）となるのは、印紙税法上、プロ野球の選手、映画の俳優のほか、施行令第21条第１項に掲げる者（プロボクサー、プロレスラー、演劇の俳優、音楽家等）との間で作成するものに限られており、プロゴルフの選手はそれに含まれません。
プロサッカー選手専属契約書	プロサッカーの選手が特定のチームに専属してプレーすることを定めた契約書	不課税文書	専属契約書が第２号文書（請負に関する契約書）となるのは、印紙税法上、プロ野球の選手、映画の俳優のほか、施行令第21条第１項に掲げる者（プロボクサー、プロレスラー、演劇の俳優等）との間で作成するものに限られており、プロサッカーの選手はそれに含まれません。
ボイラー保守点検契約書	ボイラーの保守点検を無償で行うことを定めた契約書	不課税文書	この文書は、保守点検が無償ですので、請負契約には該当しません。 なお、契約金額の記載がない場合（「無償」と定められていない場合）は、第２号文書（請負に関する契約書）又は第７号文書（継続的取引の基本となる契約書）に該当します。
ホームページ開発委託についての覚書	Webサイト内に掲載する１つの情報サイトを作成することを依頼するために作成する覚書（委託料は2,000万円	○第２号文書（請負に関する契約書） ○印紙税額は20,000円	この文書は、１つの取引（10回分のソースコードの作成）について定めたものですから、第７号文書（継続的取引の基本となる契約書）には該当しません。

文書名	文書の内容	印紙税法の取扱い	留意事項
	で、情報サイトの著作権は受託者に帰属され、受託者はソースコードを２回分ずつ、５回に分けて委託者に納品する。)		
保守条項の定めのある賃貸借契約書	賃貸物件の保守（保守の内容、費用負担区分等）についての事項が記載された物品の賃貸借契約書	不課税文書	賃貸物件の保守は、民法第606条第１項（賃貸人による修繕等）に規定する賃貸人の修繕義務とその免責範囲等を定めたものであって、請負契約による保守を定めたものではありませんから、この文書は、第２号文書（請負に関する契約書）には該当しません。
補償金工事契約書	甲と乙の間で甲の要請により乙所有の構築物を撤去することについて、乙が第三者と撤去工事契約を締結し、その費用の一切を甲が補償金として乙に支払うことを定めた契約書	不課税文書	この文書は、当事者である甲・乙間において、請負関係は生じませんから、第２号文書（請負に関する契約書）には該当しません。
埋蔵文化財発掘調査委託契約書	埋蔵文化財発掘調査を専門家に委託することを定めた契約書	不課税文書	
民間建設工事請負契約書	建設工事の請負（金額は1,000万円）と事務を代行することを定めた契約書	○第２号文書（請負に関する契約書） ○印紙税額は5,000円（軽減税率）又は10,000円	
綿布加工依頼申込書	綿糸を綿布に加工することを依頼するための申込書（基本契約に基づく申込みであるがそのことが明記されていない）	不課税文書	この文書は、基本契約書に基づく依頼書ですが、文書上にその旨が明記されていませんから、単なる契約の申込書として取り扱われます。

文書名	文書の内容	印紙税法の取扱い	留意事項
有線放送加入契約書	有線放送会社が喫茶店に月額5,000円で音楽放送を提供することを定めた契約書	不課税文書	この文書は、放送する側が選択した音楽を一方的に流し、受信者がそれを聞く、いわゆる受信契約ですから、請負契約とは異なるものです。
旅行申込書	旅行をしようとする者が旅行業者に提出する申込書で、約款を承認のうえ申し込む旨の記載があり、これにより自動的に契約が成立するもの（別に契約書を作成することが記載されていないもので、旅行代金は12万円）	○第２号文書（請負に関する契約書） ○印紙税額は200円	申込書でも乗車券の購入、旅館の手配などの事務処理を行うことを内容とするものは、委任契約ですから、第２号文書には該当しません。
臨時作業員就業承諾書	臨時作業員として勤務することを定めた承諾書	不課税文書	
臨床検査委託契約書	臨床検査業務を委託するとともに検査料を支払うことを定めた契約書	不課税文書	この文書は、受託者の知識経験に基づく検査内容を期待するものであり、臨床検査を委託することは、検査結果の報告に対して報酬を支払うものではなく、委任契約ですから、第２号文書（請負に関する契約書）には該当しません。
ルームクーラー据付券	買い上げたルームクーラーの据付工事を無料で行うことを定めた文書	不課税文書	この文書は、無料で工事を行う契約であり、請負契約にはなりませんから、第２号文書（請負に関する契約書）には該当しません。
冷房設備保守契約書	営業者間で１年間80万円で冷房設備の保守を請け負うことを定めた契約書 （契約期間は２年）	○第２号文書（請負に関する契約書） ○印紙税額は400円	この文書は、保守（請負）を約するとともに、営業者間において３か月を超える期間の継続的な請負取引についてその単価等を定めていることから、第２号文書と第７号文書（継続的取引

文書名	文書の内容	印紙税法の取扱い	留意事項
			の基本となる契約書）に該当しますが、契約金額の記載がある（@80万円×２年＝160万円）ことから、通則３イの規定により第２号文書となります。
冷房設備保守契約書	冷房設備を安全な状態に保つため点検整備（保守料は20万円）を行うことを定めた契約書（１冷房期間を対象とする１取引についてのもの）	○第２号文書（請負に関する契約書） ○印紙税額は200円	対価を得て冷房設備の点検整備を行う契約は、請負契約です。なお、この文書は、１冷房期間を対象とする１取引に関するものですから、契約期間が３か月を超えるものであっても、第７号文書（継続的取引の基本となる契約書）には該当しません。
レセプション契約書	ホテル等における立食パーティ等の内容、方法等を定めた契約書（契約金額は100万円）	○第２号文書（請負に関する契約書） ○印紙税額は200円	契約金額の決め方には、①部屋代、料理代の合計金額により契約する場合、②部屋代○○円、料理代○○円と区分して契約する場合とがありますが、いずれもその合計額が契約金額となります。
労働協約書・労働協定書	賃金、勤務時間等の労働条件を定めた協定書	不課税文書	この文書は、雇用に基づく労務供給に関する条件を取り決めた文書であり、課税文書には該当しません。
労働者派遣契約書	労働者派遣事業の適正な運営の確保及び派遣労働者の保護等に関する法律（労働者派遣法）に基づいて派遣会社の雇用する従業員を相手方（派遣先）に派遣して、その相手方の指揮監督下で相手方のために働かせることを定めた契約書	不課税文書	
ワイシャツお誂承り票	百貨店等がワイシャツの誂えを引き受けた際に、依頼者に交付する	○第２号文書（請負に関する契約書） ○印紙税額は200円	承りの内容が「券付」又は「誂券」により仕立てるものである場合は、ワイシャツの仕立てと

文書名	文書の内容	印紙税法の取扱い	留意事項
	文書（仕立券、誂券により仕立てるもの）		いう請負契約の成立を証する文書と認められますから、第２号文書に該当します。この場合、加工料金欄に「０」又は「無料」と記載しても、仕立券等に仕立ての報酬が含まれていますから請負契約に当たり、記載金額のない第２号文書に該当します。

課税物件表による第３号文書の取扱い

番号	課税物件		非課税物件
	物件名	定義	
3	約束手形又は為替手形		1　手形金額が10万円未満の手形 2　手形金額の記載のない手形 3　手形の複本又は謄本

50音順による第３号文書例

文書名	文書の内容	印紙税法の取扱い	留意事項
後日付手形	事実上振り出された日より過去の日を振出日とする約束手形（手形金額は1,000万円）	○第３号文書（約束手形） ○印紙税額は2,000円	手形の作成日は過去の振出日ではなく事実上振り出された日です。
一覧払の約束手形	一覧の日すなわち支払のため呈示をした日を満期とする約束手形（手形金額は500万円）	○第３号文書（約束手形） ○印紙税額は200円	一覧払の手形は、手形金額のいかんを問わず、印紙税額は200円です。 なお、手形金額が10万円未満のものは非課税です。
円建銀行引受手形	貿易取引に伴う決済資金等の金融の手段として、輸出入業者又は銀行等が振り出し、銀行等が引き受けた円建期限付為替手形で、円建銀行引受手形売買市場で流通させることができる為替手形	○第３号文書（為替手形） ○印紙税額は200円	円建銀行引受手形には、一般に①信用状付円建貿易手形、②アコモデーション手形、③直ハネ手形、④リファイナンス手形、⑤表紙手形と呼ばれるものがあります。 なお、手形金額のいかんを問わず、印紙税額は200円です。 また、手形金額が10万円未満のものは非課税です。
外貨表示の為替手	金額を外貨で表示した為替手形	○第３号文書（為替手形）	外国通貨により手形金額が表示される手形は、手形金額のいか

文書名	文書の内容	印紙税法の取扱い	留意事項
形、外国為替手形		○印紙税額は200円	んを問わず印紙税額は200円です。 なお、手形金額（本邦通貨に換算した金額）が10万円未満のものは非課税です。 また、手形金額が外国通貨により表示されている場合には、当該手形を作成した日における「基準外国為替相場又は裁定外国為替相場」（日本銀行ホームページに掲載）により当該手形金額を本邦通貨に換算した金額が当該手形の記載金額となります。
確定日後一覧払の手形	手形法第34条（一覧払手形の満期）第２項（同法第77条第１項第２号において準用する場合を含む）の規定により、一定の期日前には支払のため呈示することができないことを定めた一覧払の手形（手形金額は500万円）	○第３号文書（約束手形又は為替手形） ○印紙税額は1,000円	一般的な一覧払の手形と異なり、定額税率は適用されません。
為替手形	手形金額500万円の為替手形	○第３号文書（為替手形） ○印紙税額は1,000円	手形金額が10万円未満のものは非課税です。
為替手形（金額欄が未記入のもの）	手形金額を記載しないで振り出した為替手形	非課税文書	手形金額の記載のない手形は、非課税となります。 なお、後日手形金額を補充したときに、第３号文書（為替手形）の作成とみなされ、手形金額を補充した者が納税義務者となります。
為替手形（先に引受けされたもの）	引受人が先に引受け（署名押印）して振り出した為替手形（振出人の署名押印のないもので手形金額は100万円）	○第３号文書（為替手形） ○印紙税額は200円	この場合の納税義務者は、引受人です。

文書名	文書の内容	印紙税法の取扱い	留意事項
銀行間の約束手形	銀行を振出人及び受取人とする約束手形	○第３号文書（約束手形） ○印紙税額は200円	一定の金融機関を振出人及び受取人とする手形（同一銀行間のものは定額税率の適用はありません）は、手形金額のいかんを問わず印紙税額は200円です。
参着払の為替手形	支払期日を参着払とした為替手形（手形金額は10万円）	○第３号文書（為替手形） ○印紙税額は200円	荷為替手形の支払期日欄に「参着払」と記載されたいわゆる参着払手形は、手形金額にかかわらず印紙税額は定額税率（一律200円）となります。
三面手形	金融機関が自己を振出人及び引受人として振り出す為替手形（手形金額は２億円）	○第３号文書（為替手形） ○印紙税額は40,000円	振出人である金融機関を受取人とする手形ですから課税物件表第３号の課税標準及び税率の欄２ロかっこ書の規定に該当し、定額税率の適用はありません。
白地手形	手形金額の記載のない約束手形	非課税文書	手形金額の記載のない手形は非課税となります。 なお、後日その手形に手形金額を記載した場合は、その時点で手形の作成があったものとみなされ、この場合の納税義務者は、振出人ではなく手形金額を記載した者です。
手形期日通知書	銀行が顧客に対し顧客が差し入れた単名手形の期日が到来したことを通知するもの	不課税文書	
手形・小切手事故届	手形又は小切手事故についての届出と、当該手形又は小切手に対する支払拒絶の依頼とを記載したもの	不課税文書	
手形債務承認書	手形債務者が特定の手形についての債務を承認する際作成するもの	不課税文書	

文書名	文書の内容	印紙税法の取扱い	留意事項
荷為替手形	手形金額600万円の荷為替手形	○第３号文書（為替手形） ○印紙税額は2,000円	
約束手形	手形金額200万円の約束手形	○第３号文書（約束手形） ○印紙税額は400円	
約束手形（「金融機関借入用」と表示があるもの）	金融機関から金銭を借り入れる場合に、担保として当該金融機関に提出するもので、「金融機関借入用」と表示し、借入金に伴う利息の払込期日欄を付記した約束手形（手形金額は300万円）	○第３号文書（約束手形） ○印紙税額は600円	手形に手形金額の分割払いを条件とする旨の記載をした場合は、手形として無効ですから、第３号文書には該当せず、第１号の３文書（消費貸借に関する契約書）に該当します。
約束手形（支払期日欄が空欄のもの）	支払期日欄が空白となっている白地手形（手形金額は300万円）	○第３号文書（約束手形） ○印紙税額は600円	支払期日欄に日付を記載していないものは、満期についての白地手形であり、一覧払の手形には当たりません。
約束手形（消費税及び地方消費税の金額を区分記載したもの）	物品の購入代金（100万円）と消費税及び地方消費税（10％）の金額（10万円）とを区分記載した約束手形	○第３号文書（約束手形） ○印紙税額は400円	第３号文書の場合には本体価格と消費税及び地方消費税（10％）の金額とを区分記載していても、その合計額が記載金額として扱われますから、この文書の記載金額は110万円となります。

課税物件表による第４号文書の取扱い

番号	課　税　物　件		非課税物件
	物　件　名	定　　義	
4	株券、出資証券若しくは社債券又は投資信託、貸付信託、特定目的信託若しくは受益証券発行信託の受益証券	1　出資証券とは、相互会社（保険業法（平成７年法律第105号）第２条第５項（定義）に規定する相互会社をいう。以下同じ。）の作成する基金証券及び法人の社員又は出資者たる地位を証する文書（投資信託及び投資法人に関する法律（昭和26年法律第198号）に規定する投資証券を含む。）をいう。 2　社債券には、特別の法律により法人の発行する債券及び相互会社の社債券を含むものとする。	1　日本銀行その他特別の法律により設立された法人で政令で定めるものの作成する出資証券（協同組織金融機関の優先出資に関する法律（平成５年法律第44号）に規定する優先出資証券を除く。） 2　受益権を他の投資信託の受託者に取得させることを目的とする投資信託の受益証券で政令で定めるもの

50音順による第４号文書例

文書名	文書の内容	印紙税法の取扱い	留意事項
外国法人の発行する債券	スペイン国有鉄道（スペインの特別法により設立された法人で、スペイン政府が全額出資をした特別法人）が日本国内において発行する円貨債券	不課税文書	外国法人の発行する債券であっても、社債券の性質を有するもの（利益金又は剰余金の配当又は分配をすることができることとなっている法人が発行するもの）は課税文書に該当します。
貸付信託の受益証券	券面金額10万円の貸付信託の受益証券	○第４号文書（貸付信託の受益証券） ○印紙税額は200円	

文書名	文書の内容	印紙税法の取扱い	留意事項
株券	券面金額５万円の株券	○第４号文書（株券） ○印紙税額は200円	
基金証券	生命保険相互会社の基金証券（券面金額は50万円）	○第４号文書（出資証券） ○印紙税額は200円	
クラブ会員資格保証金預り証書	カントリークラブの会員資格保証金を拠出した権利を表彰する証書	不課税文書	この文書は、会員資格を証する文書ですが、法人の出資者たる地位を証する出資証券には当たらないので、第４号文書（出資証券等）には該当しません。 なお、金銭の受領文言の記載がある場合には、第17号の２文書に該当します。
社債券	券面金額200万円の社債券	○第４号文書（社債券） ○印紙税額は200円	
譲渡制限の旨を記載する株券	株式の譲渡について、取締役会の承認を要する旨の表示をする株券（券面金額は５万円）	○第４号文書（株券） ○印紙税額は200円	既発行の株券に譲渡制限の表示をして株主に再交付した場合は、新たな株券を作成したものとして取り扱われます。
投資信託（公社債投資信託）の受益証券	オープン型の委託者指図型投資信託（公社債投資信託）の受益証券（券面金額は100万円）	○第４号文書（投資信託の受益証券） ○印紙税額は200円	
投資信託の受益証券	券面金額100万円の投資信託の受益証券	○第４号文書（投資信託の受益証券） ○印紙税額は200円	
農林債券	農林中央金庫が発行する債券（券面金額は100万円）	○第４号文書（社債券） ○印紙税額は200円	農林債券は「特別の法律により法人の発行する債券」に該当します。

文書名	文書の内容	印紙税法の取扱い	留意事項
放送債券	日本放送協会が放送法第80条（放送債券）の規定に基づいて、発行する債券（券面金額は100万円）	○第４号文書（社債券） ○印紙税額は200円	放送債権は、「特別の法律により法人の発行する債券」に該当します。
予備株券	予備株券	不課税文書	予備株券は、単に株券用紙ですから、課税文書には該当しませんので、印紙税は課税されません。ただし、これに所要事項を記載し、株主に交付したときには印紙税が課税されます。

課税物件表による第５号文書の取扱い

番号	課税物件		非課税物件
	物件名	定義	
5	合併契約書又は吸収分割契約書若しくは新設分割計画書	1　合併契約書とは、会社法（平成17年法律第86号）第748条（合併契約の締結）に規定する合併契約（保険業法第159条第１項（相互会社と株式会社の合併）に規定する合併契約を含む。）を証する文書（当該合併契約の変更又は補充の事実を証するものを含む。）をいう。 2　吸収分割契約書とは、会社法第757条（吸収分割契約の締結）に規定する吸収分割契約を証する文書（当該吸収分割契約の変更又は補充の事実を証するものを含む。）をいう。 3　新設分割計画書とは、会社法第762条第１項（新設分割計画の作成）に規定する新設分割計画を証する文書（当該新設分割計画の変更又は補充の事実を証するものを含む。）をいう。	

50音順による第５号文書例

文書名	文書の内容	印紙税法の取扱い	留意事項
合併覚書	合併契約書の作成に先立ち、合併に関する基本的方向付けを書面で確認する文書	不課税文書	
合併契約書	会社が合併する際に作成する契約書	○第５号文書（合併契約書） ○印紙税額は40,000円	印紙税が課税されるのは、会社法第748条に規定する合併契約（保険業法第159条第１項に規定する合併契約を含む。）を証する合併契約書（当該合併契約の変更又は補充の事実を証するものを含む。）です。
吸収分割契約書	吸収分割の場合に作成する文書	○第５号文書（吸収分割契約書） ○印紙税額は40,000円	印紙税が課税されるのは、会社法第757条に規定する吸収分割契約を証する吸収分割契約書（当該吸収分割契約の変更又は補充の事実を証するものを含む。）です。
催告書	会社法の規定（債権者の異議）による債権者への催告書	不課税文書	
新設分割計画書	新設分割の場合に作成する文書	○第５号文書（新設分割計画書） ○印紙税額は40,000円	印紙税が課税されるのは、会社法第762条第１項に規定する新設分割計画を証する新設分割計画書（当該新設分割計画の変更又は補充の事実を証するものを含む。）です。

課税物件表による第６号文書の取扱い

番号	課税物件		非課税物件
	物件名	定義	
6	定款	定款は、会社（相互会社を含む。）の設立のときに作成される定款の原本に限るものとする。	株式会社又は相互会社の定款のうち、公証人法第62条ノ３第３項（定款の認証手続）の規定により公証人の保存するもの以外のもの

50音順による第６号文書例

文書名	文書の内容	印紙税法の取扱い	留意事項
一般社団法人・一般財団法人の定款	一般社団法人・一般財団法人の定款	不課税文書	第６号文書（定款）とは、株式会社、合名会社、合資会社、合同会社又は相互会社の設立の時に作成する定款の原本に限られています。
株式会社の定款	株式会社の定款(原本)	○第６号文書(定款) ○印紙税額は40,000円	
公益社団法人・公益財団法人の定款	公益社団法人・公益財団法人の定款	不課税文書	第６号文書（定款）とは、株式会社、合名会社、合資会社、合同会社又は相互会社の設立の時に作成する定款の原本に限られています。
合資会社の定款	合資会社の定款(原本)	○第６号文書(定款) ○印紙税額は40,000円	
合同会社の定款	合同会社の定款(原本)	○第６号文書(定款) ○印紙税額は40,000円	

文書名	文書の内容	印紙税法の取扱い	留意事項
合名会社の定款	合名会社の定款(原本)	○第６号文書(定款) ○印紙税額は40,000円	
税理士法人の定款	税理士法人の定款	不課税文書	第６号文書（定款）とは、株式会社、合名会社、合資会社、合同会社又は相互会社の設立の時に作成する定款の原本に限られています。
相互会社の定款	生命保険相互会社の定款（原本）	○第６号文書(定款) ○印紙税額は40,000円	
変更定款	発起人等が定款の内容を変更したが、その内容についてまだ公証人の認証を受けていないもの	不課税文書	発起人等が定款を変更し、公証人の認証を受けるときは、新たな定款を作成したことになりますから、その原本については第６号文書に該当します。

課税物件表による第７号文書の取扱い

番号	課税物件		非課税物件
	物件名	定義	
7	継続的取引の基本となる契約書（契約期間の記載のあるもののうち、当該契約期間が３月以内であり、かつ、更新に関する定めのないものを除く。）	継続的取引の基本となる契約書とは、特約店契約書、代理店契約書、銀行取引約定書その他の契約書で、特定の相手方との間に継続的に生ずる取引の基本となるもののうち、政令で定めるものをいう。	

50音順による第７号文書例

文書名	文書の内容	印紙税法の取扱い	留意事項
AGREE-MENT（協定書）	営業者間で継続して貨物等の運送を行うに当たり、その取引に共通して適用される取引条件（運送の内容、運賃単価等）を定め、契約金額及び契約期間の定めのない契約書	○第７号文書（継続的取引の基本となる契約書） ○印紙税額は4,000円	この文書は、運送を約するとともに、営業者間において３か月を超える期間の継続的な運送取引についてその単価等を定めていることから、第１号の４文書（運送に関する事項）と第７号文書に該当しますが、契約金額の記載がないことから、通則３イのただし書の規定により第７号文書となります。
委託行為受託契約書	物品の販売業者と仲介人との間で、①購入見込客の紹介、②契約成立のための援助、③契約が成立した場合の報酬の支払方法等を定めた契約書	○第７号文書（継続的取引の基本となる契約書） ○印紙税額は4,000円	この文書は、物品売買に関する業務の委託について、委託する業務の範囲及び対価の支払方法を定めるものですから、第７号文書に該当します。 なお、契約の成立高に応じた手数料を得る目的で商談に参加し、又は、取引の相手方に対し契約成立のため説得する行為は、売買取引に直接関係する業務　で

文書名	文書の内容	印紙税法の取扱い	留意事項
			あり、施行令第26条第２号に規定する「売買に関する業務」に該当します。
委託料の支払いに関する覚書	原契約書（第７号文書である産業廃棄物処理委託契約書）の内容のうち、委託料について委託者が受託者の窓口業者を通じて支払うことを定めた契約書（契約金額の記載のないもの）	○第７号文書（継続的取引の基本となる契約書） ○印紙税額は4,000円	この文書は、原契約で定めていない委託料の支払いについて定めていることから、第２号文書の重要事項（契約金額の支払い方法）を補充するものに該当するとともに、第７号文書の重要事項（対価の支払方法）を補充するものにも該当することから、通則３イただし書の規定により第７号文書となります。 なお、「産業廃棄物の処理契約書」P161も参考にして下さい。
Web－EDIによる購買システムの利用に関する契約書	インターネットを利用して商品の受発注を行うことを定めた契約書	不課税文書	この文書は、商品の発注を行う際にインターネットを利用して行うことを約した契約書ですが、課税事項の記載がないことから、課税文書には該当しません。
売上割戻しに関する覚書	営業者間における継続的な商品売買に係る売上割戻しを定めるため、前年度実績数量が記載された覚書	不課税文書	前年度実績数量は、割戻し率を算定するために記載されたものであり、取扱金額とは認められないため、第７号文書（継続的取引の基本となる契約書）とはなりません。
運送貨物についての保険特約書	損害保険会社と保険契約者間で運送貨物に対して保険を付すことについての契約で、保険を付ける貨物の種類、保険金額を定めた特約書	○第７号文書（継続的取引の基本となる契約書） ○印紙税額は4,000円	この文書は、損害保険会社と保険契約者との間において、継続する２以上の保険契約に関して保険を付ける財産の種類、保険金額を定めるものですから、第７号文書に該当します。
運送基本契約書	営業者間で継続して行う運送取引について単	○第７号文書（継続的取引の基本とな	この文書は、運送を約するとともに、営業者間において３か月

文書名	文書の内容	印紙税法の取扱い	留意事項
	価、対価の支払方法を定めた契約書（契約金額の記載のないもの）	る契約書） ○印紙税額は4,000円	を超える期間の継続的な運送取引についてその単価等を定めていることから、第1号の4文書（運送に関する契約書）と第7号文書に該当しますが、契約金額の記載がないことから、通則3イのただし書の規定により第7号文書となります。
運送基本契約書、運賃協定書、附帯運賃協定書	○運送基本契約書は営業者間の継続的な運送取引について目的物の種類等を定めた契約書 ○運賃協定書は、運送基本契約書の内容（単価、対価の支払方法）を補充する契約書 ○附帯運賃協定書は、運賃協定書の内容（単価、対価の支払方法）を補充する契約書	○運送基本契約書、運賃協定書及び附帯運賃協定書は、いずれも第7号文書（継続的取引の基本となる契約書） ○印紙税額はいずれも4,000円	運送基本契約書は、運送を約するとともに、営業者間において3か月を超える期間の継続的な運送取引についてその目的物の種類等を定めていることから、第1号の4文書(運送に関する契約書）と第7号文書に該当しますが、契約金額の記載がないことから、通則3イのただし書の規定により第7号文書となります。 なお、運賃協定書は、第7号文書である運送基本契約書のうちの重要な事項を補充するものですから、運送基本契約書と同じく第7号文書となります。 また、附帯運賃協定書は、第7号文書である運賃協定書のうちの重要な事項を補充するものですから、運賃協定書と同じく第7号文書となります。
運送取扱協定書	営業者間で継続して運送及び運送取扱いを行い、その対価の支払方法を定めた協定書（契約金額の記載のないもの）	○第7号文書（継続的取引の基本となる契約書） ○印紙税額は4,000円	この文書は、運送を約するとともに、営業者間において3か月を超える期間の継続的な運送取引についてその対価の支払方法を定めていることから、第1号の4文書(運送に関する契約書）と第7号文書に該当しますが、契約金額の記載がないことから、通則3イのただし書の規定により第7号文書となります。

文書名	文書の内容	印紙税法の取扱い	留意事項
運輸協定書	運輸業者間において、自己の固有免許路線に相互に相手方のバスの乗り入れを継続的に行うことを定めた協定書	不課税文書	相互乗り入れは、運送又は運送取扱いのいずれにも該当しないものであり、課税文書には該当しません。
エレベータ保守についての契約書	営業者間でエレベータを定期的に保守点検することを定めた契約書（契約金額の記載のないもので、請負の内容、対価の支払方法を定めた契約書、契約期間は１年）	○第７号文書（継続的取引の基本となる契約書） ○印紙税額は4,000円	この文書は、保守（請負）を約するとともに、営業者間において３か月を超える期間の継続的な請負取引についてその対価の支払方法等を定めていることから、第２号文書（請負に関する契約書）と第７号文書に該当しますが、契約金額の記載がないことから、通則３イのただし書の規定により第７号文書となります。
オープンポリシー（予定保険）契約書	損害保険会社と輸入業者等との間において、一定期間内の積荷について、数量などを定めずに一定の条件のもとに包括的、継続的に保険を付すための契約書	○第７号文書（継続的取引の基本となる契約書） ○印紙税額は4,000円	
温室効果ガス排出権売買契約書	企業間で取引される、温室効果ガス排出権の売買を継続して行うために作成される契約書	○第７号文書（継続的取引の基本となる契約書） ○印紙税額は4,000円	温室効果ガス排出権は、印紙税法上の無体財産権に該当しませんから、第１号の１文書（無体財産権の譲渡に関する契約書）には該当しません。
温泉の供給契約書	継続的に温泉を供給し、その単価、対価の支払方法等を定めた契約書（契約金額の記載のないもの）	○営業者間の取引の場合は第７号文書（継続的取引の基本となる契約書） ○印紙税額は4,000円 ○営業者間以外の取引である場合は不課税文書	

文書名	文書の内容	印紙税法の取扱い	留意事項
外国為替取引約定書	金融機関との間で外国為替に関する各種取引により生ずる保証料及び手数料の支払方法を定めた約定書	不課税文書	この文書は、金融機関に対する一切の債務の履行について、包括的に履行方法等を定めるものではありませんから、第７号文書（継続的取引の基本となる契約書）には該当しません。
買取商品代金支払条件通知書	商品販売先との間で、あらかじめ協議の上決定した支払条件を販売先に通知する文書	○営業者間の取引の場合は第７号文書（継続的取引の基本となる契約書） ○印紙税額は4,000円 ○営業者間以外の取引である場合は不課税文書	この文書は、継続する売買取引に関する対価の支払方法を定めるもので、契約当事者間で契約の成立又は補充の事実を証明する目的で作成されたものですから、第７号文書に該当します。
開発委託業務基本契約書	営業者間において、種々のコンピュータプログラム及びそのデータの開発を有償で委託することについての基本的な事項(開発業務の内容、開発代金の支払方法など)を取り決めた契約期間の記載がない契約書(著作権は受託者に帰属、委託者には開発物の使用、複製する権利が許諾されるもの)	○第７号文書（継続的取引の基本となる契約書） ○印紙税額は4,000円	この文書は、コンピュータプログラム等の開発（請負）を約するとともに、営業者間において３か月を超える期間の継続的な請負取引についてその対価の支払方法等を定めていることから、第２号文書（請負に関する契約書）と第７号文書に該当しますが、契約金額の記載がないことから、通則３イただし書きの規定により第７号文書となります。
開発委託業務基本契約書（著作権移転型）	営業者間において、種々のコンピュータプログラム及びそのデータの開発を有償で委託することについての基本的な事項（開発業務の内容、開発代金の支払方法など）を取り決めた契約期間の記載がない契約書（著作権が委託者に移転されるもの）	○第７号文書（継続的取引の基本となる契約書） ○印紙税額は4,000円	この文書は、著作権という無体財産権の譲渡について約していることから、第１号の１文書（無体財産権の譲渡に関する契約書）に該当します。また、コンピュータプログラム等の開発（請負）を約するとともに、営業者間において３か月を超える期間の継続的な請負取引についてその対価の支払方法等を定めていることから、第２号文書（請負に関する契約書）に該当

文 書 名	文 書 の 内 容	印紙税法の取扱い	留 意 事 項
			するほか、第７号文書にも該当しますが、契約金額の記載がないことから、通則３イただし書きの規定により第７号文書となります。
過去一定期間の確定単価を定める契約書	売買取引の基本契約に基づき暫定的単価で取引を行っている場合に、後日、過去一定期間の確定単価を定めた契約書	不課税文書	この文書は、過去の取引についての取引条件を定めるものであり、第７号文書（継続的取引の基本となる契約書）には該当しません。
加工基本契約書に基づいて作成する加工賃単価確認書	加工基本契約書に基づき、発注者と受注者との間において加工賃及び支払条件を確認するために作成する加工賃確認書（請書）	○第７号文書（継続的取引の基本となる契約書） ○印紙税額は4,000円	この文書は、第７号文書（営業者間の３か月を超える期間にわたる継続的な請負取引に関する事項を定める文書）の重要な事項である単価（加工賃）、支払条件を補充する契約書ですから、第７号文書に該当します。
加工基本契約書、綿布加工賃確認書（請書）	○加工基本契約書は、継続して綿布に加工することを定めた基本契約書（契約金額の記載のないもの） ○綿布加工賃確認書は、加工基本契約書に基づく綿布加工についての加工賃の確認書（契約金額の記載のないもの）	○加工基本契約書及び綿布加工賃確認書（請書）はいずれも第７号文書（継続的取引の基本となる契約書） ○印紙税額はいずれも4,000円	加工基本契約書は、加工（請負）を約するとともに、営業者間において３か月を超える継続的な請負取引についてその目的物の種類を定めていることから、第２号文書（請負に関する契約書）と第７号文書に該当しますが、契約金額の記載がないことから、通則３イただし書の規定により第７号文書となります。 なお、綿布加工賃確認書は、基本契約書である加工基本契約書の内容のうち重要な事項（加工単価）を補充するものですから、第７号文書となります。
火災通知保険特約書	損害保険会社と保険契約者間の火災通知保険契約で、保険を掛ける財産の種類、保険料率等を定めた特約書	○第７号文書（継続的取引の基本となる契約書） ○印紙税額は4,000円	この文書は、損害保険会社と保険契約者との間において、継続する２以上の保険契約に関して保険を付ける財産の種類、保険料等を定めるものですから、第７号文書に該当します。

文書名	文書の内容	印紙税法の取扱い	留意事項
火災保険倉庫特約証書	損害保険会社と保険契約者間で倉庫に保管する貨物に対して火災保険を掛ける契約で、保険を掛ける貨物の種類を定めた特約証書	○第７号文書（継続的取引の基本となる契約書） ○印紙税額は4,000円	この文書は、損害保険会社と保険契約者との間において、継続する２以上の保険契約に関して保険を付ける貨物の種類を定めるものですから、第７号文書に該当します。
ガス供給契約書	ガス事業者が需要者（消費者）に対してガスを継続して供給する場合に作成するもので、供給量、単価、対価の支払方法等取引の基本条件を定めた契約書	不課税文書	電気又はガスを需要者（消費者）に継続して供給する場合に作成する継続供給契約書は、施行令第26条第１号の規定により、第７号文書（継続的取引の基本となる契約書）には該当しません。
ガス料金集金委託契約書	ガス料金の集金業務を委託し、その業務の範囲を定めた契約書（契約期間の記載のないもの）	○第７号文書（継続的取引の基本となる契約書） ○印紙税額は4,000円	
割賦販売代金の収納事務委託契約書	信販会社が顧客からの割賦代金の収納事務を金融機関に委託することを定めた契約書	○第７号文書（継続的取引の基本となる契約書） ○印紙税額は4,000円	この文書は、金融機関（信販会社）の業務の一部（債権回収業務）を継続して他の金融機関に委託するもので、委託する業務の範囲を定めていることから、第７号文書に該当します。
株式事務代行委託契約書、覚書	○株式事務代行委託契約書は、株式事務の代行を委託し、委託する事務の範囲を定めた契約書 ○覚書は、株式事務代行委託契約書の内容のうち、委託手数料の支払方法を補充する文書	○株式事務代行委託契約書、覚書はいずれも第７号文書（継続的取引の基本となる契約書） ○印紙税額はいずれも4,000円	株式事務代行委託契約書は、株式の発行又は名義書換えの事務を継続して委託するために作成される契約書で、委託事務の範囲又は対価の支払方法を定めていることから、第７号文書に該当します。 なお、覚書は、株式事務代行委託契約書の内容のうち重要な事項（対価の支払方法）を補充するものですから、第７号文書に該当します。

文書名	文書の内容	印紙税法の取扱い	留意事項
加盟店契約書（債権譲渡方式）	販売業者等とクレジット会社との間において、販売業者等がクレジット会社の加盟店となり、顧客に対して商品のクレジット販売等をした際に、その債権をクレジット会社に譲渡すること等を定めた契約書（契約期間は１年）	○第７号文書（継続的取引の基本となる契約書） ○印紙税額は4,000円	この文書は、営業者間において、３か月を超える期間の継続的な売買（債権の有償譲渡）取引についてその単価、対価の支払方法等を定めていることから、第７号文書に該当します。また、信用販売に基づく債権の譲渡についても定めていますので、第15号文書（債権の譲渡に関する契約書）にも該当しますが、通則３ハの規定により、第７号文書となります。
貨物寄託荷役契約書	営業者間の継続的な貨物の寄託と寄託貨物の荷役について、荷役料及びその支払方法を定めた契約書（契約金額の記載のないもの）	○第７号文書（継続的取引の基本となる契約書） ○印紙税額は4,000円	この文書は、寄託貨物の荷役（請負）を約するとともに、営業者間において３か月を超える期間の継続的な請負取引についてその単価等を定めていることから、第２号文書（請負に関する契約書）と第７号文書に該当しますが、契約金額の記載がないことから、通則３イのただし書の規定により第７号文書となります。
為替取引契約書	金融機関相互間において為替取引を開始する際作成し、相互に為替業務を継続して委託すること及びその業務内容等を定めた契約書	○第７号文書（継続的取引の基本となる契約書） ○印紙税額は4,000円	この文書は、金融機関の業務の一部（為替業務）を継続して他の金融機関に委託するものであり、その委託する業務の範囲を定めていることから、第７号文書に該当します。
観光券発売委託契約書	催物施設への入場及びホテルの宿泊ができる観光券を製作の上、観光客に発売することを継続して委託することを定めた契約書	不課税文書	この場合の「観光券の発売」は、設権的行為であって、券の譲渡ではないことから、売買の委託又は売買に関する業務の委託には当たらず、第７号文書（継続的取引の基本となる契約書）には該当しません。
基本契約書の契約期間を延	契約期間の終了に伴い、基本契約書の契約期間を変更（１年間延長）	○第７号文書（継続的取引の基本となる契約書）	この文書は、基本契約書を引用して、その契約期間を延長する契約であり、第７号文書の重要

文書名	文書の内容	印紙税法の取扱い	留意事項
長する覚書	することを定めた覚書	○印紙税額は4,000円	な事項を変更するものですから、第７号文書に該当します。
給油契約書	営業者間で燃料油等を継続して購入することを定めた契約書（目的物の種類、単価、対価の支払方法を定めたもの）	○第７号文書（継続的取引の基本となる契約書） ○印紙税額は4,000円	
教材類委託販売契約書	継続的に教材類の販売を委託し対価の支払方法等を定めた契約書	○第７号文書（継続的取引の基本となる契約書） ○印紙税額は4,000円	
銀行口座振込依頼書、銀行口座振込承諾書、差入証（銀行口座振込みに関してのもの）	業務上の取引代金を、売主が指定した預金口座に振り込むことを定めた文書（銀行口座振込依頼書は、相手方の要請文言が記載されていて、これに基づき署名、押印して相手方に返付する形態をとっているもの）	○依頼書、承諾書及び差入証は、いずれも第７号文書（継続的取引の基本となる契約書） ○印紙税額はいずれも4,000円	銀行口座振込依頼書は、依頼書の形式をとっていますが、相手方の申込みに対して応諾したことが、その文書上から明らかな場合には、印紙税法上の契約書に該当します。 なお、銀行口座振込承諾書及び差入証は、その標題から、契約の成立の事実を証明するために作成することが明らかですから、印紙税法上の契約書に該当します。 また、いずれの文書も継続する売買取引について、その代金の支払方法を定めたものですから第７号文書に該当します。なお、１回限りの取引に関して作成されるものは第７号文書には該当せず、契約の内容（例えば請負か商品売買かなど）により所属が決定されます。
銀行取引約定書	銀行に対する一切の債務の履行について包括的に履行方法その他の基本的事項を定めた契約書（契約期間の記載のないもの）	○第７号文書（継続的取引の基本となる契約書） ○印紙税額は4,000円	

文書名	文書の内容	印紙税法の取扱い	留意事項
クレジットカード加盟店契約書（立替払い方式）	販売業者がクレジット会社の加盟店となり、顧客に対して商品のクレジット販売等をするとともに、その販売代金についてはクレジット会社から立替払いを受けること等を定めた契約書	不課税文書	この文書は、継続する物品等の売買について定めた契約書ですが、売買取引の契約当事者の間における契約ではありませんから、第７号文書（継続的取引の基本となる契約書）には該当しません。
継続的商品取引契約書	営業者間で継続して商品売買を行うことについて、商品売買取引の対価の支払方法及び債務不履行の場合の損害賠償の方法を定めた契約書	○第７号文書（継続的取引の基本となる契約書） ○印紙税額は4,000円	
継続的商品売買基本契約書	営業者間で継続して商品売買を行うことについての契約で、売買取引の対象となる物品の種類、対価の支払方法等を定めた契約書	○第７号文書（継続的取引の基本となる契約書） ○印紙税額は4,000円	
警備請負契約を再委託することについての覚書	警備保障会社とユーザーとの間で締結した警備請負契約について、警備保障会社がその警備業務を関連会社に再委託するとともに、ユーザーが同意したことを定めた覚書（契約金額の記載のないもの）	○第７号文書（継続的取引の基本となる契約書） ○印紙税額は4,000円	この文書は、警備保障会社とその関連会社との間の継続する警備業務委託契約の成立の事実を証するものですから、第２号文書（請負に関する契約書）と第７号文書に該当しますが、契約金額の記載がないことから、通則３イただし書の規定により第７号文書となります。
計量業務委託契約書	水道事業者（地方公共団体）が水道水の使用量の計量業務を検針員に委託することを定めた契約書	○第７号文書（継続的取引の基本となる契約書） ○印紙税額は4,000円	この文書は、売買（水道水の供給）に関する業務を継続して委託することについて、その委託する業務の範囲等を定めたものですから、第７号文書に該当します。 なお、地方公共団体が所持する

文書名	文書の内容	印紙税法の取扱い	留意事項
			文書のみが課税対象となり、検針員が所持する文書は、地方公共団体が作成したものとされますから、非課税文書となります。
月賦取扱店契約証書	販売業者が月販会社の月販取扱店となり、月販会社の指定商品を月賦で取り扱うことについて、代金回収方法、取扱手数料及びその支払方法を定めた契約証書	○第７号文書（継続的取引の基本となる契約書） ○印紙税額は4,000円	この文書は、売買に関する業務を継続して委託することについて、その委託する業務又は事務の範囲及び対価の支払方法を定めたものですから、第７号文書に該当します。
原盤譲渡基本契約書	レコードの原盤及びその原盤に係る一切の権利を継続的に譲渡する場合で、譲渡代金の支払方法を定めた契約書（契約期間は１年）	○第７号文書（継続的取引の基本となる契約書） ○印紙税額は4,000円	この文書は、物品（原盤）及び著作隣接権（原盤に係る権利）を継続的に譲渡することを内容とするものであり、その対価の支払方法等を定めたものですから、第７号文書に該当します。なお、著作隣接権は、著作権には当たらないので第１号の１文書（無体財産権の譲渡に関する契約書）には該当しません。
購入品品質保証契約書	営業者間で売買取引の目的物品について、販売者がその品質を保証し、目的物品に瑕疵があった場合には損害を補償することを定めた契約書	不課税文書	この文書は、取引物品の品質を保証するとともに、その物品に対するかし担保責任の内容を定めたものであり、施行令第26条第１号に規定する「債務不履行の場合の損害賠償の方法」を定めるものではないので、第７号文書（継続的取引の基本となる契約書）には該当しません。
債権譲渡に関する基本契約書	住宅ローンの債権者（金融機関）が第三者（保険会社等）に住宅ローン債権を譲渡することについての基本的事項を定めた契約書（契約期間の記載のないもの）	○第７号文書（継続的取引の基本となる契約書） ○印紙税額は4,000円	この文書は、債券の譲渡について約するとともに、営業者間において継続的な売買取引（債権譲渡）についてその目的物の種類を定めていることから、第15号文書（債権譲渡に関する契約書）と第７号文書に該当しますが、通則３ハの規定により第７号文書となります。

文書名	文書の内容	印紙税法の取扱い	留意事項
財産形成年金貯蓄の事務取扱いに関する協定書	県職員等と財産形成年金貯蓄契約を締結している金融機関（銀行、証券会社、保険会社等）が他の金融機関（幹事金融機関）に対し、財産形成貯蓄年金契約に基づく預入金の受領を委託することを定めた契約書	○第７号文書（継続的取引の基本となる契約書） ○印紙税額は4,000円	この文書は、金融機関が金融業務を他の金融機関に継続して委託するもので、その委託する業務の範囲を定めていることから、第７号文書に該当します。
サイバーモール出店契約書	インターネットを利用したオンラインショッピングを行うために、サイバーモール（モールの機能として、商品の検索機能、申込情報を転送する受注機能、会員管理機能、情報提供機能を有する。）に出店することを定めた契約書（契約期間は１年間）	○第７号文書（継続的取引の基本となる契約書） ○印紙税額は4,000円	この文書は、申込情報を転送する機能を提供するという売買に関する業務の一部（購入申込受付業務）を委託するものであり、その委託する業務の範囲等を定めていることから、第７号文書に該当します。
再販売価格維持契約書	製造者と卸売業者との間の継続的な製品売買について再販売価格を維持することを定めた契約書	○第７号文書（継続的取引の基本となる契約書） ○印紙税額は4,000円	「再販売価格」とは、取引の相手方たる事業者又はその相手方たる事業者の販売する商品を買い受けて販売する事業者が、その商品を販売する価格をいいます（私的独占の禁止及び公正取引の確保に関する法律第23条第１項参照）。
再販売価格維持契約書	出版社の取次店と小売店との間において、小売店での販売価格（再販売価格）を定めた契約書（契約期間は１年間）	○第７号文書（継続的取引の基本となる契約書） ○印紙税額は4,000円	
再販売価格を取り	製造者と卸売業者との間で継続的に売買取引	○第７号文書（継続的取引の基本とな	

文 書 名	文 書 の 内 容	印紙税法の取扱い	留 意 事 項
決める契約書	を行う製品の再販売価格を定めた契約書	る契約書） ○印紙税額は4,000円	
再保険特約書	保険会社が締結した保険契約について、その危険負担を分散するために、継続的に締結する保険契約の保険金支払債務を保険目的として他の保険会社との間で保険契約を締結する際に作成する契約書	○第７号文書（継続的取引の基本となる契約書） ○印紙税額は4,000円	
作業協定書	営業者間で継続して構内作業を行う請負契約の作業内容、単価及び対価の支払方法を定めた契約書（契約期間の記載のないもの）	○第７号文書（継続的取引の基本となる契約書） ○印紙税額は4,000円	この文書は、構内作業（請負）を約するとともに、営業者間において継続的な請負取引についてその単価等を定めていることから、第２号文書（請負に関する契約書）と第７号文書に該当しますが、契約金額の記載がないことから、通則３イただし書の規定により第７号文書となります。
産業廃棄物の処理契約書	営業者間で産業廃棄物の収集、運搬及び処分を委託することを約するもので、目的物の種類、単価、対価の支払方法等を定めた契約書（契約金額の記載のないもの）	○第７号文書（継続的取引に関する契約書） ○印紙税額は4,000円	この文書は、運送及び請負を約するとともに、営業者間において継続的な運送及び請負取引について、その目的物の種類等を定めていることから、第１号の４文書（運送に関する契約書）、第２号文書(請負に関する契約書）及び第７号文書に該当しますが、単価のみの記載で、契約金額の記載がないことから、通則３イただし書の規定により第７号文書となります。 なお、「委託料の支払いに関する覚書」P150も参考にして下さい。
磁気テープ交換に	保険会社が他の金融機関に対し、保険料の収	○第７号文書（継続的取引の基本とな	この文書は、金融機関である保険会社が、その業務の一部（保

文書名	文書の内容	印紙税法の取扱い	留意事項
よる生命保険料の預金口座振替に関する契約書	納事務を磁気テープ交換による預金口座振替の方法により行うことを継続的に委託することを定めた契約書	る契約書） ○印紙税額は4,000円	険料の収納事務）を他の金融機関に委託するための文書で、委託する業務の範囲を定めていることから、第７号文書に該当します。
指定品製作取引契約書	甲、乙間（営業者間）で乙が甲の指示する一定の品質、形状、サイズ、その他の規格仕様に従い一定の物品を製作し供給する取引について、目的物の種類、単価及び対価の支払方法を定めた契約書（契約期間の記載のないもの）	○第７号文書（継続的取引の基本となる契約書） ○印紙税額は4,000円	この文書は、対価を得て一定の物品を製作するという請負を約するとともに、営業者間において継続的な請負取引について、その目的物の種類等を定めていることから、第２号文書（請負に関する契約書）と第７号文書に該当しますが、契約金額の記載がないことから、通則３イただし書の規定により第７号文書となります。
自動車損害賠償責任保険代理店委託契約書	損害保険会社が代理店に対して、自動車損害賠償保険募集の業務を委託し、委託する業務の範囲を定めた契約書	○第７号文書（継続的取引の基本となる契約書） ○印紙税額は4,000円	
支払方法等通知書	基本契約書で、代金の支払方法は「支払方法等通知書」によると定め、取引先に通知する文書	○第7号文書（継続的取引の基本となる契約書） ○印紙税額は4,000円	印紙税法上、次のような通知書等は、契約書として取り扱われます。 ①　相手方の申込みに対して応諾することがその文書上明らかなもの ②　基本契約書等を引用していることにより、双方の合意に基づくものであることが明らかなもの ③　当事者間で協議の上決定した事項を、当該文書より通知することが基本契約書等に記載されているもの
社内展示販売契約書	洋服等の販売業者が、事業者の社内で従業員に対して展示販売する	不課税文書	この文書は、販売業者と事業者の間（営業者間）での売買取引について定めた契約書ではない

文書名	文書の内容	印紙税法の取扱い	留意事項
	ことについて、その販売方法、代金の支払方法等を定めた契約書		ことから、第７号文書（継続的取引の基本となる契約書）には該当しません。
修理委託契約書、修理委託覚書	○修理委託契約書は、継続的に修理加工を行うこと及び修理用部品を購入することについて、その単価及び対価の支払方法を定めた契約書（契約期間の記載のないもの） ○修理委託覚書は、修理委託契約書の内容のうち、修理委託する機器の名称、工賃等を補充する覚書	○修理委託契約書及び修理委託覚書は、いずれも第７号文書（継続的取引の基本となる契約書） ○印紙税額はいずれも4,000円	修理委託契約書は、請負（修理加工）を約するとともに、営業者間において継続的な請負取引についてその単価等を定めていることから、第２号文書（請負に関する契約書）と第７号文書に該当しますが、契約金額の記載がないことから、通則３イただし書の規定により第７号文書となります。 なお、修理委託覚書は、基本契約書である修理委託契約書の内容のうち重要な事項（目的物の種類、単価等）を補充するものですから、第７号文書となります。
出店契約書	百貨店等の売場の一部を賃貸借し、その百貨店等の名義で自己の商品を販売することを定めた契約書	不課税文書	この文書は、百貨店等に対し売買を委託するものではなく、百貨店等の名義で自己の商品を販売することを内容とするものであり、商号使用貸借契約の成立を証するものですから、第７号文書（継続的取引の基本となる契約書）には該当しません。
準特約店契約書	特約店と準特約店との間における継続する商品の売買取引について、取引商品の種類、取引目標金額、販売奨励金等を定めるために、商品の製造者と準特約店との間で締結されるもので、売買取引の直接の当事者である特約店がその契約内容を承認して記名押印している契約書	○第７号文書（継続的取引の基本となる契約書） ○印紙税額は4,000円	この文書は、契約の当事者が、形式上売買取引の直接の当事者でない製造者と準特約店になっていますが、契約内容について、売買取引の直接の当事者である特約店が承認していることから、特約店も契約当事者となり、特約店と準特約店との間の契約内容が、第７号文書の重要事項に該当することになります。 なお、この場合の納税義務者は、特約店と準特約店です。

文書名	文書の内容	印紙税法の取扱い	留意事項
消化仕入れについての契約書	百貨店と納入業者との間で、販売業務の委託及び販売委託された物品の決済方法等を定めた契約書 （契約期間は１年）	○第７号文書（継続的取引の基本となる契約書） ○印紙税額は4,000円	この文書は、売買に関する業務を継続して委託することについて、その委託する業務の範囲及び対価の支払方法を定めていることから、第７号文書に該当します。
消費者金融取扱契約書	月販会社、小売店及び消費者の三者間における取引について、月販会社と小売店の間でローンのあっせん、仕入代金の支払方法等を定めた契約書	○第７号文書（継続的取引の基本となる契約書） ○印紙税額は4,000円	
商取引基本契約書	継続する売買、問屋代理、委任、請負、寄託、運送等の取引について定めた基本契約書で、施行令第26条第１号に規定する取引条件が定められておらず、かつ、契約金額の記載のない契約書	○第１号の４文書（運送に関する契約書） ○印紙税額は200円	この文書は、運送及び請負について約していることから、第１号の４文書と第２号文書（請負に関する契約書）に該当しますが通則３ロの規定により第１号の４文書となります。なお、この文書は、営業者間の継続的な売買、請負及び運送に関する契約書ですが、施行令第26条第１号に規定する取引条件を定めるものではないので第７号文書（継続的取引の基本となる契約書）には該当しません。
商品継続取引根抵当権設定契約書	継続する商品の売買によって発生した買掛債務の確認と債務の支払方法を定め、更に根抵当権を設定することを定めた契約書	○第７号文書（継続的取引の基本となる契約書） ○印紙税額は4,000円	この文書は、債務（対価）の支払方法を定めたものですから、第７号文書に該当します。
商品取引についての承諾書	商品市場において商品の売買を継続して委託し、対価の支払方法及び債務不履行の場合の損害賠償の方法を定めた承諾書	○第７号文書（継続的取引の基本となる契約書） ○印紙税額は4,000円	

文書名	文書の内容	印紙税法の取扱い	留意事項
商品売買（拡販について）のお約束書	営業者間で継続して商品売買を行うことについての契約で、売買取引の対象となる商品の種類、取引数量等を定めた文書	○第７号文書（継続的取引の基本となる契約書） ○印紙税額は4,000円	
食堂経営委託に関する契約書	食堂の経営を委託し、委託する業務の範囲を定めた契約書（契約期間は１年間）	○第７号文書（継続的取引の基本となる契約書） ○印紙税額は4,000円	
信用金庫取引約定書	信用金庫に対する一切の債務の履行について包括的に履行方法、その他の基本的事項を定めた約定書	○第７号文書（継続的取引の基本となる契約書） ○印紙税額は4,000円	
信用取引口座設定約諾書	信用取引による有価証券の売買を継続して委託し、対価の支払方法及び債務不履行の場合の損害賠償の方法を定めた約諾書	○第７号文書（継続的取引の基本となる契約書） ○印紙税額は4,000円	
信用販売の加盟店契約書	信用販売会社の加盟店が信用販売会社の会員に信用販売するとともに、信用販売に基づく債権（販売代金請求権）を信用販売会社に譲渡することを定めた契約書（継続的な売買について単価、対価の支払方法等も定めている。）	○第７号文書（継続的取引の基本となる契約書） ○印紙税額は4,000円	この文書は、第７号文書（営業者間の継続的な売買について単価、対価の支払方法等を定める契約書）と第15号文書（信用販売に基づく債権の譲渡に関する契約書）に該当しますが、通則３ハの規定により第７号文書となります。
信用保証付極度手形割引約定書	手形割引を受けるに際し割引極度額、取引期間、損害賠償の方法を定めた約定書	○第７号文書（継続的取引の基本となる契約書） ○印紙税額は4,000円	この文書は、継続的な手形割引（売買）についての損害賠償の方法を定めていますので、第７号文書に該当します。
水道料集金業務委	地方公共団体が水道料の集金業務を集金人に	非課税文書	この文書は、地方公共団体の公金の取扱いに関する文書と認め

文書名	文書の内容	印紙税法の取扱い	留意事項
託契約書	委託することを定めた契約書		られ、また、集金人は、当該公金の取扱いをする者と認められますから、法別表第３（非課税文書の表）の非課税文書に該当します。
数量基準による単価契約書	継続する取引（請負）において作業単価を数量基準（Ａ作業は5,000～7,000個について単価1,000円、Ｂ作業は2,000～3,000個について単価3,000円とする）により取り決めた契約書（契約期間６か月）	○第７号文書（継続的取引の基本となる契約書） ○印紙税額は4,000円	この文書は、請負作業単価の適用範囲を取り決めたものであり、取引数量の上限、下限を定めたものではないから、契約金額の計算はできません。 なお、この文書は、請負を約するとともに、営業者間において３か月を超える継続的な請負取引についてその単価を定めていることから、第２号文書(請負に関する契約書）と第７号文書に該当しますが、契約金額の記載がないことから、通則３イただし書の規定により第７号文書となります。
スカイクーポン後払精算契約書	航空会社と営業者との間において、航空会社の行う旅客運送便を利用することのできるスカイクーポンの提供及び保管、航空運賃の精算方法等を定めた契約書（契約期間は１年）	○第７号文書（継続的取引の基本となる契約書） ○印紙税額は4,000円	この文書は、運送を約するとともに、営業者間において３か月を超える継続的な運送取引についてその対価の支払方法を定めていることから、第１号の４文書（運送に関する契約書）と第７号文書に該当しますが、契約金額の記載がないことから、通則３イのただし書の規定により第７号文書となります。
「製造物責任」条項に関する補充契約書	乙（受注者）が製造する製品の欠陥により、甲（発注者）又は第三者に損害を与えた場合の責任の所在（製造物責任）に関する定めのみを補充する契約書	不課税文書	当該製造物責任に関する条項は、乙が甲に対して行う損害賠償に関するものも含め、第７号文書の重要な事項である「債務不履行の場合の損害賠償の方法」には該当しません。
生命保険外務員委	生命保険会社とその外務員との間において保	○第７号文書（継続的取引の基本とな	この文書は、保険募集の業務を委託するものであり、第７号文

文書名	文書の内容	印紙税法の取扱い	留意事項
嘱契約書	険募集の業務を委託することを定めた契約書	る契約書） ○印紙税額は4,000円	書に該当します（施行令第26条第２号）。
生命保険の代理店契約書	保険代理店に対し、生命保険募集の業務等を委託し、委託する業務の範囲を定めた契約書	○第７号文書（継続的取引の基本となる契約書） ○印紙税額は4,000円	
生命保険の代理店契約書	生命保険会社が同社の代理店に対して①代理店として生命保険を募集する外務員の推薦、②保険契約の新規申込客の紹介、③保険料の集金等の業務を委託することを定めた契約書	不課税文書	この文書は、継続する取引についての基本的な事項を定めていますが、保険募集の業務を委託する事項ではないので、第７号文書（継続的取引の基本となる契約書）には該当しません。
生命保険料の預金口座振替に関する契約書	生命保険会社が金融機関に対して、保険契約者からの保険料を口座振替の方法により収納することを委託する契約書で、委託する業務の範囲、対価の支払方法を定めた契約書	○第７号文書（継続的取引の基本となる契約書） ○印紙税額は4,000円	この文書は、金融機関（生命保険会社）がその業務の一部（保険料の収納事務）を他の金融機関に委託するもので、委託される業務の範囲、対価の支払方法を定めるものですから、第７号文書に該当します。
ソフトウェアOEM契約書	営業者間で契約当事者の一方が開発したソフトウェア（コンピュータプログラムの複製物等）に相手方の商標を付して継続的に販売するというソフトウェアOEM取引についての契約書で基本的事項（商標、売買代金の支払方法、契約期間（２年）など）を定めた契約書	○第７号文書（継続的取引の基本となる契約書） ○印紙税額は4,000円	OEMとは、取引先の商標で販売される製品を受注生産することをいいます。
ソフトウェア製品	ソフトウェアの著作権を有する者が、他者に	○第７号文書（継続的取引の基本とな	

文書名	文書の内容	印紙税法の取扱い	留意事項
販売代理店契約書	販売代理店としてソフトウェアを再販売することを許諾した契約書（代金の支払方法の記載があり契約期間は１年）	る契約書） ○印紙税額は4,000円	
ソフトウェア保守契約書	営業者間でソフトウェアプログラムの保守業務を有償で委託することについての契約書で基本的事項（保守業務の範囲、保守料金及び支払方法､契約期間（１年））を定めた契約書	○第７号文書（継続的取引の基本となる契約書） ○印紙税額は4,000円	
損害保険代理店委託契約書	損害保険代理店として保険募集の業務等を行うことについての損害保険会社と代理店との間の契約書（契約期間は１年）	○第７号文書（継続的取引の基本となる契約書） ○印紙税額は4,000円	
代金決済についての約定書	営業者間で継続する商品の売買について、商品代金の決済方法を定めた約定書	○第７号文書（継続的取引の基本となる契約書） ○印紙税額は4,000円	
代理店契約書	生命保険会社が、生命保険の募集等保険業務の代理店を委嘱する契約書	○第７号文書（継続的取引の基本となる契約書） ○印紙税額は4,000円	この文書は、保険募集の業務を継続して委託する契約書で、委託される業務の範囲等を定めるものですから、第７号文書に該当します。
タクシー乗車券利用契約書	Ａ社（営業者である利用者）とＢ社（タクシー会社）との間でＡがＢの発行する利用券によりタクシーを利用することを定めた契約書で、対価の支払方法を定めた契約書（契約期	○第７号文書（継続的取引の基本となる契約書） ○印紙税額は4,000円	この文書は、運送を約するとともに、営業者間において３か月を超える継続的な運送取引についてその対価の支払方法を定めていることから、第１号の４文書（運送に関する契約書）と第７号文書に該当しますが、契約金額の記載がないことから、通

文書名	文書の内容	印紙税法の取扱い	留意事項
	間は1年)		則3イのただし書の規定により第7号文書となります。
単価決定通知書	加工委託先との間で、あらかじめ協議の上、決定した加工単価を委託先に通知する文書	○第7号文書(継続的取引の基本となる契約書) ○印紙税額は4,000円	この文書は、請負を約するとともに、営業者間において継続的な請負取引についてその単価を定めていることから、第2号文書(請負に関する契約書)と第7号文書に該当しますが、通則3イのただし書の規定により第7号文書となります。 なお、通知書等と称する文書で次のいずれかに該当するものは、印紙税法上、契約書として取り扱われます。 ① 当事者双方の署名又は押印のあるもの ② 「見積単価」及び「決定単価」、「申込単価」及び「決定単価」又は「見積No.」等の記載があることにより、当事者間で協議の上単価を決定したと認められるもの ③ 委託先から見積書等として提出された文書に、決定した単価等を記載して当該委託先に交付するもの ④ 「契約単価」、「協定単価」又は「契約納入単価」等通常契約の成立事実を証すべき文言の記載があるもの ⑤ 当事者間で協議の上決定した単価を、当該文書により通知することが基本契約書等に記載されているもの ただし、②から⑤に該当しても、契約の相手方当事者が別に承諾書等契約の成立の事実を証明する文書を作成する場合は除かれます。

文書名	文書の内容	印紙税法の取扱い	留意事項
団体取引約定書	労働金庫に対する一切の債務の履行について包括的に履行方法その他の基本的事項を定めた約定書	○第７号文書（継続的取引の基本となる契約書） ○印紙税額は4,000円	
チェーン店販売契約書	販売会社とチェーン店の間で、１年間の商品売買を行うことについて年間仕入契約高を定めた契約書	○第７号文書（継続的取引の基本となる契約書） ○印紙税額は4,000円	「年間仕入契約高」は商品売買に関する取引数量を定めるものですから、第７号文書の重要な事項に該当します。
データ入力取引基本契約書	営業者間で発注者が提供したDVD、磁気テープ、フロッピーディスク等に、発注者が指示したデータを受注者が入力し、完成した磁気テープ等の引渡しを継続して行うことについて、この取引に適用される取引条件（取引の内容、報酬単価、報酬の支払方法等）を定めた契約書（契約期間の記載のないもの）	○第７号文書（継続的取引の基本となる契約書） ○印紙税額は4,000円	この文書は、請負を約するとともに、営業者間において継続的な請負取引についてその目的物の種類、単価及び対価の支払方法を定めていることから、第２号文書（請負に関する契約書）と第７号文書に該当しますが、契約金額の記載がないことから、通則３イのただし書の規定により第７号文書となります。 なお、契約期間が３か月以内で、かつ、更新の定めのないものや営業者間の取引ではないものは、第７号文書に該当せず、第２号文書となります。
電気についての業務委託契約書	電気相談、貸付電球引換、電気料金集金業務等を委託し、委託する業務の範囲、対価の支払方法を定めた契約書	○第７号文書（継続的取引の基本となる契約書） ○印紙税額は4,000円	
天候デリバティブ取引媒介契約書	損害保険会社が顧客との間で締結しようとする天候デリバティブの取引の媒介を銀行に委託するために、損害保険会社と銀行との間で締結する契約書	○第７号文書（継続的取引の基本となる契約書） ○印紙税額は4,000円	天候デリバティブ取引とは、暖冬、冷夏、渇水、豪雪等の異常気象に伴い、企業や自治体が被る収益減少や予期せぬ費用支出に対処する商品として損害保険会社が提供する金融派生商品で、通常の保険とは異なり、契約者が実際に被った損害と関係なく、

文書名	文書の内容	印紙税法の取扱い	留意事項
			実現した気象事象のみで支払が決定されます。 なお、この文書は、金融機関である保険会社がその業務の一部（金融等デリバティブ取引）を継続して他の金融機関である銀行に委託するために作成する契約書で、委託する業務の範囲を定めるものですから、第7号文書に該当します。 また、天候デリバティブ取引の媒介の委託先が、銀行等の金融機関でない場合は、金融業務を他の金融機関に委託するものではありませんから、第7号文書には該当しません。
電算処理委託契約書	営業者間で電算処理を委託することについて、この取引に適用される取引条件（単価、対価の支払方法等）を定めた契約書（契約期間の記載のないもの）	○第7号文書（継続的取引の基本となる契約書） ○印紙税額は4,000円	会計事務等について電算処理することを仕事の完成とし、その対価として報酬を支払うことは請負契約になります。 なお、この文書は、請負を約するとともに、営業者間において継続的な請負取引についてその単価、対価の支払方法等を定めていることから、第2号文書（請負に関する契約書）と第7号文書に該当しますが、契約金額の記載がないことから、通則3イただし書の規定により第7号文書となります。
電力需給契約書	太陽光発電設備設置者（サラリーマン）が、発電した電力の全てを電力会社に継続的に売却することを定めた契約書	○第7号文書（継続的取引の基本となる契約書） ○印紙税額は4,000円	自己の設備において発電した電力の全量を売却する行為は、売電により利益を得る目的で、継続的、反復的に行うもの（営利目的）であると認められることから「営業」に該当し、当該行為を行う法人又は個人は印紙税法上の「営業者」になります。

文書名	文書の内容	印紙税法の取扱い	留意事項
特約小売店契約書	特約小売店と卸売販売店とが継続的に商品売買を行うことについて取り交わす契約で、売買取引の対象となる物品の単価、対価の支払方法を定めた契約書	○第７号文書（継続的取引の基本となる契約書） ○印紙税額は4,000円	
特約店契約書	営業者間で継続して商品売買を行うことについての基本契約で、売買取引の対象となる目的物の種類、価格、対価の支払方法を定めた契約書	○第７号文書（継続的取引の基本となる契約書） ○印紙税額は4,000円	
特約店契約書に基づく覚書	営業間で継続して商品売買を行うことについて取り交わした既存の基本契約内容のうち、商品ごとの取扱目標金額、販売手数料等を定めた覚書	○第７号文書（継続的取引の基本となる契約書） ○印紙税額は4,000円	
特約販売契約書	営業者間で継続して石油類を売買することについて、売買取引の対象となる目的物の種類、対価の支払方法を定めた契約書	○第７号文書（継続的取引の基本となる契約書） ○印紙税額は4,000円	
問屋契約書	絹織物の販売を問屋に委託し、目的物の種類、取扱数量、単価、対価の支払方法を定めた契約書	○第７号文書（継続的取引の基本となる契約書） ○印紙税額は4,000円	
内線工事請負契約書	営業者間で継続して電気内線工事を行う請負取引について目的物の種類、単価及び対価の支払方法を定めた契約	○第７号文書（継続的取引の基本となる契約書） ○印紙税額は4,000円	この文書は、請負を約するとともに、営業者間において継続的な請負取引についてその目的物の種類、単価及び対価の支払方法を定めていることから、第２

文書名	文書の内容	印紙税法の取扱い	留意事項
	書（契約期間の記載のないもの）		号文書（請負に関する契約書）と第７号文書に該当しますが、契約金額の記載がないことから、通則３イのただし書の規定により第７号文書となります。
熱媒使用契約書	事業者が継続して熱媒の供給を受け、熱媒から発生する冷熱又は温熱を利用することを定めた契約書（対価の支払方法等の取引条件を定めた契約書）	○第７号文書（継続的取引の基本となる契約書） ○印紙税額は4,000円	熱を売買するための方法として熱媒を供給するものについて定めるものは、売買に関する契約書となります。 なお、この文書は、営業者間において継続する売買取引に共通して適用される取引条件のうち、目的物の種類、対価の支払方法等を定めるものですから、第７号文書に該当します。
農協取引約定書	農業協同組合に対する一切の債務の履行について包抱的に履行方法その他の基本的事項を定めた約定書	○第７号文書（継続的取引の基本となる契約書） ○印紙税額は4,000円	
納入仕様書（受領印を押印して返却されるもの）	営業者間の取引基本契約書等に基づき、各種部品等の仕様等について、当事者の一方が作成交付した文書に相手方が受領印を押印の上返却するもの（相手方に承認を求める旨の記載のないもの）	不課税文書	この文書は、当事者の一方から提出された納入仕様書という文書の受領事実を証明したものであって、印紙税法上の契約書に当たらず、課税文書には該当しません。
納入仕様書に関する覚書	納入仕様書を承認形式から受取形式に変更するに当たって、その取扱いを定めた覚書	不課税文書	この文書は、納入仕様書の取扱いについて定めたものにすぎませんから、課税文書には該当しません。
売店経営委託契約書、協定書、経営	○売店経営委託契約書は、継続して売店の経営を委託することを定めた契約書	○売店経営委託契約書及び経営継続委託契約書は、いずれも第７号文書	①売店経営委託契約書は、売買に関する業務を継続して委託することについて、委託業務の範囲を定めるものですから、

文書名	文書の内容	印紙税法の取扱い	留意事項
継続委託契約書	○協定書は、売店経営委託契約書に基づく委託業務の具体的内容を定めた契約書 ○経営継続委託契約書は、売店経営委託契約書に基づく契約期間を更新することを定めた契約書	（継続的取引の基本となる契約書） ○印紙税額はいずれも4,000円 ○協定書は、不課税文書	第７号文書に該当します。 ②協定書は、売店経営委託契約書のうちの、委任の内容を補充するものですから、課税文書には該当しません。 ③経営継続委託契約書は第７号文書である売店経営委託契約書について、第７号文書の課税事項のうち重要な事項である契約期間を延長するものですから、第７号文書に該当します。
発行日決済取引委託契約書	証券会社と顧客の間において、発行日決済取引の方法による有価証券の売買の委託を行うこととし、発行日取引に関する諸規則等に従って処理すること及び債務不履行の場合の損害賠償の方法等を定めた契約書（契約期間は１年）	○第７号文書（継続的取引の基本となる契約書） ○印紙税額は4,000円	
販売業務受託契約書	商品の販売、集金業務を１年間受託することについての契約で受託する業務の範囲を定めた契約書	○第７号文書（継続的取引の基本となる契約書） ○印紙税額は4,000円	
販売促進代行契約書	製造者と販売店との間における商品の販売促進業務の委託と、販売促進代行料等の支払方法を定めた契約書	○第７号文書（継続的取引の基本となる契約書） ○印紙税額は4,000円	この文書は、商品の売買に関する業務の委託について、委託する業務の範囲及び対価の支払方法を定めるものですから、第７号文書に該当します。
販売促進代行契約書に基づく覚書	製造者と販売者との間において、販売促進業務を継続して委託するために作成された販売促進代行契約書に基づ	不課税文書	販売促進代行契約書は、売買に関する業務の委託について業務の範囲を定めるものであり、第７号文書（継続的取引の基本となる契約書）に該当します。

文書名	文書の内容	印紙税法の取扱い	留意事項
	き、販売促進目標数量を定めた覚書		なお、この文書は、原契約書である販売促進代行契約書の契約内容を補充する契約書ですが、販売促進目標数量は、施行令第26条第２号に規定する「委託される業務の範囲」には該当しませんから、第７号文書には該当しません。
販売代金出納契約書	百貨店と銀行の間で、百貨店の顧客が購入代金を預金口座振替の方法によって支払う場合の振替日及び取扱手数料等を定めた契約書	不課税文書	この文書は、百貨店がその販売代金の出納事務を銀行に委託するものですが、販売代金を積極的に集金することまでも委託するものではありませんから、施行令第26条第２号に規定する「売買に関する業務」の委託について定めた第７号文書（継続的取引の基本となる契約書）には該当しません。
販売代理店契約書	販売代理店に販売業務を１年間委託する契約で委託する業務の範囲及び対価の支払方法を定めた契約書	○第７号文書（継続的取引の基本となる契約書） ○印紙税額は4,000円	
販売用電気の供給に関する契約書	継続して自家発電で生じた電力を一般送配電事業者に販売することを定めた契約書	○第７号文書（継続的取引の基本となる契約書） ○印紙税額は4,000円	施行令第26条第１号に規定する「電気の供給」とは、消費者（業務用消費者を含む）に対する供給に限られますから、販売用の電気を一般送配電事業者に継続して売買することを約した契約書は、第７号文書に該当します。
ビール大麦売買契約書	ビール会社と農業協同組合との間においてビール大麦の売買について定めた契約書で、特定の年度に生産される特定地域のビール大麦について、その品質、種類、数量、受渡場所	不課税文書	この文書は、単発の物品売買契約（予約）の成立を証するものであり、２以上の売買取引について、共通して適用される取引条件を定めたものではないことから、第７号文書（継続的取引の基本となる契約書）には該当しません。

文 書 名	文 書 の 内 容	印紙税法の取扱い	留 意 事 項
	などを定めたもの（契約金額の記載はない）		
費用分担金契約書	製品の拡販キャンペーンの実施に関し、その費用の負担をメーカーと販売会社で取り決める契約書	不課税文書	
ファクタリング取引契約書	営業者間において継続してファクタリング取引を行うことを定めた契約書 （注）　ファクタリングとは、企業の売掛債権を買い取り、自己の危険負担で代金回収を行う業務のことである。	○第７号文書（継続的取引の基本となる契約書） ○印紙税額は4,000円	この文書は、営業者間の継続する債権の売買に共通して適用される取引条件のうち目的物の種類及び対価の支払方法を定めたものですから、第７号文書に該当します。
フランチャイズチェーン加盟店契約書	特定の商標を有する企業が加盟店に対して、その商標等の使用を許諾するとともに、ノウハウを提供し、併せて一定地域内における販売権を与えることなどを定めた契約書	不課税文書	特定の商標を有する企業が、加盟店に対して単に商標の使用を許諾するものは不課税文書ですが、営業者間で継続する売買を行うため、商品名、単価、対価の支払方法等を定めるものは、第７号文書（継続的取引の基本となる契約書）に該当します。
振込みの取次ぎに関する契約書	農協と農業協同組合連合会との間において、振込みの取次業務を委託することを定めた契約書	○第７号文書（継続的取引の基本となる契約書） ○印紙税額は4,000円	この文書は、金融機関の業務を継続して委託する契約書で、委託される業務の範囲を定めるものですから、第７号文書に該当します。
変更契約書	原契約書（取引代金の支払を預金口座振込みにより行うことの承諾書（第７号文書））に定められた取引代金の支払場所である振込先銀行を変更する契約書	不課税文書	「支払場所」は、施行令第26条第１号に規定する「対価の支払方法」等に該当せず、また他の課税文書の重要な事項にも該当しません。

文書名	文書の内容	印紙税法の取扱い	留意事項
保険外務員についての契約書	生命保険会社が保険外務員に対して生命保険募集の業務を委託し、委託する業務の範囲を定めた契約書（記載された契約期間が３か月以内であり、かつ、更新に関する定めがないもの）	不課税文書	この文書は、保険募集の業務を継続して委託し、委託する業務の範囲を定めるものですが、記載された契約期間が３か月以内であり、かつ、更新についての定めがないものですから、第７号文書（継続的取引の基本となる契約書）には該当しません。
保養所設置契約書	会社又は健康保険組合等と温泉旅館との間において、保養施設として保養所を設置し、従業員等が利用する際の利用方法、利用料金等を定めた契約書	不課税文書	この文書は、会社又は健康保険組合等の保養施設をその従業員が利用する際の利用方法等を温泉旅館との間で定めたものですから、課税文書には該当しません。 なお、従業員等が利用するために行う契約ではなく、会社が自ら利用するもの（個々の利用は会社と温泉旅館との契約となるもの）は、営業者の間において２以上の宿泊契約（請負契約）に共通して適用される事項を定めるものとして、第７号文書（継続的取引の基本となる契約書）に該当します。
水の供給に関する契約書	自家水道を保有している会社が、他の会社に継続的に工業用水を供給することを定めた契約書	○第７号文書（継続的取引の基本となる契約書） ○印紙税額は4,000円	
名義書換代理人委託契約書	株式の名義書換えその他株式関係事務を継続的に委託するために作成する契約書で、委託する事務の範囲、委託事務代行手数料の支払方法等を定めた契約書（契約期間は１年）	○第７号文書（継続的取引の基本となる契約書） ○印紙税額は4,000円	

文書名	文書の内容	印紙税法の取扱い	留意事項
メーターセールス販売契約書	営業者の間においてガソリン等の供給をメーターセールス制度により行うこととし、その制度の適用を受ける商品及び供給の方法等について定めた契約書（契約期間は１年）	○第７号文書（継続的取引の基本となる契約書） ○印紙税額は4,000円	
免税販売手続業務委託契約書	輸出物品販売場を経営する事業者が、非居住者に対して販売する物品に係る消費税の免税手続を、免税手続カウンターを設置する他の事業者に代理させることを定めた契約書	○第７号文書（継続的取引の基本となる契約書） ○印紙税額は4,000円	
輸送請負基本契約書	営業者間で継続して物品の輸送を行う運送取引について、単価、対価の支払方法、債務不履行の場合の損害賠償の方法等を定めた契約書（契約期間の記載のないもの）	○第７号文書（継続的取引の基本となる契約書） ○印紙税額は4,000円	この文書は、運送を約するとともに、営業者間において継続的な運送取引について、その単価、対価の支払方法及び債務不履行の場合の損害賠償の方法を定めていることから、第１号の４文書（運送に関する契約書）と第７号文書に該当しますが、契約金額の記載がないことから、通則３イただし書の規定により第７号文書となります。
輸入業務に関する覚書	輸入業者が海外から商品を輸入するに当たり、海外の情報収集、技術指導等、輸入業務を円滑に行うために必要な業務を他人に委託する覚書	○第７号文書（継続的取引の基本となる契約書） ○印紙税額は4,000円	輸入業者が委託する業務のうち、契約成立高に応じた口銭を得る目的で商談に参加し、又は取引の相手側に対し取引成立のための説得等をする商活動は、売買取引に直接関係する業務と認められ、また、その委託する業務の範囲及び対価の支払方法を定めたものですから、この文書は、第７号文書に該当します。

文書名	文書の内容	印紙税法の取扱い	留意事項
予約販売業務に関する覚書	観光ホテルとおみやげ品の販売業者との間において、ホテルがホテル内の施設で観光客等から当該販売業者のおみやげ品の予約を受ける等の予約販売業務を受託することを定めた覚書	○第７号文書（継続的取引の基本となる契約書） ○印紙税額は4,000円	この文書は、おみやげ品の売買に関する業務を継続して委託するために作成されるもので、委託される業務の範囲を定めるものですから、第７号文書に該当します。
旅客あっせん契約書	旅行業者と旅館等の間において、旅行業者が旅館等に宿泊客をあっせんすることを内容とするほか、団体旅行客に付き添う添乗員（旅行業者の社員）の宿泊料（１人１泊当たりの単価）を併せ定めた契約書（契約期間の記載のないもの）	○第７号文書（継続的取引の基本となる契約書） ○印紙税額は4,000円	この文書は、宿泊客のあっせんの請負を約するとともに、営業者間において継続的な請負取引について、その単価を定めていることから、第２号文書（請負に関する契約書）と第７号文書に該当しますが、契約金額の記載がないことから、通則３ただし書の規定により第７号文書となります。
旅行券等販売契約書	旅行取引業者間において、航空券、旅行クーポン券、セット旅行券等の販売を委託することを定めた契約書	不課税文書	旅行券等の発券は、給付義務者との間に既に存在している給付請求権の有償移転を目的とする売買には該当せず、売買の委託や売買に関する業務の委託になりませんから、第７号文書（継続的取引の基本となる契約書）には該当しません。
割戻金（リベート）についての約定書	継続する商品売買に関し割戻金（リベート）を支払うことを定めた約定書	不課税文書	この文書は、営業者間の継続的な売買取引に関連して作成される契約書ですが、割戻金（リベート）の支払を定めるものは、第７号文書（継続的取引の基本となる契約書）には該当しません。
割戻金（リベート）につ	特約店に対し、最低取引金額（600万円）以上の製品を仕入れること	○第７号文書（継続的取引の基本となる契約書）	この文書は、営業者間の継続的な売買取引に関連して割戻金（リベート）の支払を定めるも

文 書 名	文 書 の 内 容	印紙税法の取扱い	留 意 事 項
いての約定書	を約し、仕入額に対して５％相当額のリベートを支払うことを定めた約定書	○印紙税額は4,000円	のですが、その間の取扱数量（金額）を定めていますので、第７号文書に該当します。

課税物件表による第８号文書の取扱い

番号	課税物件		非課税物件
	物件名	定義	
8	預貯金証書		信用金庫その他政令で定める金融機関の作成する預貯金証書で、記載された預入額が1万円未満のもの

50音順による第８号文書例

文書名	文書の内容	印紙税法の取扱い	留意事項
自動継続定期預金証書	自動継続定期預金についての証書	○第８号文書（預金証書） ○印紙税額は200円	後日、自動継続欄へ付け込みすると、第18号文書（預金通帳）を新たに作成したものとみなされます（法第４条第３項）。また、最初の付込みの日から１年を経過した日以後最初の付込みをした時に第18号文書を新たに作成したものとみなされます（法第４条第２項）。
譲渡性預金証書	銀行が定期預金に譲渡性を持たせた上で発行する無記名の証書	○第８号文書（預金証書） ○印紙税額は200円	
通知預金証書	通知預金についての証書	○第８号文書（預金証書） ○印紙税額は200円	この証書に元利金の受領事実を追記すると、第17号の２文書（売上代金以外の金銭の受取書）の作成とみなされます（法第４条第３項）が、課税物件表第17号「非課税物件」欄３の規定により非課税となります。
定期貯金証書	定期貯金についての証書	○第８号文書（貯金証書） ○印紙税額は200円	

文書名	文書の内容	印紙税法の取扱い	留意事項
定期積金証書	定期積金についての証書	不課税文書	預貯金に関する証書ではないから、第８号文書（預貯金証書）には該当しません。
定期預金証書	定期預金についての証書	○第８号文書（預金証書） ○印紙税額は200円	この証書に元利金の受領事実を追記すると、第17号の２文書（売上代金以外の金銭の受取書）の作成とみなされます（法第４条第３項）が、課税物件表第17号「非課税物件」欄３の規定により非課税となります。
別段預金証書	別段預金についての証書	○第８号文書（預金証書） ○印紙税額は200円	この証書に元利金の受領事実を追記すると、第17号の２文書（売上代金以外の金銭の受取書）の作成とみなされます（法第４条第３項）が、課税物件表第17号「非課税物件」欄３の規定により非課税となります。

課税物件表による第9号文書の取扱い

番号	課税物件		非課税物件
	物件名	定義	
9	倉荷証券、船荷証券又は複合運送証券	1　倉荷証券には、商法（明治32年法律第48号）第601条（倉荷証券の記載事項）の記載事項の一部を欠く証書で、倉荷証券と類似の効用を有するものを含むものとする。 2　船荷証券又は複合運送証券には、商法第758条（船荷証券の記載事項）（同法第769条第2項（複合運送証券）において準用する場合を含む。）の記載事項の一部を欠く証書で、これらの証券と類似の効用を有するものを含むものとする。	

50音順による第9号文書例

文書名	文書の内容	印紙税法の取扱い	留意事項
預り証券	倉庫営業者が寄託者の請求により、質入証券とともに交付する寄託物の預り証券	○第9号文書（倉庫証券） ○印紙税額は200円	
貨物保管証書	貨物保管の依頼を受けた倉庫業者が、寄託者に対し、その寄託貨物の保管の証として交付する証書で譲渡性を持たない証書	不課税文書	

文 書 名	文 書 の 内 容	印紙税法の取扱い	留 意 事 項
倉荷証券	倉荷証券	○第９号文書（倉庫証券） ○印紙税額は200円	
質入証券	倉庫営業者が寄託者の請求により、預り証券とともに交付する寄託物の質入証券	○第９号文書（倉庫証券） ○印紙税額は200円	
BILL OF LADING（B/L）	船荷証券（英文）	○第９号文書（船荷証券） ○印紙税額は200円	
複合運送証券	複合運送証券	○第９号文書（複合運送証券） ○印紙税額は200円	
船荷証券	船荷証券	○第９号文書（船荷証券） ○印紙税額は200円	
船荷証券の写し	同一内容の船荷証券を数通作成し、それぞれに「First Original」、「Second Original」と表示した証券の写し	○「First Original」と表示した船荷証券は第９号文書（船荷証券） ○印紙税額は200円 ○「Second Original」と表示した船荷証券は、不課税文書	通関その他の用途に使用するため発行するもので、「流通を禁ず」又は「Non Negotiable」と明確に表示したものは課税文書には該当しません。
保管証書	倉庫へ貨物を保管したことの証として倉庫業者が作成する文書（譲渡性のあるもの）	○第９号文書（倉庫証券） ○印紙税額は200円	証券に譲渡性がない場合には「倉庫証券に類似の効力を有するもの」に該当しないことから課税文書には該当しません。

課税物件表による第10号文書の取扱い

番号	課税物件		非課税物件
	物件名	定義	
10	保険証券	保険証券とは、保険証券その他名称のいかんを問わず、保険法（平成20年法律第56号）第６条第１項（損害保険契約の締結時の書面交付）、第40条第１項（生命保険契約の締結時の書面交付）又は第69条第１項（傷害疾病定額保険契約の締結時の書面交付）その他の法令の規定により、保険契約に係る保険者が当該保険契約を締結したときに当該保険契約に係る保険契約者に対して交付する書面（当該保険契約者からの再交付の請求により交付するものを含み、保険業法第３条第５項第３号（免許）に掲げる保険に係る保険契約その他政令で定める保険契約に係るものを除く。）をいう。	

50音順による第10号文書例

文書名	文書の内容	印紙税法の取扱い	留意事項
運送保険証券	運送中の物品について、その運送に関する事故によって生ずる損害をてん補することを目的とした損害保険契約を	○第10号文書（保険証券） ○印紙税額は200円	

文 書 名	文 書 の 内 容	印紙税法の取扱い	留 意 事 項
	締結したときに、保険者が保険契約者に交付する保険証券		
海上保険証券	船舶又は積荷に付した損害保険契約の成立を証する保険証券	○第10号文書（保険証券） ○印紙税額は200円	
火災保険証券	火災保険についての保険証券	○第10号文書（保険証券） ○印紙税額は200円	
航空傷害保険契約証	損害保険会社が損害保険契約をした旅行者に対し、保険契約の証として交付する文書（記載金額は16,000円）	不課税文書	保険契約の成立を証明する目的で作成された文書ですが、施行令第27条の２により保険証券の範囲から除かれています。 なお、金銭の受領事実を証明しているので第17号の２文書（売上代金以外の金銭の受取書）に該当しますが、記載金額が５万円未満ですから非課税となります。
自動車保険継続証	自動車保険の自動継続特約約款等に基づき、損害保険会社が保険契約者に交付する文書	不課税文書	自動契約の際、新たに発行する保険証券は、第10号文書(保険証券）に該当します。
生命保険証券	生命保険契約が成立した際に保険会社が保険契約者に交付する保険証券	○第10号文書（保険証券） ○印紙税額は200円	
動産総合保険証券	損害保険会社が保険契約者に対し損害保険契約の証として交付する保険証券	○第10号文書（保険証券） ○印紙税額は200円	

課税物件表による第11号文書の取扱い

番号	課税物件		非課税物件
	物件名	定義	
11	信用状		

50音順による第11号文書例

文書名	文書の内容	印紙税法の取扱い	留意事項
商業信用状	商業信用状	○第11号文書（信用状） ○印紙税額は200円	
信用状条件変更通知書	既に発行されている信用状の条件を変更したことの通知書	不課税文書	この文書は、既に発行している信用状の内容を変更したことを通知するための文書ですが、信用状そのものではありません。
旅行信用状	銀行が旅行者の依頼によりその旅行先の銀行に対して、信用状所持者が信用状発行銀行あてに振り出す一覧払手形の買取りを委託し、かつ、その手形の支払を約する通知書	○第11号文書（信用状） ○印紙税額は200円	

課税物件表による第12号文書の取扱い

<table>
<tr><th rowspan="2">番号</th><th colspan="2">課　税　物　件</th><th rowspan="2">非課税物件</th></tr>
<tr><th>物 件 名</th><th>定　義</th></tr>
<tr><td>12</td><td>信託行為に関する契約書</td><td>信託行為に関する契約書には、信託証書を含むものとする。</td><td></td></tr>
</table>

50音順による第12号文書例

文書名	文書の内容	印紙税法の取扱い	留意事項
金銭信託証書	金銭信託についての証書	○第12号文書（信託行為に関する契約書） ○印紙税額は200円	この証書に元本等の受領事実を追記すると第17号の２文書（売上代金以外の金銭の受取書）の作成とみなされます（法第４条第３項）が、課税物件表第17号「非課税物件」欄３の規定により非課税となります。
互助年金事業に関する基本協定書	互助会と信託銀行の間において、互助会が収益受益者となる収益配当金を互助年金信託とすること及び互助会の実施する互助年金事業に関する事務の一部を信託銀行に委託することを定めた協定書	○第12号文書（信託行為に関する契約書） ○印紙税額は200円	
財産形成信託取引証	財産形成信託の受託を証するため、信託銀行が委託者に交付する証書	○第12号文書（信託行為に関する契約書） ○印紙税額は200円	この文書は、金銭信託証書のように個々の信託行為の成立を証するものではありませんが、今後継続する信託行為について、包括的又は基本的にその成立を証するためのものですから、第12号文書に該当します。

文書名	文書の内容	印紙税法の取扱い	留意事項
車両信託契約書	車両を信託することについての委託者と信託会社との契約書	○第12号文書（信託行為に関する契約書） ○印紙税額は200円	
住宅信託契約書	住宅を信託することを定めた契約書	○第12号文書（信託行為に関する契約書） ○印紙税額は200円	
生命保険信託契約書	生命保険債権を信託することを定めた契約書	○第12号文書（信託行為に関する契約書） ○印紙税額は200円	
年金信託契約書	年金給付に必要な資金（拠出金）を信託することを定めた契約書	○第12号文書（信託行為に関する契約書） ○印紙税額は200円	
年金信託契約に関する協定書	年金信託契約に係る信託報酬の金額を定めた協定書	○第12号文書（信託行為に関する契約書） ○印紙税額は200円	この文書は、原契約である年金信託契約書の内容のうち、重要な事項を補充するものですから、第12号文書に該当します。
有価証券信託契約書	有価証券を信託することを定めた契約書	○第12号文書（信託行為に関する契約書） ○印紙税額は200円	

課税物件表による第13号文書の取扱い

番号	課税物件		非課税物件
	物件名	定義	
13	債務の保証に関する契約書（主たる債務の契約書に併記するものを除く。）		身元保証ニ関スル法律（昭和８年法律第42号）に定める身元保証に関する契約書

50音順による第13号文書例

文書名	文書の内容	印紙税法の取扱い	留意事項
オートローン保証書	自動車購入者が銀行から自動車購入資金の融資を受けるに際して、自動車の販売店が、銀行に対して債務の弁済を保証することを定めた保証書	○第13号文書（債務の保証に関する契約書） ○印紙税額は200円	この文書は、銀行と融資を受ける者との間の契約ではありませんから、第１号の３文書（消費貸借に関する契約書）には該当しません。
借入金の保証書	債務の保証を定めた保証書	○第13号文書（債務の保証に関する契約書） ○印紙税額は200円	
ギャランティ・カード	銀行と当座預金契約及び当座貸越契約を締結した際に、小切手用紙と共に交付され、小切手を使用する際に必要に応じて提示するもの（振り出した小切手について支払保証する旨の記載があるもの）	不課税文書	支払保証についての記載は、銀行が振り出した小切手についての本来の債務者としての支払義務を明らかにしたものであり、債務の保証契約の成立等を証明したものではありませんから、第13号文書（債務の保証に関する契約書）には該当しません。
銀行取引の保証約定書	債務の保証を定めた約定書	○第13号文書（債務の保証に関する契約書） ○印紙税額は200円	

文書名	文書の内容	印紙税法の取扱い	留意事項
限度・取引別保証約定書	銀行取引約定書に基づく取引から生ずる債務の一定金額を限度として保証することを定めた約定書	○第13号文書（債務の保証に関する契約書） ○印紙税額は200円	
債務保証契約書	債務者がその債務を履行しない場合に、債務者の保証人がこれを履行することを債権者と定めた契約書	○第13号文書（債務の保証に関する契約書） ○印紙税額は200円	
消費者ローンの保証契約書	商品購入者が有する銀行からの借入債務を販売会社が保証することを定めた契約書	○第13号文書（債務の保証に関する契約書） ○印紙税額は200円	
信用協同組合取引の保証書	債務の保証を定めた保証書	○第13号文書（債務の保証に関する契約書） ○印紙税額は200円	
信用保証追認契約書	金融機関が中小企業者に貸付けを行った後、金融機関と信用保証協会との間で、信用保証を行う追認額の限度額、追認保証の方法等を定めた契約書	○第13号文書（債務の保証に関する契約書） ○印紙税額は200円	この文書は、保証を追認する方法により債務を保証することについて、重要な事項を定めるものですから、第13号文書に該当します。 なお、信用保証協会は法別表第二（非課税法人の表）に掲げる非課税法人ですから、法第４条第５項の規定により、信用保証協会が所持する文書が課税対象で金融機関が所持する文書は非課税です。
信用保証に関する約定書	信用保証協会と金融機関との間において、信用保証協会法第20条（業務）の規定に基づき保証する場合に、その基本的な事項を定めた約定書	○第13号文書（債務の保証に関する契約書） ○印紙税額は200円	信用保証協会は法別表第二（非課税法人の表）に掲げる非課税法人ですから、法第４条第５項の規定により、信用保証協会が所持する文書が課税対象で金融機関が所持する文書は非課税です。

文書名	文書の内容	印紙税法の取扱い	留意事項
注文書、申込書（保証人の署名又は押印のあるもの）	債務者が債権者に交付する契約の申込文書に第三者である保証人が署名又は押印したもの	○第13号文書（債務の保証に関する契約書） ○印紙税額は200円	注文書や申込書等、契約の申込文書（契約書に該当しないもの）に保証人が署名又は押印したものは、第13号文書に該当します。
定期貯金支払保証書	定期貯金の支払を定めた保証書	○第13号文書（債務の保証に関する契約書） ○印紙税額は200円	
同意書兼連帯保証書	クレジット契約の顧客が未成年者である場合に、親権者がクレジット会社に対して、クレジット契約についての同意と連帯保証することを証明する保証書	○第13号文書（債務の保証に関する契約書） ○印紙税額は200円	この文書は、物品の譲渡代金等の支払を連帯して保証するもので、主たる債務の契約に併記したものではありませんから、第13号文書に該当します。
取引についての念書	自己又は特定の第三者の名前で行った取引について一切の責任を負うことを定めた念書	不課税文書	この文書は、取引から生ずる損害は全て引き受けるという損害担保契約を内容とするものですから、第13号文書（債務の保証に関する契約書）には該当しません。
入院についての保証書	入院する患者の身元及び治療費の納入を引き受けることを定めた保証書	不課税文書又は非課税文書	損害担保契約を内容とするものは、債務の保証契約を内容とするものではないので、第13号文書（債務の保証に関する契約書）には該当しません。 なお、債務の保証を内容とする場合でも、課税物件表第13号「非課税物件」欄の規定（身元保証書）に準じて、非課税として扱われます。
入学に際しての誓約書	生徒の身元を引き受けることを定めた誓約書	不課税文書又は非課税文書	損害担保契約を内容とするものは、債務の保証契約を内容とするものではないので、第13号文書（債務の保証に関する契約書）には該当しません。

文書名	文書の内容	印紙税法の取扱い	留意事項
			なお、債務の保証を内容とする場合でも、課税物件表第13号「非課税物件」欄１の規定（身元保証書）に準じて非課税として扱われます。
農協取引についての保証書	債務の保証を定めた保証書	○第13号文書（債務の保証に関する契約書） ○印紙税額は200円	
販売物品の品質保証書	カメラが故障したときに無償修理、部品交換をすることを定めた保証書	不課税文書	この文書は、保証書という名称を用いていますが、債務の保証を内容とするものではないので、第13号文書（債務の保証に関する契約書）には該当しません。
販売物品の保証書	販売した物品について１年間無償修理することを定めた保証書	不課税文書	
包括保証約定書	銀行取引約定書に基づく取引から生ずる債務を包括して保証することを定めた約定書	○第13号文書（債務の保証に関する契約書） ○印紙税額は200円	
保証意思確認書	金融機関がその取引先と締結した銀行取引約定書等において、取引先の保証人となっている者から一定期間経過後に、その保証を継続する意思があるかどうかを保証人に確認する文書	不課税文書	この文書は、今後も契約を継続する意思があることを確認するために提出するものであり、この文書によって新たに保証契約が成立するものではないことから、第13号文書（債務の保証に関する契約書）には該当しません。
保証期限延期についての証書	既に締結している保証期限が到来したため、保証期限を延期することを定めた証書	○第13号文書（債務の保証に関する契約書） ○印紙税額は200円	

文書名	文書の内容	印紙税法の取扱い	留意事項
保証契約書	金融機関が不動産の購入者に対して購入資金を融資した場合に、不動産販売会社がその債務について連帯保証することを定めた契約書	○第13号文書（債務の保証に関する契約書） ○印紙税額は200円	
保証人の変更に関する覚書	既存の連帯保証人が保証関係から離脱し、新たな者が連帯保証人となることを定めた覚書	○第13号文書（債務の保証に関する契約書） ○印紙税額は200円	旧連帯保証人についての債務の保証契約は消滅しますので、納税義務者は新連帯保証人のみです。
前金保証証書	不動産信用保証会社が、宅地建物取引業者に不動産売買代金の前金を支払った買主に交付する証書（宅地建物取引業者が不動産売買代金の前金を返還しなければならなくなった場合は、一定の条件の下に、前金を受領した業者と連帯して返還義務を保証することを約するもの）	○第13号文書（債務の保証に関する契約書） ○印紙税額は200円	
身元保証書	雇用に伴う身元保証書	非課税文書	この文書は、課税物件表第13号「非課税物件」欄の規定により非課税です。
輸入保証金の保証状	輸入保証金についての保証状	○第13号文書（債務の保証に関する契約書） ○印紙税額は200円	
連帯保証書	主たる債務者がその債務を履行しない場合に、これを履行すべきことを第三者が保証した文書（保証人が連帯保証人と記載したもの）	○第13号文書（債務の保証に関する契約書） ○印紙税額は200円	連帯保証も保証に該当します。

文書名	文書の内容	印紙税法の取扱い	留意事項
連帯保証承諾書	連帯保証人が購入者の債務の保証を引き受けた際に、クレジット会社に交付する承諾書	○第13号文書（債務の保証に関する契約書） ○印紙税額は200円	この文書は、連帯保証人がクレジット会社に対して、購入者の債務を購入者と連帯して保証することを承諾するものですから、第13号文書に該当します。
連帯保証に関する情報提供確認書	借主が情報提供義務により保証予定者に情報を提供したことを借主と保証予定者が確認するとともに、保証予定者が保証しようとしている債務の具体的内容を確認した上で連帯保証の意思を有しているかを確認するために作成する文書	○第13号文書（債務の保証に関する契約書） ○印紙税額は200円	この文書は、主たる債務者がその債務を履行しない場合に連帯保証人がこれを履行する意思を有していることを表明し、これを債権者に対して確約していますので、第13号文書に該当します。
連帯保証に関する同意書	貸主が他の連帯保証人の一人に対して行った履行の請求の効力が、借主及び連帯保証人に対して生じることの同意の意思を確認するために作成する文書	○第13号文書（債務の保証に関する契約書） ○印紙税額は200円	この文書は、債権者が他の連帯保証人の一人に対して履行の請求を行った場合には、連帯保証人がこれを履行することを債権者に約しているものと認められますので、第13号文書に該当します。

課税物件表による第14号文書の取扱い

番号	課税物件		非課税物件
	物件名	定義	
14	金銭又は有価証券の寄託に関する契約書		

50音順による第14号文書例

文書名	文書の内容	印紙税法の取扱い	留意事項
売上リベート預託契約書	支払うべき売上リベートの金額を取引の保証金として預かることを定めた契約書	不課税文書	保証金は提供者のために保管するものではありませんから、第14号文書（金銭の寄託に関する契約書）には該当しません。
カード利用明細	ATM（現金自動預入支払機）を利用して預金を入金した際に、ATMから打ち出された明細書	○第14号文書（金銭の寄託に関する契約書） ○印紙税額は200円	あらかじめ、このカードご利用明細をとじ込むための専用の表紙を預金者に交付しておき、一定の事項を記載したカード利用明細を順次とじ込むこととしている場合には、その全体が第18号文書（預貯金通帳）として取り扱われます。
貨物寄託契約書	貨物を寄託することを定めた契約書	不課税文書	貨物（物品）の寄託に関する契約書は、第14号文書（金銭又は有価証券の寄託に関する契約書）には該当しません。
キャッシュカード署名、暗証番号届	キャッシュカードの利用を希望する預金者が金融機関に提出する文書で、これを提出することによりキャッシュカードの利用ができることとなり、実質的に預金契約の払戻方法が変更される届出	不課税文書	この文書を提出することにより、実質的にキャッシュカードを利用することができるとしても、文書の内容がキャッシュカードを利用する際に使用する署名及び暗証番号を届け出るものにすぎないものは、課税文書には該当しません。

文書名	文書の内容	印紙税法の取扱い	留意事項
キャッシュカード送付状	金融機関が作成したキャッシュカードを預金者に送付する際に同封する文書	不課税文書	キャッシュカードの送付案内にすぎないものは、課税文書には該当しません。
キャッシュカード利用申込書、クイックカード利用申込書	ATM（現金自動預入支払機）を利用することについて預金者が金融機関に提出する文書で、普通預金契約の特約(払戻しの方法等)の承諾書	○第14号文書（金銭の寄託に関する契約書） ○印紙税額は200円	この文書は、預金の払戻し方法等を変更するものであり、第14号文書に該当します。
給与支給明細書	給与の支給明細書にその月中の勤務先預金の受入額の合計及び残高を記載する明細書	不課税文書	この文書は、給与の支給明細であり、預金の受入事実を証明するものとは認められないことから、課税文書には該当しません。
金銭の預り証	金銭の預り証で「請求があり次第お返しします。」と明記されている預り証	○第14号文書（金銭の寄託に関する契約書） ○印紙税額は200円	この文書は、「請求があり次第お返しします。」という文言からみて、寄託契約の成立を証明するための文書であることが明らかですから、第14号文書に該当します。
勤務先預金の入金票	従業員から社内預金を受け入れた際に、２部提出された入金票の１部に出納印を押印して返す入金票	○第14号文書（金銭の寄託に関する契約書） ○印紙税額は200円	
勤務先預金明細書	１か月間の社内預金の入出金事実の明細をアウトプットして従業員に交付する明細書（預金通帳は発行していない。）	○第14号文書（金銭の寄託に関する契約書） ○印紙税額は200円	この文書は、１か月間の預金取引の内容を明らかにするために預金者(従業員)に交付するものですから、払戻額又は月末残高のみが記載されているものを除いて第14号文書に該当します。 なお、この明細書に作成者の押印がない場合でも、当事者間の了解により契約の成立を証明するものと認められますから、契約書に該当します。

文書名	文書の内容	印紙税法の取扱い	留意事項
現金保管契約書	ビル内の商店が、売上金を翌朝までビル管理事務所に保管委託することを定めた契約書	○第14号文書（金銭の寄託に関する契約書） ○印紙税額は200円	当事者の一方が、相手方のために物を保管することの契約は寄託契約です。
国債等の引換証	未発行債券を受け取る権利を表彰したもので、「引渡期間経過後は本券等は当店でお預りします。」と記載されている引換証	○第14号文書（有価証券の寄託に関する契約書） ○印紙税額は200円	この文書は、停止条件付きで有価証券の寄託を約するものですから、第14号文書に該当します。
ご予約カード	金融機関の外務員が預金の予約を受けた場合に預金予定者に交付する文書	不課税文書	この文書は、預金を受ける金融機関が作成するものであり、顧客に預金の義務が生ずるものではありませんから、課税文書には該当しません。
財産形成積立定期預金契約の証	財産形成積立定期預金契約における初回の預入金の受入事実を記載する文書	○第14号文書（金銭の寄託に関する契約書） ○印紙税額は200円	この文書は、預金契約の成立事実を証明するものですが、免責証券としての性格を有するものではありませんから、第８号文書（預金証書）には該当しません。
資金の預託と運用についての覚書	資金の預託とその運用を図ることを定めた覚書	○第14号文書（金銭の寄託に関する契約書） ○印紙税額は200円	
社内預金収支明細書	１か月間の社内預金の受入合計額及び払出合計額並びに預金残高をアウトプットして従業員に交付する明細書（預金通帳は発行していない。）	不課税文書	この文書は、毎月の勤務先預金の残高照合を目的としたもので、勤務先預金の個々の取引内容を明らかにしたものではありませんから、第14号文書（金銭の寄託に関する契約書）には該当しません。
消費寄託契約書	当事者の一方（受寄者）が目的物（受寄物）を消費し、これと種類、品質及び数量の同じものを返還することを条	○受寄物が金銭又は有価証券の場合は第14号文書（金銭又は有価証券の寄託に関する契約	寄託者のために目的物を預かる（原則として、いつでも返還の請求ができる。）という点で第１号の３文書（消費貸借に関する契約書）と区別されます。

文書名	文書の内容	印紙税法の取扱い	留意事項
	件として、その価値を維持することを定めた契約書	書） ○印紙税額は200円	なお、受寄物が金銭又は有価証券以外の場合は、課税文書には該当しません。
据置証書	生存給付金等を保険会社に据え置くことを保険契約者が選択した場合において、保険会社がその応諾の証として作成する証書	○第14号文書（金銭の寄託に関する契約書） ○印紙税額は200円	
貯蓄金管理協定書	会社等の使用者がその従業員から貯蓄金を受け入れて管理するに当たり、労働基準法第18条第２項の規定に基づき、従業員が組織する労働組合との間で貯蓄金の受入れ及び管理について具体的に定めた協定書	○第14号文書（金銭の寄託に関する契約書） ○印紙税額は200円	
通貨及び金利交換取引契約証書	通貨及び金利スワップ取引について定めた契約証書で、「決済口座及び費用決済口座よりの引落しについては小切手の振出し又は預金通帳並びに預金払い戻し請求書の提出を不要とする。」と記載されている契約書	○第14号文書（金銭の寄託に関する契約書） ○印紙税額は200円	スワップ取引自体は債権譲渡に当たらず、他の課税事項にも該当しませんが、預金の払戻方法を定めるものですから、第14号文書に該当します。
定期預金書替継続申込書	定期預金の満期日が到来し、その定期預金を書替継続する場合に預金者が提出する申込書（預金規定を承認の上申し込む旨の記載があるもの）	○第14号文書（金銭の寄託に関する契約書） ○印紙税額は200円	規約等を承認の上、提出する申込書でこれを提出することにより自動的に預金契約が成立することとなっていますから、第14号文書に該当します。

文書名	文書の内容	印紙税法の取扱い	留意事項
定期預金継続のご案内	金融機関が自動継続定期預金契約を締結している預金者に対し、満期日前に、満期後の自動継続定期預金の内容（期間、利率、満期日、新元金等）を通知する文書	○第14号文書（金銭の寄託に関する契約書） ○印紙税額は200円	継続前と継続後の預金は、それぞれ異なる預金契約に基づくものと考えられ、また、預金契約に係る重要な事項が記載されているので、第14号文書に該当します。
定期預金利息計算書（非自動継続用）	金融機関が新たな定期預金の元本、利率、期間等を預金者に通知するために作成する計算書	○第14号文書（金銭の寄託に関する契約書） ○印紙税額は200円	この文書は、新たな定期預金の元本、利率、期間等が記載されていますから、預金証書又は預金通帳への付込み以後に作成されるものを除き、第14号文書に該当します。
当座勘定照合表	当座預金取引の一定期間内の取引内容を明らかにした文書	不課税文書	当座勘定入金帳（預貯金通帳）が作成されていない場合、当座勘定取引の明細として個々の取引内容を証明することを目的としたもので、預金の受入事実の記載があるものは、第14号文書（金銭の寄託に関する契約書）に該当します。
取次票	金融機関の外務員が、預金として金銭又は有価証券を受け取る際、預金の種類や口座番号を記載して預金者に交付する文書	○第14号文書（金銭の寄託に関する契約書） ○印紙税額は200円	
取引保証金契約書	取引保証金として金銭を預かることを定めた契約書	不課税文書	保証金は提供者のために保管するものではありませんから、第14号文書（金銭の寄託に関する契約書）には該当しません。
売買報告書兼公共債計算書	銀行が顧客に国債等の債券（有価証券）を売却した際に、売買の内容及び保護預かりの残	不課税文書	この文書は、有価証券の預り残高が記載されていますが、売買契約に基づく取引の内容及び預り金の過不足を顧客に通知し、

文書名	文書の内容	印紙税法の取扱い	留意事項
	高を記載して顧客に交付する計算書		併せて取引の結果、変動が生じた有価証券の預り残高を通知することを目的に作成するものですから、第14号文書（有価証券の寄託に関する契約書）には該当しません。
非居住者外貨預金勘定約定書	非居住者が外貨預金勘定を開設しようとする場合にあらかじめ包括的な事項を定めた約定書	○第14号文書（金銭の寄託に関する契約書） ○印紙税額は200円	
普通預金取扱依頼書（無利息型）	既存の普通預金を無利息型普通預金に変更する際に金融機関に差し入れる依頼書（裏面記載の規定に基づく申込みであることが記載されているもの）	○第14号文書（金銭又は有価証券の寄託に関する契約書） ○印紙税額は200円	この文書は、裏面記載の規定に基づく申込みであることが記載されており、当該申込みにより、自動的に利率が変更されることから、第14号文書に該当します。
普通預金取引約定書（無通帳口）	通帳を発行しない普通預金取引の開始に当たって、顧客が当該取引の規定を承認した旨を銀行等に差し入れる約定書	○第14号文書（金銭の寄託に関する契約書） ○印紙税額は200円	
普通預金未記帳取引照合表	銀行が普通預金取引を行っている顧客に対し、普通預金通帳への未記帳分が一定件数に達した場合に、普通預金通帳へ未記帳分を合算して一括記帳するとともに、その一括記帳した未記帳取引の明細を記載して交付する文書	不課税文書	この文書は、別途普通預金通帳に取引の内容を記載証明することとしている顧客に対して交付するものであり、専ら未記帳取引の照合を目的とするもので、金銭の寄託の成立を証明する目的で作成するものではありませんから、第14号文書（金銭の寄託に関する契約書）には該当しません。 なお、無通帳預金取引の場合のように、預金取引の明細として個々の取引内容を証明することを目的とした文書のうち、預金

文書名	文書の内容	印紙税法の取扱い	留意事項
			の受入事実の記載のあるものは、第14号文書に該当します。
普通預金明細表	通帳を発行しない普通預金取引を行っている場合に、その明細の一定期間分を取りまとめて預金者に通知するための明細表	○第14号文書（金銭の寄託に関する契約書） ○印紙税額は200円	
保管証明書	株式発行会社の株式払込金を保管していることを定めた証明書	不課税文書	
保護預り証	証券会社が、顧客から株券の保管を委託された際に交付する文書	○第14号文書（有価証券の寄託に関する契約書） ○印紙税額は200円	
保護預け申込書	有価証券を保護預けすることについての申込書	不課税文書	有価証券の保護預けに関する契約は有価証券の寄託契約ですが、この文書は、寄託契約の単なる申込書ですから、第14号文書（有価証券の寄託に関する契約書）には該当しません。
モーゲージ証書、保管証	抵当証券会社が抵当証券の持分を小口販売した際に、その抵当証券持分の譲渡を証するため、購入者に交付するモーゲージ証書と㈶抵当証券保管機構が保護預かりを証明するために、購入者に交付する保管証	○モーゲージ証書は不課税文書 ○保管証は第14号文書（有価証券の寄託に関する契約書） ○印紙税額は200円	抵当証券（有価証券）の保護預り契約は有価証券の寄託契約ですから、第14号文書に該当します。なお、このモーゲージ証書は抵当証券そのものではなく、また、譲渡できないことから、有価証券には該当しません。
夜間金庫使用約定書	夜間金庫を利用して預金をすることを定めた約定書	○第14号文書（金銭の寄託に関する契約書） ○印紙税額は200円	この文書は、夜間金庫を使用する契約ではなく、夜間金庫を利用して預金をする契約を内容とするものですから、第14号文書に該当します。

文 書 名	文 書 の 内 容	印紙税法の取扱い	留 意 事 項
有価証券の預り証	有価証券の預り証で「請求あり次第いつでもお返しします。」と明記されている文書	○第14号文書（有価証券の寄託に関する契約書） ○印紙税額は200円	
有価証券の寄託契約書	有価証券を寄託することを定めた契約書	○第14号文書（有価証券の寄託に関する契約書） ○印紙税額は200円	
預金契約書	県の保管現金を定期預金とすることを定めた契約書	○第14号文書（金銭の寄託に関する契約書） ○印紙税額は200円	預金契約は消費寄託契約ですから、第14号文書に該当します。 なお、県は地方公共団体ですから、法第４条第５項の規定により、県が所持する契約書のみが課税対象となります。
預金残高証明書	預金残高の証明書	不課税文書	この文書は、預金契約の成立等を証明するためのものではなく、預金の現在高を確認するためのものですから、第14号文書（金銭の寄託に関する契約書）には該当しません。
預金証書の預り証	金融機関の外務員が、定期預金証書を継続書替えのため受け取った際に交付する預り証（継続書替と表示）	不課税文書	この文書は、預金証書の受領事実を証明するためのものであり、預金契約を更改することを証明するものとは認められません。 なお、継続後の定期預金の内容が具体的に記載されているものは、第14号文書（金銭の寄託に関する契約書）に該当します。
預金取引についての協約書	預金取引事務の取扱いを定めた協約書	○第14号文書（金銭の寄託に関する契約書） ○印紙税額は200円	預金契約は消費寄託契約ですから、第14号文書に該当します。
預金の預り証、仮預り証	金融機関の外務員が、得意先から預金として現金を受け取った際に	○第14号文書（金銭の寄託に関する契約書）	次のようなものは、第14号文書に該当します。 ○預り証、取次票など、預金の

文書名	文書の内容	印紙税法の取扱い	留意事項
	交付する預り証	○印紙税額は200円	受入事実を証明する目的で作成されると認められる名称の文書で、預金として金銭を受領したことが明らかなもの ○受取書、領収書などの名称の文言で、受託文言、口座番号、預金期間等、寄託契約の成立に結び付く事項が記載されているもの
預金の受取書	預金の受取書で口座番号及び預金の種類が明記されている受取書	○第14号文書（金銭の寄託に関する契約書） ○印紙税額は200円	この文書は、口座番号及び預金の種類が明記されており、預金とするための金銭の預りであることが明らかですから、第14号文書に該当します。 なお、受取書、領収書などの名称の文書で、受領原因として預金の種類（例えば「普通預金」）の記載にとどまるものは、第14号文書ではなく、第17号の２文書（売上代金以外の金銭又は有価証券の受取書）に該当します。

課税物件表による第15号文書の取扱い

番号	課　税　物　件		非課税物件
	物件名	定　義	
15	債権譲渡又は債務引受けに関する契約書		契約金額の記載のある契約書のうち、当該契約金額が１万円未満のもの

50音順による第15号文書例

文書名	文書の内容	印紙税法の取扱い	留意事項
売掛債権譲渡契約書	旧債権者から新債権者に売掛債権を譲渡することを定めた契約書	○第15号文書（債権譲渡に関する契約書） ○印紙税額は200円	
売掛債権譲渡契約書（消費税及び地方消費税を含むもの）	旧債権者から新債権者に売掛債権(価格は110万円）を譲渡することを約し、商品代(100万円)と消費税及び地方消費税（10%）の金額（10万円）とが区分記載されている契約書	○第15号文書（債権譲渡に関する契約書） ○印紙税額は200円	新債権者が取得する売掛債権は消費税及び地方消費税を含んだものであり、消費税及び地方消費税の金額を区分表示していたとしても、消費税及び地方消費税（10%）の金額を記載金額に含めないこととして取り扱うことはできません。このため、この文書の記載金額は110万円となります。
権利移転証書	保険金の受領に伴い、加害者に対する損害賠償請求権が被保険者から保険会社に移転したことを確認するための証書	不課税文書	保険金を受領したことにより、損害賠償請求権が保険会社に移転することは、保険約款に定まっており、この証書は単にその事実を確認するものにすぎないので、第15号文書（債権譲渡に関する契約書)には該当しません。
債権譲渡契約書	請負工事代金債権を銀行に譲渡することを定めた契約書	○第15号文書（債権譲渡に関する契約書） ○印紙税額は200円	

文 書 名	文 書 の 内 容	印紙税法の取扱い	留 意 事 項
債権譲渡契約証書	旧債権者から新債権者に金銭消費貸借契約に基づく貸付債権及び利息債権を譲渡することを定めた契約証書	○第15号文書（債権譲渡に関する契約書） ○印紙税額は200円	
債権譲渡承諾書	債権者が債権を他に譲渡することを債務者が承諾したときに作成する承諾書	不課税文書	債権譲渡契約は、旧債権者と新債権者との間の契約によって成立し、債務者の承諾はその対抗要件にすぎないので、債務者の承諾書は第15号文書（債権譲渡に関する契約書）には該当しません。
債権譲渡通知書	債権者が債権を譲渡したことを債務者に連絡する通知書	不課税文書	この文書は、債権譲渡の第三者対抗要件を備えるための通知書であり、契約書ではないので、第15号文書(債権譲渡に関する契約書）には該当しません。
債権放棄契約書	債権を放棄することを定めた契約書	不課税文書	
債務引受契約証書	銀行との取引から生じた債務を引き受けることを定めた契約証書	○第15号文書（債務引受けに関する契約書） ○印紙税額は200円	
債務引受け並びに弁済契約証書	債権者と債務引受人の間において債務者の債務を引き受けること及び引受債務の具体的な弁済方法を定めた契約証書	○第15号文書（債務引受けに関する契約書） ○印紙税額は200円	
債務引受けに関する同意書	債務を引き受けることについての債権者の同意書	○第15号文書（債務引受けに関する契約書） ○印紙税額は200円	債務引受契約は、債権者と引受人の二者又は債権者、債務者、引受人の三者間の契約によって成立するので、債権者の同意書は、第15号文書に該当します。

文書名	文書の内容	印紙税法の取扱い	留意事項
自動車の注文書（再資源化預託金相当額の譲渡について記載されているもの）	自動車の売買契約を締結する際に作成するもので、下取車とともに再資源化預託金相当額の譲渡について記載された文書	○第15号文書（債権の譲渡に関する契約書）又は第２号文書（請負に関する契約書） ○印紙税額は200円	再資源化預託金等が預託済みである自動車を下取りする際に、「下取車明細（リサイクル料金等合計相当額）」欄に再資源化預託金等の相当額を記載した場合は、金銭債権の譲渡に当たることから、第15号文書に該当します。 なお、自動車の注文書（売買契約書）のうち、別途注文により塗装を施したり、附属品等を取り付けて販売する場合（請負となる内容のもの）は、第２号文書に該当します。 また、第２号文書と第15号文書とに該当する場合は、通則３イの規定により第２号文書となります。 おって、リサイクル預託金相当額が１万円未満の場合には非課税文書となります。
住宅抵当証書	住宅ローン債権を譲渡するための証書	○第15号文書（債権譲渡に関する契約書） ○印紙税額は200円	
譲渡可能定期預金譲渡通知書（兼譲受人印鑑届）	譲渡可能定期預金の譲渡人と譲受人が、金融機関（債務者）に対して預金債権の譲渡事実を通知すること及び当該預金についての印鑑を届け出るための通知書	不課税文書	この文書は、預金債権の譲渡人と譲受人との間の契約ではなく、契約当事者以外の者（銀行）に預金債権の譲渡事実を通知する文書ですから、課税文書には該当しません。
相殺決済することの約定書	契約当事者である三者間でそれぞれ債権債務を有している場合に、債権譲渡の手続を省略し、相殺によって決済することを定めた約定	○第15号文書（債権譲渡に関する契約書） ○印紙税額は200円	この文書は、文書上債権の内容が明らかにされていませんが、債権譲渡の手続を省略することの記載がありますから、第15号文書に該当します。

文書名	文書の内容	印紙税法の取扱い	留意事項
	書（文書上債権の内容は明らかにされていない。）		
建物賃借権譲渡契約書	建物に対する賃借権を第三者に譲渡（価格は50万円）することを定めた契約書	○第15号文書（債権譲渡に関する契約書） ○印紙税額は200円	
担保提供書	不動産を担保として提供することの証書で、「収用等があった場合にはその債権を貴行に譲渡します。」旨の記載がある担保提供書	○第15号文書（債権譲渡に関する契約書） ○印紙税額は200円	この文書は、担保物に収用等があった場合には、その債権を譲渡することを約するなど、債権の譲渡に関する文言が記載されていますから、第15号文書に該当します。
地位譲渡契約書	不動産売買契約に関し、契約上の権利義務を譲渡することを定めた契約書	○第15号文書（債権譲渡に関する契約書） ○印紙税額は200円	この文書は、新たな不動産の譲渡契約の成立を証明するものではありませんから、第1号の1文書（不動産の譲渡に関する契約書）には該当しません。
重畳的債務引受契約証書	債務引受人が債務者とともに債務を重畳的に引き受けることを定めた契約証書	○第15号文書（債務引受けに関する契約書） ○印紙税額は200円	重畳的債務引受契約も、債務引受契約に該当します。
抵当権設定約定書	担保物が不動産等の場合の抵当権設定約定書中に「収用等があった場合はその債権を譲渡する。」旨の条項の記載がある約定書	○第15号文書（債権譲渡に関する契約書） ○印紙税額は200円	
電話加入権売買契約証書	電話加入権を売買することを定めた契約証書	○第15号文書（債権譲渡に関する契約書） ○印紙税額は200円	電話加入権は債権ですから、その売買に関する契約書は、第15号文書に該当します。
不動産信託受益権売買契約	不動産の信託受益権を譲渡することを定めた契約書	○第15号文書（債権譲渡に関する契約書）	信託受益権とは、受益者が信託行為に基づき信託財産から享受できる権利・利益を包括する債

文書名	文書の内容	印紙税法の取扱い	留意事項
書		○印紙税額は200円	権的要素(利益を享受する権利)と物件的要素(元本を享受する権利)とを併有する権利をいいます。
リース契約書	自動車リース会社が有するリース料金の支払を受ける権利を他者に譲渡することを借受人が承諾する旨を併記した契約書	○第15号文書(債権譲渡に関する契約書) ○印紙税額は200円	この文書は、リース料金に係る金銭債権を譲渡することを定めるものですから、第15号文書に該当します。 なお、納税義務者は、金銭債権の譲渡に関する契約の当事者である自動車リース会社とその譲受者となります。

課税物件表による第16号文書の取扱い

番号	課税物件		非課税物件
	物件名	定義	
16	配当金領収証又は配当金振込通知書	1　配当金領収証とは、配当金領収書その他名称のいかんを問わず、配当金の支払を受ける権利を表彰する証書又は配当金の受領の事実を証するための証書をいう。 2　配当金振込通知書とは、配当金振込票その他名称のいかんを問わず、配当金が銀行その他の金融機関にある株主の預貯金口座その他の勘定に振込済みである旨を株主に通知する文書をいう。	記載された配当金額が3,000円未満の証書又は文書

50音順による第16号文書例

文書名	文書の内容	印紙税法の取扱い	留意事項
中間配当金領収証	1年決算の株式会社が営業年度の中途において見込利益の配当を行うに当たり、株主にあらかじめ交付する配当金領収証	○第16号文書（配当金領収証） ○印紙税額は200円	中間配当は確定利益の配当に係るものではありませんが、会社法等の規定において、利益の配当とみなされていますから、第16号文書に該当します。
配当金支払副票の添付を要する配当金領収証	株式会社の株主が配当金の支払を受ける際、配当金支払副票の添付を必要とする配当金領収証	○第16号文書（配当金領収証） ○印紙税額は200円	配当金支払副票は、課税文書には該当しません。

文書名	文書の内容	印紙税法の取扱い	留意事項
配当金振込ご(御)通知	株式会社の配当金を銀行にある株主の預金口座に振り込んだ旨を通知する文書	○第16号文書（配当金振込通知書） ○印紙税額は200円	
配当金領収証	株式会社の配当金の支払を受ける権利を表彰する文書	○第16号文書（配当金領収証） ○印紙税額は200円	配当金領収証には、中間配当に係るもの及び株式配当に係るものも含まれます。
配当金領収証	配当金の支払に際し、会社が株主にあらかじめ送付するもので、株主はこれと引換えに本店において配当金の支払を受けることができ、その配当金の受領事実を証明するために使用する文書（会社は、株主の受領印が届出済みのものかどうかを確認することとしている。）	○第16号文書（配当金領収証） ○印紙税額は200円	配当金領収証等の名称を用いた証書で、配当金の支払に際して、その受領印が届出済みのものかどうか又はあらかじめ送付されている副票を添付しているかどうか等により真実の株主であることを確認することとしているもので、そのことが文書上明らかなものは、第16号文書に該当します。 なお、配当金領収証と称するものであっても、株主の領収証用紙の作成の手数を省略し、併せてその様式を統一する目的で、会社が配当金の支払通知と一緒に株主に送付し、株主が配当金を受領した際に、その受領事実を証明するために用いられるものは、第17号の２文書（売上代金以外の金銭の受取書）に該当します。この場合、税引配当金が５万円以上で、かつ、営業に関するものは印紙税額が200円で、納税義務者は株主です。

課税物件表による第17号文書の取扱い

番号	課税物件		非課税物件
	物件名	定義	
17	1　売上代金に係る金銭又は有価証券の受取書 2　金銭又は有価証券の受取書で1に掲げる受取書以外のもの	売上代金に係る金銭又は有価証券の受取書とは、資産を譲渡し若しくは使用させること（当該資産に係る権利を設定することを含む。）又は役務を提供することによる対価（手付けを含み、金融商品取引法（昭和23年法律第25号）第2条第1項（定義）に規定する有価証券その他これに準ずるもので政令で定めるものの譲渡の対価、保険料その他政令で定めるものを除く。以下「売上代金」という。）として受け取る金銭又は有価証券の受取書をいう。	1　記載された受取金額が5万円未満の受取書 ※平成26年3月31日までに作成されたものについては、記載された受取金額が3万円未満のものが非課税とされていた。 2　営業（会社以外の法人で、法令の規定又は定款の定めにより利益金又は剰余金の配当又は分配をすることができることとなっているものが、その出資者以外の者に対して行う事業を含み、当該出資者がその出資をした法人に対して行う営業を除く。）に関しない受取書 3　有価証券又は第8号、第12号、第14号若しくは第16号に掲げる文書に追記した受取書

(注)1　売上代金の受取書に含まれるもの（課税物件表第17号文書「定義」欄参照）

(1)　受取金額の一部に売上代金が含まれているもの又は売上代金かどうかが記載事項により明らかでないもの

(2)　他人の事務の委託を受けた者（受託者）が、その委託をした者（委託者）に代わって売上代金を受け取る場合の受取書（銀行等の作成する振込金の受取書等を除く。）

(3)　受託者が委託者に代わって受け取る売上代金の全部又は一部に相当する金額を委託者が受託者から受け取る場合の受取書

(4)　受託者が委託者に代わって支払う売上代金の全部又は一部に相当する金額を委託者から受け取る場合の受取書

2　記載金額の引用

売上代金として受け取る有価証券の受取書に、その有価証券の発行者の名称、発行の日、記号、番号その他の記載があること、又は売上代金として受け取る金銭若しくは有価証券の受取書に、その売上代金に係る受取金額の記載のある支払通知書、請求書その他これらに類する文書の名称、発行の日、記号、番号その他の記載があることにより、当事者間で売上代金に係る金額が明らかであるときは、その明らかである金額が受取書の記載金額となります（通則4ホ（三）参照）。

50音順による第17号の1文書例

文書名	文書の内容	印紙税法の取扱い	留意事項
預り金等の記載がある旅館券、船車券、旅館・観光クーポン	旅行会社において旅館等の予約をした際に交付される旅館券等と称するもので、給付されるサービスの内容と支払った金銭の受領文言が記載されている券	不課税文書	この文書は、サービスの給付を受ける権利を表彰しているものであり、券面上に記載されている受領文言は、副次的に金銭の受領事実を証するものですが、元来の目的は、サービスの給付を受ける権利の価値を表示しているものと認められますから、第17号文書（金銭又は有価証券の受取書）には該当しません。
医師の受取書、領収書	医師が、その業務上作成する金銭又は有価証券の受取書	非課税文書	医師が、その業務上作成する受取書、領収書等は、営業に関しない受取書に該当します。
一般社団法人・一般財団法人の受取書、領収書	一般社団法人・一般財団法人が作成する金銭又は有価証券の受取書	非課税文書	公益認定を受けていない一般社団法人・一般財団法人が作成する受取書、領収書等について、印紙税法においては、会社（株式会社、合名会社、合資会社又は合同会社）以外の法人のうち、法令の規定又は定款の定めにより利益金又は剰余金の配当又は分配をすることができないものは営業者に該当しないこととされています。したがって、この要件に該当する一般社団法人・一般財団法人が作成する受取書、領収書等は、営業に関しない受取書に該当し、非課税となります。
印紙売渡証明書	印紙の売捌所が、売り渡した印紙の種類、額面、枚数等を記載証明して購入者に交付する文書	不課税文書	売渡証明書に、その代金の受領事実を記載証明したものは、第17号の1文書（売上代金に係る金銭の受取書）に該当します。

文書名	文書の内容	印紙税法の取扱い	留意事項
受取金引合通知書	出張時に売掛金(100万円）を領収し、帰社後、改めて取引先に対して入金事実を証明するために発行する書類	○第17号の１文書（売上代金に係る金銭又は有価証券の受取書） ○印紙税額は200円	領収時に受取書を交付していても、受取事実を証明する目的で発行する文書は、第17号文書（金銭又は有価証券の受取書）に該当します。
受取書、領収書（消費税の免税事業者が作成・交付するもので、消費税及び地方消費税の金額を区分記載したもの）	消費税の免税事業者が作成・交付する売上代金の受取書で、次のとおり記載されている文書 【記載例】 金52,800円 ただし、うち消費税及び地方消費税（10％）の金額4,800円	○第17号の１文書（売上代金に係る金銭又は有価証券の受取書） ○印紙税額は200円	免税事業者が作成交付する第17号文書（金銭又は有価証券の受取書）については、たとえ消費税及び地方消費税の金額が区分記載されていても、記載金額に含まないこととして取り扱うことはできませんから、その記載金額は消費税及び地方消費税（10％）の金額を含んだ52,800円となります。
受取書、領収書（消費税の課税事業者が作成・交付するもので、消費税及び地方消費税の金額を区分記載したもの）	消費税の課税事業者が作成・交付する売上代金の受取書で、次のとおり記載されている文書 【記載例】 金52,800円 ただし、うち消費税及び地方消費税（10％）の金額4,800円	非課税文書	第17号文書（金銭又は有価証券の受取書）で、消費税及び地方消費税の金額が区分記載されている場合には、消費税及び地方消費税（10％）の金額は記載金額に含まれません。このため、この受取書の記載金額は48,000円となり、５万円未満ですから、非課税文書となります。
受取書、領収書（税抜価格を記載しているもの）	消費税の課税事業者が作成・交付する売上代金の受取書で、次のとおり記載されている文書 【記載例】 金52,800円	非課税文書	第17号文書（金銭又は有価証券の受取書）で、税込価格及び税抜価格が記載されている場合には、消費税及び地方消費税（10％）の金額は記載金額には含まれません。このため、この受取書の記載金額は48,000円となり、

文書名	文書の内容	印紙税法の取扱い	留意事項
	ただし、税抜価格 48,000円		５万円未満ですから、非課税文書となります。
受取書、領収書 （消費税及び地方消費税の金額を区分記載していないもの）	消費税の課税事業者が作成交付する売上代金の受取書で、次のとおり記載されている文書 【記載例】 金52,800円 ただし、うち消費税及び地方消費税の金額10％を含む。	○第17号の１文書（売上代金に係る金銭又は有価証券の受取書） ○印紙税額は200円	「消費税及び地方消費税の金額10％を含む」と記載した場合は、消費税及び地方消費税（10％）の金額を具体的に明らかにしたことにはならないため、全体の金額である52,800円が記載金額となります。 なお、「消費税及び地方消費税の金額を含む。」と記載した場合も同様の取扱いになります。
受取書、領収書 （消費税及び地方消費税の金額を区分記載した後に一括値引きしたもの）	消費税及び地方消費税（10％）の金額を区分記載し、ここから更に一括して値引きした金額を記載した受取書 【記載例】 請負金額　100万円 消費税及び地方消費税（10％）の金額　10万円 計　110万円 値引　12万円 差引金額　98万円	○第17号の１文書（売上代金に係る金銭又は有価証券の受取書） ○印紙税額は200円	消費税及び地方消費税（10％）の具体的な金額が記載されていませんから、値引後の金額（事例の場合98万円）が記載金額となります。
受取書、領収書 （相殺の事実が併記された金銭の受取書等で消費税及び地方消費税の金額についての記載のあるもの）	売掛金を買掛金と一部相殺して金銭を受領する際に作成交付する受取書等で、消費税及び地方消費税の金額についての記載がある文書 【記載例１】 受取金額1,100万円（うち消費税及び地方消費税（10％）の金額100万円）ただし、440万円は買掛金と相殺（残額660万円のうち消費税及	○第17号の１文書（売上代金に係る金銭の受取書） ○記載例１の場合の記載金額は600万円となりますから印紙税額は2,000円です。 ○記載例２の場合の記載金額は660万円となりますから印紙税額は2,000円です。	相殺の事実が記載された金銭の受取書の記載金額は、実際に金銭授受された金額となります。 なお、消費税及び地方消費税（10％）の具体的な金額が区分記載されている場合は、その消費税及び地方消費税（10％）の金額を除いた金額が記載金額となります。 ○記載例１の場合は、実際に金銭によって授受された金額（残額660万円）のうちに含まれる消費税及び地方消費税（10％）の金額（60万円）が

文書名	文書の内容	印紙税法の取扱い	留意事項
	び地方消費税（10％）の金額60万円） 【記載例２】 受取金額1,100万円（うち消費税及び地方消費税（10％）の金額100万円）ただし、440万円は買掛金と相殺		区分記載されていますので、記載金額は600万円となります。 ○記載例２の場合は、実際に金銭授受された金額（残額660万円）のうちに含まれる消費税及び地方消費税（10％）の金額が区分記載されていないので、記載金額は660万円となります。
お支払予定のご案内	クレジット会社が顧客に対して、既に成立しているクレジット契約の支払予定を知らせる案内書	不課税文書	この文書は、既に成立している契約に基づいて、支払の予定を通知するものであり、契約の成立等を証明するためのものではありませんから、課税文書には該当しません。
カード利用明細書（自己宛振込）	ＡＴＭを利用し振込人が口座振替により自己の預金口座に振り込んだ際に打ち出される明細書（振込手数料の記載があるもの）	非課税文書	結果的に自己の預金口座へ入金されたことが明らかであっても、そのことをもって金銭の寄託契約の成立を証明するものとはいえませんから、第14号文書（金銭の寄託に関する契約書）には該当しません。 なお、振込手数料の記載があることから、第17号の１文書（売上代金に係る金銭の受取書）に該当しますが、振込手数料は５万円未満ですから、非課税文書となります。
買上品計算レシート	金銭登録機によって打ち出されるレシート（記載金額は10万円）	○第17号の１文書（売上代金に係る金銭の受取書） ○印紙税額は200円	この文書は、受取書等の文言が表示されていなくても、一般に手渡した金額の受取事実を証明するものとして授受されますから、第17号の１文書に該当します。
外貨両替計算書	金融機関等が顧客からの依頼に応じて邦貨と外貨を両替する際に、	○第17号の１文書（売上代金に係る金銭の受取書）	単に両替の計算結果を通知するもので金銭の受領文言の記載がないものは、課税文書には該当

文書名	文書の内容	印紙税法の取扱い	留意事項
	金銭と引換えにその顧客に交付する文書で金銭の受領文言(「RECEIVED YEN（受 領 額）」、「CHANGE YEN（釣り銭）」等）の記載がある計算書（記載金額は100万円）	○印紙税額は200円	しません。
会館利用承諾書	会館等の施設の利用承諾書に申込金(10万円)の領収印を押印して申込人に交付する承認書	○第17号の１文書（売上代金に係る金銭又は有価証券の受取書） ○印紙税額は200円	会館等の施設の利用のための申込金は、売上代金に該当します。
外国に本店を有する会社が国内で作成する受取書	外国に本店を有する会社が本店の所在地及び名称のみを記載して国内で作成交付した売上代金の受取書（記載金額は1,000万円）	○第17号の１文書（売上代金に係る金銭又は有価証券の受取書） ○印紙税額は2,000円	受取書に作成場所が明らかにされていないものとして施行令第４条（納税地）の規定を適用します。この場合、外国に本店を有する会社が国内に登記した営業所を有するときは、当該営業所の所在地を納税地とし、有しないときは、当該受取書の作成者の居所が納税地となります。
海事代理士が作成する受取書、領収書	海事代理士が、その業務上作成する金銭又は有価証券の受取書	非課税文書	海事代理士が、その業務上作成する受取書、領収書等は、営業に関しない受取書に該当します。
貸金業者の作成する計算書	貸金業者が顧客から元利金（５万円）の支払を受けた際に発行する計算書	○第17号の１文書（売上代金に係る金銭又は有価証券の受取書） ○印紙税額は200円	利息は売上代金に該当します。この文書は、顧客から貸付金の返済等を受けた際に、その受領事実を証明するために作成されるものですから、第17号の１文書に該当します。
貸金業法第18条に基づく受取証書	貸金業者が、貸金業法第18条の規定に基づき、貸付契約に基づく債権の全部又は一部につい	○第17号の１文書（売上代金に係る金銭又は有価証券の受取書）	受取金額の一部に売上代金（利息）が含まれていますから、第17号の１文書に該当します。 なお、売上代金（利息）と売上

文書名	文書の内容	印紙税法の取扱い	留意事項
	て弁済を受けたときに、当該弁済人に交付する受取証書で、元本及び利息が合計で記載されている文書（受取金額100万円）	○印紙税額は200円	代金以外（元本）の金額に区分することができない場合は、その記載された金額が記載金額となります。
貸金庫使用料領収証	貸金庫使用料（150万円）の領収証	○第17号の１文書（売上代金に係る金銭又は有価証券の受取書） ○印紙税額は400円	
株式代理事務取扱手数料領収証	増資新株発行事務代行手数料（350万円）の受取書	○第17号の１文書（売上代金に係る金銭又は有価証券の受取書） ○印紙税額は1,000円	
仮領収証	後日正式な領収証を作成することとしている場合の仮領収書（売上代金として受領した金額は300万円）	○第17号の１文書（売上代金に係る金銭又は有価証券の受取書） ○印紙税額は600円	後日正式な領収書を作成することとしている場合の仮領収証であっても、売上代金の受取事実を証明するものですから、第17号の１文書に該当します。
観光券（食事用）	旅行業者が旅行の引受け等をする場合に、宿泊等とは別に食事を希望する者に対して交付する文書（文書上に食事代金を領収済である旨の表示がある。）	不課税文書	この文書は、旅行業者がレストラン等に対し、顧客からの代金は領収済であることを通知するための連絡文書であり、顧客に対して金銭の受領事実を証するものではありませんから、第17号の１文書（売上代金に係る金銭又は有価証券の受取書）には該当しません。
監査法人が作成する受取書、領収書	監査法人が顧客に交付する受取書（監査料として受領した金額は50万円）	○第17号の１文書（売上代金に係る金銭又は有価証券の受取書） ○印紙税額は200円	監査法人は、法の定めにより利益等を分配することができるものに該当しますので、監査法人が出資者以外の者に交付する受取書、領収書等は、営業に関する受取書となります。

文書名	文書の内容	印紙税法の取扱い	留意事項
鑑定人の受取書、領収書	損害保険会社の委嘱を受けて、損害額の鑑定をする鑑定人の作成する鑑定料（10万円）の受取書	非課税文書	金銭又は有価証券の受取書ですが、営業に関するものではないことから、非課税文書となります。
元利金の受取文言を記載した借用証書	証書貸付けに係る元利金の返済があった際に、返済金の受取書を作成交付せず、返済金と引き換えに証書に「領収」、「完済」又は「処理済」等の受取文言を表示している証書（元金100万円、利息５万円と記載されているもの）	○第17号の１文書（売上代金に係る金銭又は有価証券の受取書） ○印紙税額は200円	元金と利息額がそれぞれ区分して記載されている場合には、利息額の部分が売上代金として階級定額税率の適用を受けますが、それぞれが区分して記載されていなければ全体の金額が売上代金として階級定額税率の適用を受けることとなります。 なお、この証書が不正に使用されることを防止する等の観点から「無効」、「債務消滅済」等と表示したものは、課税文書には該当しません。
元利金弁済金の受取書、領収書	貸付金元金及び利息を併せて領収した時に作成する受取書（受取金額が200万円で、売上代金とその他の金額とが区分記載されていないもの）	○第17号の１文書（売上代金に係る金銭又は有価証券の受取書） ○印紙税領は400円	貸付金元金の弁済金は売上代金ではありませんが、売上代金を含んでいる受取書で売上代金（利息）とその他の金額（元金）とが区分されていないものは、通則４ハ㈡の規定によりその全体が売上代金となります。
行政書士が作成する受取書、領収書	行政書士が、その業務上作成する金銭又は有価証券の受取書	非課税文書	行政書士が、その業務上作成する受取書、領収書等は、営業に関しない受取書に該当します。
競売代金の受取書、領収書	競売に付された担保物件の処分配当金の受取りに対して債権者（受取人）が作成する受取書（貸付利息を含む120万円の受取書）	○第17号の１文書（売上代金に係る金銭の受取書） ○印紙税額は400円	受取金額が貸付元金以内の金額であり、その旨が明らかにされているものは、第17号の２文書（売上代金以外の金銭の受取書）に該当します。

文書名	文書の内容	印紙税法の取扱い	留意事項
金銭の受取書、領収書	金銭（300万円）の受取書（作成者は商事会社で、受取書の文面には売上代金であるかどうか明らかにされていないもの）	○第17号の１文書（売上代金に係る金銭の受取書） ○印紙税額は600円	受取金額の全部又は一部が売上代金であるかどうかが受取書の文面から明らかではないものは、第17号の１文書に含まれます。
クレジット販売の場合の受取書、領収書	小売店等がクレジット販売をした場合に、顧客に交付する受取書（クレジット販売である旨が文書に明記されているもの）	不課税文書	クレジット販売に係るものであり金銭又は有価証券の受領事実がなく、かつ、クレジット販売である旨が文書に明記されていますから、第17号の１文書（売上代金に係る金銭又は有価証券の受取書）には該当しません。 なお、クレジット販売の場合であっても、その旨が文書に明記されていない場合は、第17号の１文書に該当することとなります。
契約者貸付返済計算書	生命保険会社が、契約者より貸付金（48,000円）及びその利息（3,800円）を受領した際に、返済者（契約者）に交付する計算書	○第17号の１文書（売上代金に係る金銭又は有価証券の受取書） ○印紙税額は200円	受取金額の一部に売上代金（利息）が含まれていますから、第17号の１文書に該当します。 なお、売上代金の金額は５万円未満ですが、受取総額が５万円以上ですから、非課税規定は適用されません。 また、売上代金に係る金額とその他の金額とに区分することができる場合、記載金額は売上代金に係る金額だけが対象となりますので、この文書の記載金額は3,800円となります。
契約終了のご案内	クレジット会社が顧客に対して、クレジット契約が終了した際に、その礼状として使用する案内書	不課税文書	この文書は、クレジット契約が終了した場合に、クレジット利用の礼状として使用するもので、金銭等の受領に関する事項の記載がありませんから、課税文書には該当しません。 なお、契約の消滅を証する文書は、印紙税法上の契約書として

文 書 名	文 書 の 内 容	印紙税法の取扱い	留 意 事 項
			取り扱われません。 また、融資金（元本及び利息の合計）の完済に関する事項の記載がある場合は、元利金の受領事実を証する文書と認められ、受取金額の記載がないことから、受取金額の記載のない第17号の１文書（売上代金に係る金銭の受取書）に該当します。
軽油引取税額を含む軽油販売代金の受取書、領収書	軽油の販売代金と軽油引取税額とを区分して記載した金銭又は有価証券の受取書	第17号の１文書（売上代金に係る金銭又は有価証券の受取書）	軽油引取税のように、受取者が特別徴収義務者となっている租税について、その税額が区分記載されている場合は記載金額から控除することになっていますから、軽油引取税額を控除した後の金額が記載金額となります。
検収通知票	下請業者等から納入された検査合格物品の受領事実を証明する通知文書	不課税文書	
建築士が作成する受取書、領収書	建築士が、その業務上作成する金銭又は有価証券の受取書	非課税文書	建築士が、その業務上作成する受取書、領収書等は、営業に関しない受取書に該当します。
権利金受取書、領収書	建物賃貸借契約に伴う権利金（500万円）の受取書（作成者は不動産会社）	○第17号の１文書（売上代金に係る金銭又は有価証券の受取書） ○印紙税額は1,000円	資産に係る権利を設定することの対価は売上代金に該当します。
公益社団法人・公益財団法人の受取書、領収書	公益社団法人・公益財団法人が作成する金銭又は有価証券の受取書	非課税文書	公益社団法人・公益財団法人は公益目的事業を行うことを主たる目的とし、営利を目的とする法人ではありませんから、その作成する受取書、領収書等は、営業に関しない受取書に該当します。

文書名	文書の内容	印紙税法の取扱い	留意事項
講演謝金の受取書、領収書	大学の教授等が講演の謝金を受領する際に作成する受取書、領収書	非課税文書	講演謝金は、役務の提供の対価ですから売上代金に該当しますが、大学の教授等がその講演等について謝金を受け取る行為は営業に関するものではないことから、その受取書は、非課税となります。
口座振替による引落通知書	銀行が取引先から受け取るべき手数料又は利息等を口座振替により取引先の口座から引き落としたことを通知するため作成する文書	不課税文書	この文書は、単に口座振替により手数料等を引き落としたことを通知するものであって、金銭の受取事実を証明するものではないので、第17号文書（金銭の受取書）には該当しません。
工事請負代金の受取書、領収書	工事請負代金(2,000万円）の受取書	○第17号の１文書（売上代金に係る金銭又は有価証券の受取書） ○印紙税額は4,000円	
更生管財人が作成する受取書、領収書	会社更生法の適用を受けている会社の資産の売却代金（150万円）を受領した際に、更生管財人名義で作成する受取書	○第17号の１文書（売上代金に係る金銭又は有価証券の受取書） ○印紙税額は400円	会社更生法の適用を受けている会社の更生管財人として、更生管財人名義で作成する受取書、領収書等は、営業に関する受取書に該当します。
コード決済サービスを利用して決済を行った者に交付する領収書①	コード決済取引の加盟店が、各種コード決済サービスを利用した支払を希望した顧客に対して交付する文書であり、どのコード決済サービスを利用しても、一律に「コード決済」と表記されているもの（記載金額は６万円）	○第17号文書（売上代金に係る金銭又は有価証券の受取書） ○印紙税額は200円	「コード決済」という表記のみでは、金銭等の受領事実の有無が文書上明らかであるとは認められないため、第17号の１文書に該当します。
コード決済サービスを利用	コード決済取引の加盟店が、各種コード決済サービスを利用した支	○第17号文書（売上代金に係る金銭又は有価証券	この文書は、加盟店契約等の内容によると、領収書の交付時に金銭等の受領事実があることか

文書名	文書の内容	印紙税法の取扱い	留意事項
して決済を行った者に交付する領収書②	払を希望した顧客に対して交付する文書であり、利用したコード決済名が記載されているもの（記載金額は６万円） （当該コード決済取引では加盟店契約の内容に領収書の交付時に金銭の受領事実がある旨が記載されている）	の受取書） ○印紙税額は200円	ら、第17号の１文書に該当します。 なお、ここでいう「金銭等の受領事実がある」とは、コード決済サービスの仕組みや加盟店契約等の内容から、領収書の交付時において、加盟店が金銭等を受領した（引き渡しを受けた）と評価できるものをいいます。
コード決済サービスを利用して決済を行った者に交付する領収書③	コード決済取引の加盟店が、各種コード決済サービスを利用した支払を希望した顧客に対して交付する文書であり、利用したコード決済名が記載されているもの（記載金額は６万円） （当該コード決済取引では加盟店契約の内容に領収書の交付時に金銭の受領事実がない旨が記載されている）	不課税文書	この文書は、加盟店契約等の内容によると、領収書の交付時に金銭等の受領事実がない旨の記載があることから、不課税文書に該当します。 なお、ここでいう「金銭等の受領事実がある」とは、コード決済サービスの仕組みや加盟店契約等の内容から、領収書の交付時において、加盟店が金銭等を受領した（引き渡しを受けた）と評価できるものをいいます。
公認会計士が作成する受取書、領収書	公認会計士が、その業務上作成する金銭又は有価証券の受取書	非課税文書	公認会計士が、その業務上作成する受取書、領収書等は、営業に関しない受取書に該当します。
個人の貸金業者の受取書、領収書	個人貸金業者の作成する受取書（受取金額50万円（元利合計））	○第17号の１文書（売上代金に係る金銭又は有価証券の受取書） ○印紙税額は200円	
茶（華）道教授等が作成する	茶道や華道などの教授等が、その教授の対価として謝礼金等を受領	非課税文書	茶（華）道の教授や講演、原稿の執筆行為は、たとえ茶（華）道の教授、講演、原稿の執筆を専業

文書名	文書の内容	印紙税法の取扱い	留意事項
謝礼金等の領収書	した際にその受領事実を証するために支払者に交付する領収書		としている人の行為であっても営業に関するものではないことから、その受取書は、非課税文書となります。
歯科技工士の受取書、領収書	歯科技工士が業務上作成する金銭又は有価証券の受取書	非課税文書	歯科技工士が、その業務上作成する受取書、領収書等は、営業に関しない受取書に該当します。
支払証控	商品の販売代金を受領した際に、支払証（販売者用）と複写の方法で、年月日、支払金額、手形枚数等を記載して、代金の支払者に交付する文書（記載金額は10万円）	○第17号の１文書（売上代金に係る金銭又は有価証券の受取書） ○印紙税額は200円	金銭等の受取人が支払人に対して、金銭等の受領事実を証明するために作成、交付しているものであり、第17号の１文書に該当します。
支払通知書受領書	売主が、買主からの支払通知書を受領したことのほかに、売上代金（100万円）を受領したことも証明して、買主に交付する受領書	○第17号の１文書（売上代金に係る金銭又は有価証券の受取書） ○印紙税額は200円	
支払通知書番号を引用する受取書、領収書	売上代金に係る金銭又は有価証券の受領に際し、「支払通知書」の番号を引用して支払人に交付する受取書（支払通知書に記載された金額は150万円）	○第17号の１文書（売上代金に係る金銭又は有価証券の受取書） ○印紙税額は400円	領収書に記載されている支払通知書№（売上代金に係る受取金額の記載がある。）により、当事者間において当該売上代金に係る受取金額が明らかですから、通則４ホ㈢の規定により、記載金額のあるものとなります。
司法書士が作成する受取書、領収書	司法書士が、その業務上作成する金銭又は有価証券の受取書	非課税文書	司法書士が、その業務上作成する受取書、領収書等は、営業に関しない受取書に該当します。
社会保険労務士が作成する	社会保険労務士が、その業務上作成する金銭又は有価証券の受取書	非課税文書	社会保険労務士が、その業務上作成する受取書、領収書等は、営業に関しない受取書に該当し

文書名	文書の内容	印紙税法の取扱い	留意事項
受取書、領収書			ます。
獣医師が作成する受取書、領収書	獣医師が、その業務上作成する金銭又は有価証券の受取書	非課税文書	獣医師がその業務上作成する受取書、領収書等は営業に関しない受取書に該当します。 なお、獣医事業に該当しない、ペットショップ、ペットホテル、ペット用品販売、理容・美容等に関して作成する受取書及び株式会社等が獣医師業務を行っている場合に作成する受取書は、非課税文書とはなりません。
償還金計算書	金融機関が貸付金の弁済を口座振替の方法により受けた際に、借入人に対して交付する計算書（元利金７万円、「貸出金の払込期日が到来しましたので、下記のとおり引落しいたしました。」という記載があるもの）	○第17号の１文書（売上代金に係る金銭の受取書） ○印紙税額は200円	この文書は、口座振替の方法で貸付金の弁済を受けた際に交付するものであり、記載文言から償還金の計算結果を通知するとともに、弁済金の受領事実を証するために作成する文書と認められますから、第17号の１文書に該当します。
㊊の表示がされた納品書	納品した商品代金（10万円）を受領した際に、納品書に㊊の表示をした文書	○第17号の１文書（売上代金に係る金銭又は有価証券の受取書） ○印紙税額は200円	㊊、㋷等の簡略な文言を記載したものであっても、金銭等の受領事実を証明するために作成されるものは、第17号の１文書に該当します。
清算人が作成する受取書、領収書	清算中の会社が不動産を売却する際に清算人名義により作成する受取書（記載金額は8,000万円）	○第17号の１文書（売上代金に係る金銭又は有価証券の受取書） ○印紙税額は20,000円	清算中の会社であっても、清算の目的に必要な範囲内において会社は存続しており（会社法第645条）、また、清算人の行為は会社の業務の執行に関して会社を代表する行為である（会社法第655条）ので、その清算事務に関して作成する受取書は、営業に関する受取書に該当します。

文書名	文書の内容	印紙税法の取扱い	留意事項
税理士が作成する受取書、領収書	税理士が、その業務上作成する金銭又は有価証券の受取書	非課税文書	税理士が、その業務上作成する受取書、領収書等は、営業に関しない受取書に該当します。
税理士法人が作成する受取書	税理士法に基づき設立された税理士法人が、顧客に対して交付する顧問料（10万円）の受取書	○第17号の１文書（売上代金に係る金銭又は有価証券の受取書） ○印紙税額は200円	この文書は、役務の提供の対価として受領した顧問料の受取書ですから、第17号の１文書に該当します。 なお、税理士法人の出資者に交付する受取書については、営業に関しないものとして、非課税文書となります。
設計士が作成する受取書、領収書	設計士が、その業務上作成する金銭又は有価証券の受取書	非課税文書	設計士が、その業務上作成する受取書、領収書等は、営業に関しない受取書に該当します。
相殺の事実を証明する受取書、領収書	受取書、領収書と表記され、相殺の事実を証明する文書	不課税文書	受取書、領収書と表記された文書であっても、相殺の事実を証明するためのもので、金銭の受領事実を証明するものではないものは、第17号文書（金銭又は有価証券の受取書）には該当しません。
測量士が作成する受取書、領収書	測量士が、その業務上作成する金銭又は有価証券の受取書	非課税文書	測量士が、その業務上作成する受取書、領収書等は、営業に関しない受取書に該当します。
代位弁済金受取書、領収書	保証人である信販会社等が代位弁済を行ったときに、債権者である金融機関が信販会社等に交付する受取書で、貸付金の元金、利息（150万円）及び遅滞損害金が区分記載されている受取書	○第17号の１文書（売上代金に係る金銭の受取書） ○印紙税額は400円	貸付金の利息は資産を使用させることの対価ですから、売上代金に該当します。

文書名	文書の内容	印紙税法の取扱い	留意事項
代金払込礼状	商品の販売代金が、口座振込みにより決済されたことを振込人に対して、礼状形式で知らせるもの（「品代金は、指定の銀行口座よりご決済戴きました。」と記載されている）	○第17号の１文書（売上代金に係る金銭の受取書） ○印紙税額は200円	この文書は、被振込人が振込人に対して販売代金の受取事実を証明するために作成・交付しているものであり、記載金額のない第17号の１文書に該当します。
立替金受取書、領収書	取引先会社のために立替払（商品の購入代金は150万円）していた金銭を、取引先会社から受け取る場合の返済を受けた際に作成する受取書	○第17号の１文書（売上代金に係る金銭の受取書） ○印紙税額は400円	売上代金の立替金の受取書は、第17号文書「定義」欄１のニの規定により第17号の１文書に該当します。
建物賃貸料領収証	貸ビル賃貸料（200万円）の領収証（作成者は不動産会社）	○第17号の１文書（売上代金に係る金銭又は有価証券の受取書） ○印紙税額は400円	
中小企業診断士が作成する受取書、領収書	中小企業診断士が、その業務上作成する金銭又は有価証券の受取書	非課税文書	中小企業診断士が、その業務上作成する受取書、領収書等は、営業に関しない受取書に該当します。
手付金の受取書、領収書	土地、建物売買の手付金（200万円）の受取書（作成者は宅建業者）	○第17号の１文書（売上代金に係る金銭又は有価証券の受取書） ○印紙税額は400円	手付金も売上代金に含まれます。
デビットカードシステムによる口座引落確認書	デビットカード取引の加盟店が、デビットカードによる決済を行った顧客に対して交付する文書（口座引落しの事実のみが記載されているもの）	不課税文書	標題が「口座引落確認書」であっても、デビットカード取引（即時決済型）による代金の受領事実を証明する目的で作成されるものは、第17号の１文書（売上代金に係る金銭の受取書）に該当します。

文書名	文書の内容	印紙税法の取扱い	留意事項
デビットカード取引（即時決済型）に係る領収書（レシート）	デビットカード取引の加盟店が、デビットカードによる決済を行った顧客に対して交付する文書（記載金額は７万円）	○第17号の１文書（売上代金に係る金銭又は有価証券の受取書） ○印紙税額は200円	デビットカード取引には、即時決済型のデビットカード取引のほか、クレジットカード決済のシステムを利用する信用取引型のデビットカード取引があります。信用取引型のデビットカード取引は、クレジットカード販売の場合と同様に信用取引により商品を引き渡すものであり、その際の領収書であっても金銭又は有価証券の受領事実がありませんから、表題が「領収書」となっていても、第17号の１文書には該当しません。ただし、その場合であっても、クレジットカード利用等である旨を「領収書」に記載していない場合は、第17号の１文書に該当します。
電子手形の受領に関する受取書 （注）電子手形とは、電子記録債権法に基づく決済サービスをいいます。	電子債権記録機関が提供するもので、売買取引等において売上代金を電子記録債権で受領したことを証することについての受取書	不課税文書	電子記録債権は、有価証券には該当しないことから、第17号の1文書には該当しません。
電力代金の振込金受取書、領収書（消費税及び地方消費税の金額を含むもの）	電力代金の収納事務を委託されている金融機関が依頼者に交付する振込金受取書で、電力代金（48,000円）と消費税及び地方消費税（10%）の金額（4,800円）とが区分記載されている文書	非課税文書	金融機関は電力会社に代わって電力代金を受け取ったものですから、消費税及び地方消費税（10%）の金額が区分記載されている場合には消費税及び地方消費税（10%）の金額は記載金額に含めないものとして取り扱われます。このため、記載金額は48,000円となり、５万円未満ですから非課税文書となります。

文書名	文書の内容	印紙税法の取扱い	留意事項
土地家屋調査士が作成する受取書、領収書	土地家屋調査士が、その業務上作成する金銭又は有価証券の受取書	非課税文書	土地家屋調査士が、その業務上作成する受取書、領収書等は、営業に関しない受取書に該当します。
土地売却代金の受取書、領収書	会社所有の土地を売却した代金（3,000万円）の受取書	○第17号の１文書（売上代金に係る金銭又は有価証券の受取書） ○印紙税額は6,000円	
内職代金の受取書、領収書	内職で、専ら賃金を得る目的で物を製造している場合に、その内職代金を受け取った時に作成する受取書	非課税文書	内職で、家事の合い間に行う程度の物の製造は、専ら賃金を得る目的と認められますから、たとえ長期にわたって継続するものであっても営業には該当しないものとして取り扱われます。
入金記帳案内書	出張中の従業員が、売掛代金領収時に領収書を交付し、更に帰社後入金事実を証明するために作成して得意先に送付する文書 （「○月○日付で100万円領収しました。」との記載がある。）	○第17号の１文書（売上代金に係る金銭又は有価証券の受取書） ○印紙税額は200円	１回の代金受領事実について数通の文書が作成されても、それぞれが代金の受領事実を証明する目的で作成されるものは全て課税の対象となります。
農業従事者の受取書、領収書	店舗設備等を有しない農業従事者が、発行する受取書	非課税文書	農業、林業又は漁業に従事する者が、店舗を持たずに自己の生産物の販売に関して作成する受取書は、営業に関しないものとして取り扱われますから、非課税です。
破産管財人が作成する受取書、領収書	破産法の適用を受けている会社の資産の売却代金を受領した際に、破産管財人名義で作成する受取書	非課税文書	破産法の適用を受けている会社の破産管財人として、破産管財人名義で作成する受取書、領収書等は、営業に関しない受取書に該当します。

文書名	文書の内容	印紙税法の取扱い	留意事項
ビール券の受取書	小売店等で顧客が、商品購入代金（５万円）をビール券により支払った場合に、小売店等が顧客に交付する受領書	○第17号の１文書（売上代金に係る有価証券の受取書） ○印紙税額は200円	商品の販売精算時の受取書ですから、第17号の１文書に該当します。 なお、この受取書にビール券の券面金額が記載されている場合には、その金額が記載金額になります。
被仕向電信送金受取書	被仕向電信送金を銀行（受託者）から受け取る場合に被仕向人が作成する受取書（売上代金として受領するもので受領金額は500万円）	○第17号の１文書（売上代金に係る金銭の受取書） ○印紙税額は1,000円	売上代金以外の金銭の受取は第17号の２文書（売上代金以外の金銭の受取書）に該当することになりますが、その記載を確実に行うことが必要となります。
費用分担金受取書	共同企業体が構成員から費用分担金を受領する際に発行する受取書	非課税文書	この文書は、資本的取引であり、営業に関しないものとして取り扱われますから、非課税となります。
不動産鑑定士が作成する受取書、領収書	不動産鑑定士が、その業務上作成する金銭又は有価証券の受取書	非課税文書	不動産鑑定士が、その業務上作成する受取書、領収書等は、営業に関しない受取書に該当します。
振込金受取通知書	売買代金（100万円）の預貯金口座への振込みを受けた売主が、買主に対して預貯金口座への入金があった旨通知する文書	○第17号の１文書（売上代金に係る金銭の受取書） ○印紙税額は200円	
プリペイドカードにより代金決済した場合の受取書、領収書	小売店等で顧客が商品購入代金（15万円）をプリペイドカードにより支払った場合に、小売店等が顧客に交付する受取書	○第17号の１文書（売上代金に係る有価証券の受取書） ○印紙税額は200円	プリペイドカードは有価証券に該当しますから、商品代金をプリペイドカードにより支払を受けた際に作成する受取書（レシート等）は、第17号の１文書に該当します。 なお、この場合の受取書の記載金額は、記載された受取金額（使用額）です。

文書名	文書の内容	印紙税法の取扱い	留意事項
分譲住宅購入申込書	分譲住宅の購入申込事項と購入申込証拠金（10万円）を受領したことを証する事項が組み合わされた文書	○第17号の１文書（売上代金に係る金銭の受取書） ○印紙税額は200円	契約の申込みに関する事項は、課税事項に該当しません。
弁護士が作成する受取書、領収書	弁護士が、その業務上作成する金銭又は有価証券の受取書	非課税文書	弁護士が、その業務上作成する受取書、領収書等は、営業に関しない受取書に該当します。 なお、弁護士法人が作成する場合は、課税文書に該当します。
保護預り手数料領収証	保護預り手数料（200万円）の受取書	○第17号の１文書（売上代金に係る金銭又は有価証券の受取書） ○印紙税額は400円	
ポスレジから打ち出される「仕切書」、「納品書」等	一般小売店や現金問屋等において現金販売に際して購入者に交付する「仕切書」、「納品書」等と称する帳票で、いわゆるPOSシステムの端末（以下「ポスレジ」という。）から打ち出される文書（記載金額は10万円）	○第17号の１文書（売上代金に係る金銭の受取書） ○印紙税額は200円	ポスレジの打出し帳票で販売代金を受領した際に顧客に交付されるものは、「仕切書」、「納品書」等その名称のいかんにかかわらず第17号の１文書に該当します。
名刺による受取書、領収書	名刺の裏に「売上代金150万円を受領しました。」と記載した受取書	○第17号の１文書（売上代金に係る金銭又は有価証券の受取書） ○印紙税額は400円	たとえ名刺であっても、金銭又は有価証券の受領事実を証明する証拠文書になります。
薬剤師が作成する受取書、領収書	薬剤師が、医師の処方に基づき調剤した薬品を販売した際に作成する金銭又は有価証券の受取書	非課税文書	市販薬、雑貨等を販売した際に作成する金銭の受取書は、第17号の１文書（売上代金に係る金銭又は有価証券の受取書）に該当します。

文書名	文書の内容	印紙税法の取扱い	留意事項
家賃の受取書、領収書	サラリーマンが所有する家屋を貸与している場合の家賃（７万円）の受取書	○第17号の１文書（売上代金に係る金銭又は有価証券の受取書） ○印紙税額は200円	賃貸することを目的として家屋等を収得し、それを賃貸することは、収入規模等にかかわらず営業に該当します。
有料老人ホームが作成する預り証	有料老人ホームを経営する株式会社が、入居者から家賃の前払金として入居一時金（50万円）を受領した際に交付する預り証	○第17号の１文書（売上代金に係る金銭又は有価証券の受領書） ○印紙税額は200円	入居一時金は、将来にわたる家賃及び役務提供の対価として受け取ったものであり、売上代金に係る金銭又は有価証券の受取事実を証明するものですから、第17号の１文書に該当します。 なお、公益法人等が作成する受取書は、収益事業に関して作成するものであっても、営業に関しない受取書として非課税文書になります。
預金払戻請求書・預金口座振替による振込受付書（兼振込手数料受取書）	金融機関が、預金者から預金払戻請求書の提出を受けて振込金を預金口座から指定の口座へ振り込む場合や預金口座からの振替えによる口座振込みを引き受けた場合（振込金として金銭又は有価証券を受領しない場合）に作成し、預金者に交付する文書（手数料金額は432円）	非課税文書	この文書は、口座振込みという委任事務の受付事実と振込手数料の受領事実を証明するものですから、手数料金額を記載金額とする第17号の１文書（売上代金に係る金銭の受取書）に該当しますが、手数料金額が５万円未満ですから非課税となります。
リサイクル券（特定家庭用機器廃棄物管理票）	特定家庭用機器再商品化法（いわゆるリサイクル法）に基づき、廃家電製品の流れを適正に管理するために作成する文書	不課税文書	廃家電製品の排出者の控えにリサイクル料金の受領文言の記載があるものは、第17号の１文書（売上代金に係る金銭又は有価証券の受取書）に該当します。
領収書、受取書（５万円	会社が従業員から貸付金の返済を受けた際に発行するもので、元金	○第17号の１文書（売上代金に係る金銭又は有価証券	記載金額が５万円未満の受取書に該当するかの判定に当たっては、売上代金（貸付利息）に係

文書名	文書の内容	印紙税法の取扱い	留意事項
未満の判定）	（48,000円）と利息（2,000円）が区分記載されている受取書	の受取書） ○印紙税額は200円	る受取金額と売上代金以外（貸付元金）の受取金額の合計金額により判定します。
領収書、受取書（破産手続）	融資先の破産手続において、配当金を受領した債権者が作成する受取書（受取金額は５万円で元金と利息の金額は区分記載されていない）	○第17号の１文書（売上代金に係る金銭又は有価証券の受取書） ○印紙税額は200円	破産手続に係る配当金の受取書については、債権の種類により取扱いが異なります。 ①　金銭の消費貸借に係る債権の場合 受取金額が貸付元金のみで、その旨が明らかにされている文書は第17号の２文書（売上代金以外の金銭又は有価証券の受取書）となりますが、貸付利息を含む場合には第17号の１文書に該当します。 ②　売掛債権の場合 第17号の１文書に該当します。
領収書、受取書（前受金を受領済み）	百貨店が販売代金を受領した際に顧客に交付するもので、既に顧客から内金を受領した旨を記載している受取書（合計金額５万円で、内金３万円）	非課税文書	この文書は、受取金額が５万円未満（２万円）ですから、非課税文書に該当します。
㋷の表示がされた請求書	㋷の表示がされている文書（記載金額は50万円）	○第17号の１文書（売上代金に係る金銭又は有価証券の受取書） ○印紙税額は200円	当事者において㋷の表示が金銭又は有価証券の受領を意味するものは金銭等の受取書として取り扱います。
ローンご完済のお知らせ	貸し付けていたローンが全額返済されたことを金融機関から借入者に対して通知する文書で、「○年○月○日付全額ご返済いただきました」と記載がある文書	○第17号の１文書（売上代金に係る金銭の受取書） ○印紙税額は200円	この文書は、受け取った元利金の記載がないことから、記載金額のない第17号の１文書に該当します。

50音順による第17号の２文書例

文書名	文書の内容	印紙税法の取扱い	留意事項
受付票	金融機関が転換社債の提出を受けて株式への転換請求を依頼された際に作成する受付票	○ 第17号の２文書（売上代金以外の有価証券の受取書） ○印紙税額は200円	
受取書、領収書（公金と公金以外を併せて受領する場合）	○○市住民税40,000円、普通預金20,000円を受領原因とする受取書（受領する金融機関は○○市の収納代理金融機関である）	○ 第17号の２文書（売上代金以外の金銭の受取書） ○印紙税額は200円	公金と公金以外を併せて受領したことを証する受取書は、基本通達に定める「公金の取扱いに関する文書」には該当せず、記載金額を「公金の額」と「公金以外の額」の合計額とする第17号文書（金銭の受領書）となります。
受取書、領収書（公金のみを受領する場合）	○○市住民税60,000円のみの受取書（受領する金融機関は○○市の収納代理金融機関である）	非課税文書	受領した金銭の内容が公金のみである場合の受取書は、基本通達別表第１非課税文書３に定める「公金の取扱いに関する文書」に該当しますので、受取金額に関係なく非課税文書となります。
受取書、領収書（消費税及び地方消費税の金額のみを受領するもの）	事業者が作成交付する受取書で、消費税及び地方消費税の金額（５万円）のみの受領を証する受取書	○ 第17号の２文書（売上代金以外の金銭又は有価証券の受取書） ○印紙税額は200円	消費税及び地方消費税の金額が具体的に明らかになっている場合は、記載金額として取り扱われませんので、この文書は記載金額のない受取書となります。なお、受取額が５万円未満の場合は、非課税文書として取り扱われます。
受取書、領収書（ハンディ端末機により作成するもの）	銀行の渉外担当者が、顧客から預金として金銭を受領した際に、携帯用（ハンディ）端末機により作成交付するもので、受領原因として単に預金の種類のみ	○ 第17号の２文書（売上代金以外の金銭の受取書） ○印紙税額は200円	預金の種類のほか、口座番号、利率等、寄託契約に係る事項を併せて記載したものや「預り証」「入金取次票」等と称する文書で、金銭を保管する目的で受領するものであることが明らかなものは、第14号文書（金銭の寄

文書名	文書の内容	印紙税法の取扱い	留意事項
	記載する受取書		託に関する契約書）に該当します。
売上報告書	店舗の貸主（百貨店等）が、テナントから売上金を添えてその日の売上高の報告を受けたものに受領印を押印してテナントに返却する報告書	○第17号の２文書（売上代金以外の金銭の受取書） ○印紙税額は200円	この文書は、預り金として金銭を受け取った際に、その受領事実を証明して返却するものですから、第17号の２文書に該当します。
NPO法人が作成する受取書、領収書	特定非営利活動法人（いわゆるNPO法人）が作成する金銭又は有価証券の受取書	非課税文書	NPO法人は、営利を目的とせず、利益金又は余剰金の配当又は分配を行わないので、営業者に該当しませんから、非課税文書として取り扱われます。
外務員が出先で作成する国庫金の領収書、預り書	金融機関の外務員が出先で国庫金を領収した際に、国庫金の種類を記載して交付する「日本銀行歳入代理店」と印刷した領収書（又は預り書）	非課税文書	
課税所得控除月払保険料払込証明書	所得税法施行令第262条第１項第５号（確定申告書に関する書類の提出又は提示）に規定する書類として保険会社名義で保険契約者に対し、保険料を領収した事実を証明する文書	不課税文書	この文書は、その作成目的が、税務署に対して保険料を領収した事実を証明する文書と認められますから、第17号の２文書（売上代金以外の金銭の受取書）に該当しないものとして取り扱われます。
株式名義書換取次票	株式の名義書換えの取次依頼を受けた証券会社等が株券の預り事実等を記載して作成し依頼人に交付する取次票	○第17号の２文書（売上代金以外の有価証券の受取書） ○印紙税額は200円	
鑑定対象物件の預	金融機関が、来店の顧客から、破損により使	不課税文書	紙幣又は貨幣として流通し得る金銭であるかどうかを確認する

文書名	文書の内容	印紙税法の取扱い	留意事項
り証	用が困難なものや偽造等の疑いがある紙幣又は貨幣の鑑定を行う場合に交付する預り証で、鑑定対象物件として預かることを記載した文書		ために鑑定を行うものであり、鑑定を行うための単なる対象物件に過ぎませんから、「金銭」には該当しません。
供託物の受取書	国税の納期限延長のために供託していた有価証券の返還を受けたことを証することについての受取書	非課税文書	この文書は、租税の担保として提供した有価証券の返還を受けた際に作成されるものですが、非課税文書として取り扱われます。
現金自動預金機から打ち出される金銭信託の内容を記録した書面	信託銀行が、預金取引及び金銭信託取引に際して同一の現金自動預金機を利用できることとしている場合に、信託取引（預入れ）に際して同機から打ち出される紙片	○第17号の２文書（売上代金以外の金銭の受取書） ○印紙税額は200円	この文書は、金銭の受取事実を証明するものですから、第17号の２文書に該当します。 なお、信託契約は、法定事項を記載した信託契約書又は信託証書を作成することによって成立する要式行為とされていますから、信託業法に基づく信託契約書又は信託証書のいずれにも当たらず、第12号文書（信託行為に関する契約書）には該当しません。
健康保険料の受取書、領収書	健康保険組合から収納委託を受けた金融機関が作成する健康保険料の受取書	非課税文書	健康保険に関する書類には印紙税は課税されませんから、文書上健康保険料の受取であることが明らかなものは、非課税文書となります。
工事費負担金の受取書	工事費負担金契約書に基づき工事費負担金を受領した場合に作成する受取書	○第17号の２文書（売上代金以外の金銭又は有価証券の受取書） ○印紙税額は200円	工事費負担金は、一般に単なる負担金であって、資産を譲渡することによる対価はもとより、役務を提供することによる対価にも該当しませんから、売上代金の受取書には該当しません。
災害義えん金の受	新聞社、放送局等が作成する災害義えん金(10	非課税文書	この文書は、金銭の受領事実を証するための文書ですが、非課

文書名	文書の内容	印紙税法の取扱い	留意事項
取書、領収書	万円）の受取書		税文書として取り扱われます。
債権債務相殺通知書	債権と債務とを相殺したことについての通知書	不課税文書	この文書は、金銭の受領事実を証明するためのものではないので、第17号文書（金銭又は有価証券の受取書）には該当しません。
残余財産分配金領収証	株式会社の清算事務の一過程における残余財産の分配金（10万円）の領収書	○第17号の２文書（売上代金以外の金銭又は有価証券の受取書） ○印紙税額は200円	株主の作成する領収書のうち、営業に関しないものは、非課税となります。
敷金の受取書、領収証	賃貸人が発行する敷金（10万円）の受取書	○第17号の２文書（売上代金以外の金銭又は有価証券の受取書） ○印紙税額は200円	敷金は家賃債権を担保するために預るものであり、賃借人のために保管するものではないので、第14号文書（金銭の寄託に関する契約書）には該当しません。
自動車重量税等の預り証	自動車整備工場が自動車重量税及び自賠責保険料（７万円）を顧客から預ったときに交付する預り証	○第17号の２文書（売上代金以外の金銭又は有価証券の受取書） ○印紙税額は200円	
集金入金票	金融機関の得意先係が顧客から預金として金銭を受け入れた際に顧客に交付する文書で、受領原因として単に預金の種類のみが記載されている文書	○第17号の２文書（売上代金以外の金銭の受取書） ○印紙税額は200円	預金の入金の際に作成される文書で、次の①又は②に該当するものは第14号文書（金銭の寄託に関する契約書）に該当します。 ①　預り証、預金取次票など金銭の寄託を証明する目的で作成されると認められる名称を用いており、かつ、預金としての金銭を受領したことが文書上明らかなもの ②　受取書、受領証等の名称が付されているが、受託文言、口座番号、預金期間等、寄託契約の成立に結び付く事項が記載されているもの

文書名	文書の内容	印紙税法の取扱い	留意事項
拾得物件受付書	遺失物法第14条（書面の交付）の規定により、遺失物の拾得者に対し、その拾得者から請求があったときに交付する受付書（拾得物件は一万円札５枚）	非課税文書	この文書は、施設占有者の立場で法令の規定に基づき交付するもので、事業のためにする行為として交付するものではありませんから、営業に関しない受取書に該当します。
消化仕入れに係る売上代金の入金を証する文書	百貨店等が、消化仕入れに係る商品の販売について、納入業者に１日分の売上代金をまとめて経理部のレジに入金させている場合に、その入金額等を記載して納入業者に交付するレシート等（商品については、顧客に販売したときに百貨店等が納入業者から仕入れて販売したものとし、その売上代金は百貨店等のものとすることが基本契約書上明らかにされているもの）	不課税文書	この文書は、金額の受領事実を証するものですが、当該売上代金が当初から百貨店等のものであり、同一法人内において事務の整理上作成される文書と認められますから、いわゆる出店者（テナント）の売上代金を預かる際に作成する受取書とは異なり、課税文書には該当しません。
商品券の販売代金の受取書、領収書	商品券を発行して金銭を受領した場合に交付する受取書	○第17号の２文書（売上代金以外の金銭の受取書） ○印紙税額は200円	商品券の発行（原始発行）に係る金銭の受取書は、その受取書の記載事項によりその旨が明らかにされているものに限り、第17号の２文書に該当します。なお、委託販売等、他人の発行に係る商品券を自己の名義で販売した際に作成する受取書は、委託販売方式、仕入販売方式を問わず、第17号の１文書（売上代金に係る金銭又は有価証券の受取書）に該当します。
水道料金等の公金の受取書、	地方公共団体から水道料金等の公金の収納事務の委託を受けた者が、	非課税文書	地方公共団体から交付を受けた指定印又は指定金融機関等の肩書の表示のない受取書であって

文書名	文書の内容	印紙税法の取扱い	留意事項
領収書	当該水道料金等を受け取った際に発行する受取書		も、文書上公金の受取書であることが明らかなものについては、公金の取扱いに関する文書（非課税文書）として取り扱っても差し支えありません。
総合振込受取書、領収書	金融機関が顧客から総合振込みのための資金を受領した際に、その事実を証するため顧客に交付する受取書	○第17号の２文書（売上代金以外の金銭又は有価証券の受取書） ○印紙税額は200円	
喪失送金小切手の紛失に伴う念書	小切手を紛失した者が、銀行から預金の払戻しを受ける際に作成するもので、預金の払戻しを受けたこと、その払戻しに関しては銀行に一切迷惑を掛けないことを証明する念書	○第17号の２文書（売上代金以外の金銭又は有価証券の受取書） ○印紙税額は200円	この文書は、預金の払戻しを受けたこと、すなわち、金銭等の受領事実を証明していますから、第17号の２文書に該当します。 なお、受取人が営業者でない場合は非課税です。
喪失通帳元利金請求念書	預金通帳を紛失した者が、銀行から預金の払戻しを受ける際に作成するもので、預金の払戻しを受けたこと及びその払戻しに関しては銀行に一切迷惑を掛けないことを証明する念書	○第17号の２文書（売上代金以外の金銭又は有価証券の受取書） ○印紙税額は200円	この文書は、預金の払戻しを受けたこと、すなわち、金銭等の受領事実を証明していますから、第17号の２文書に該当します。 なお、受取人が営業者でない場合は非課税です。
租税過誤納金及び還付加算金の受取書、領収証	租税過誤納金及び還付加算金の受取書	非課税文書	この文書は、金銭の受領事実を証するための文書ですが、非課税文書として取り扱われます。
代金取立手形預り証	手形代金取立ての依頼を受けた金融機関が、依頼を受けた取立手形の預り事実を記載して、	○第17号の２文書（売上代金以外の有価証券の受取書）	

文書名	文書の内容	印紙税法の取扱い	留意事項
	依頼者に交付する預り書	○印紙税額は200円	
代理納付のための税相当額の受取書、領収書	他人の事務の委託を受けた者が、委託者が納付すべき租税を代わって納付するために委託者から租税相当額を受け取る場合に交付する受取書	○第17号の２文書（売上代金以外の金銭又は有価証券の受取書） ○印紙税額は200円	対価性のないものですから、第17号の１文書（売上代金に係る金銭又は有価証券の受取書）には該当しません。
貯金袋受取証	農協等が貯金者から、貯金等の種類、貯金者名及び金額を記入した現金袋を受け取ったときに、その現金袋の受取証として発行する受取証（出資者以外の者に対して交付するもの）	○第17号の２文書（売上代金以外の金銭の受取書） ○印紙税額は200円	この文書は、貯金袋の受取事実を証するために作成されるものですが、「お預入額」として、現金袋に封入してある金額が具体的に記載されていますので、金銭受領の証拠証書となり第17号の２文書に該当します。 なお、「お預入額」及び「金額」欄がなく、単なる貯金袋の受取書であれば物品の受取書となり、課税文書には該当しません。
定期積金の受取書	定期積金の受取書	不課税文書	積金の受取書は課税しないこととして取り扱われています。
手形到着報告書	代金取立手形が到着した場合に、被仕向銀行が仕向銀行にその旨を報告するため作成する報告書	不課税文書	手形を受領した旨の記載があるものは第17号の２文書（売上代金以外の有価証券の受取書）に該当します。
手形の割引依頼書（控）（金融機関の受領印のあるもの）	手形を添えて、その割引を金融機関に依頼した際に、依頼者の控えとして作成されたもので、金融機関が受領印を押印した文書	○第17号の２文書（売上代金以外の有価証券の受取書） ○印紙税額は200円	この文書は、金融機関が依頼者から預かった割引手形の受領事実を証明するものですから、第17号の２文書に該当します。
電信送金領収書	電信送金の依頼を受けた金融機関が依頼者に	○第17号の２文書（売上代金以外の	為替取引における送金資金の受取書は、施行令第28条第２項の

文書名	文書の内容	印紙税法の取扱い	留意事項
	交付する送金資金（50万円）の領収書	金銭又は有価証券の受取書） ○印紙税額は200円	規定により、売上代金の受取書には該当しません。
特別徴収義務者交付金の受取書、領収書	特別地方消費税及び軽油引取税等の特別徴収義務者に対して交付される特別徴収義務者交付金の受取書（記載金額は５万円）	○第17号の２文書（売上代金以外の金銭の受取書） ○印紙税額は200円	この文書は、営業に関して作成されるものですから、非課税文書にはなりません。
トラベラーズチェックの受取書	トラベラーズチェック（旅行小切手）を受け取った際に作成する受取書（記載金額は10万円）	○第17号の２文書（売上代金以外の有価証券の受取書） ○印紙税額は200円	トラベラーズチェックは、海外旅行者の利便のために為替銀行が発行する自行払い小切手ですから、有価証券に該当します。
取組電信送金領収証	電信為替の取組銀行が送金依頼人から送金資金を受け取った時に、その受領事実を証するために作成して、送金依頼人に交付する領収証	○第17号の２文書（売上代金以外の金銭又は有価証券の受取書） ○印紙税額は200円	取組電信送金の領収証は、施行令第28条（売上代金に該当しない対価の範囲等）第３項に規定する「銀行その他の金融機関が作成する為替取引における送金資金の受取書」に該当するものであり、送金資金の性質にかかわらず、売上代金以外の受取書とされます。
入金受取書	金銭又は有価証券を銀行の顧客の預金口座に振り込む際に、銀行が振込人に対して交付する受取書（金額は10万円）	○第17号の２文書（売上代金以外の金銭又は有価証券の受取書） ○印紙税額は200円	
入金通知書	銀行が被振込人に対して、預金口座に振込みがあったことを通知する文書	不課税文書	被振込人あての通知書であっても、振込人に対して交付するものは第17号の２文書（売上代金以外の金銭の受取書）に該当します。
物品受領書	倉庫に寄託していた商品の受取書	不課税文書	この文書は、物品の受取書ですから、課税文書には該当しません。

文書名	文書の内容	印紙税法の取扱い	留意事項
船荷証券の受取書、領収書	通関業者が船会社等から船荷証券を受領した際に作成する受取書	○第17号の２文書（売上代金以外の有価証券の受取書） ○印紙税額は200円	船荷証券は有価証券ですから、記載金額のない第17号の２文書に該当します。
振込金受取書	預金口座への振込依頼を受けた金融機関が依頼者に交付する振込金（150万円）の受取書	○第17号の２文書（売上代金以外の金銭又は有価証券の受取書） ○印紙税額は200円	金融機関が作成する預貯金口座への振込金の受取書は、「銀行その他の金融機関が作成する為替取引における送金資金の受取書」に該当するものであり、送金資金の性質にかかわらず、売上代金以外の受取書とされます。
振込金受取書（消費税及び地方消費税の金額を含むもの）	預金口座への振込依頼を受けた金融機関が依頼者に交付する振込金（52,800円）の受取書で、商品代（48,000円）と消費税及び地方消費税（10％）の金額（4,800円）とが区分記載されている文書	○第17号の２文書（売上代金以外の金銭又は有価証券の受取書） ○印紙税額は200円	受取金額が５万円未満の判定に当たっては、金融機関が振込金として受け取る金額は消費税及び地方消費税（10％）の金額を含んだものであり、消費税及び地方消費税（10％）の金額を区分記載していたとしても、消費税及び地方消費税（10％）の金額を含めた金額で判断します。
不渡手形の受取書、領収書	銀行から不渡手形を受け取るため商事会社が作成する不渡手形の受取書	○第17号の２文書（売上代金以外の有価証券の受取書） ○印紙税額は200円	不渡手形も有価証券ですから、その受取書は第17号の２文書に該当します。
弁済証書	商事会社が消費貸借の弁済金額（元本80万円）の受領事実を証する文書	○第17号の２文書（売上代金以外の金銭又は有価証券の受取書） ○印紙税額は200円	
返品商品受取書	返品された商品の受取書	不課税文書	この文書は、物品の受取書ですから、課税文書には該当しません。
返戻手形受取書	返戻手形の受取書	○第17号の２文書（売上代金以外の	返戻手形は売上代金として受け取るものではないので、その旨

文書名	文書の内容	印紙税法の取扱い	留意事項
		有価証券の受取書） ○印紙税額は200円	が記載されているものは、第17号の２文書に該当します。
保管金の受取書、領収書	国又は地方公共団体に差し入れていた入札保証金等の返還金の受取書	○第17号の２文書（売上代金以外の金銭の受取書） ○印紙税額は200円	保管金の払渡金の受取書であっても、法第５条各号に掲げる文書以外のものは課税文書となります。
保険料の受取書、領収書	相互保険会社が保険契約者に交付する保険料の受取書（記載金額は10万円）	○第17号の２文書（売上代金以外の金銭又は有価証券の受取書） ○印紙税額は200円	相互保険会社は、保険契約者を社員と称していますが、保険契約者は、資本取引による出資者ではありませんから、この受取書は、営業に関するものに該当します。
保険料振替済のお知らせ（保険会社が作成するもの）	保険料（７万円）を保険契約者の預金口座から振り替えた場合、その旨を保険契約者に通知する文書	○第17号の２文書（売上代金以外の金銭の受取書） ○印紙税額は200円	保険会社が作成するものは、口座振替の方法により保険料を受け取ったことを証明する文書ですから、第17号の２文書に該当します。
保険料振替済のお知らせ（保険会社から保険料収納業務の委託を受けた金融機関が作成するもの）	保険料を保険契約者の預金口座から振り替えた場合、その旨を保険契約者に通知する文書	不課税文書	受託金融機関が作成するものは、金銭の受取事実を証明するものではなく、委託に基づく事務処理の結果を通知するものですから、課税文書には該当しません。
保険料預金口座振替のご案内	保険契約締結後、保険会社が保険契約者に対し、契約済の預金口座振替に係る指定口座や口座番号、毎月の振替	不課税文書	この文書は、保険料の支払方法等についての確認文書ですから、課税文書には該当しません。

文書名	文書の内容	印紙税法の取扱い	留意事項
	予定日等について通知する文書		
名義書換受付票	信託銀行の名義書換代理人が株式の取得者からその名義書換えの請求を受けた時に作成する受付票で、名義書換えの請求があった株券の受領事実を証する記載のある受取票	○第17号の２文書（売上代金以外の有価証券の受取書） ○印紙税額は200円	株券の受領事実を証する記載が全くなく、単に整理の目的で発行されると認められる様式の受付票については、不課税文書となります。
利益分配金受取書、領収書	共同企業体の構成員が、利益分配金（200万円）を受領する際に発行する受取書	○第17号の２文書（売上代金以外の金銭又は有価証券の受取書） ○印紙税額は200円	
割戻金（リベート）の受取書、領収書	仕入先等から割戻金を受領した際に作成する受取書	○第17号の２文書（売上代金以外の金銭又は有価証券の受取書） ○印紙税額は200円	割戻金の受取書、領収書等は、第17号の２文書となります。

課税物件表による第18号文書の取扱い

番号	課税物件		非課税物件
	物件名	定義	
18	預貯金通帳、信託行為に関する通帳、銀行若しくは無尽会社の作成する掛金通帳、生命保険会社の作成する保険料通帳又は生命共済の掛金通帳	○　生命共済の掛金通帳とは、農業協同組合その他の法人が生命共済に係る契約に関し作成する掛金通帳で、政令で定めるものをいう。	1　信用金庫その他政令で定める金融機関の作成する預貯金通帳 2　所得税法第９条第１項第２号（非課税所得）に規定する預貯金に係る預貯金通帳その他政令で定める普通預金通帳

50音順による第18号文書例

文書名	文書の内容	印紙税法の取扱い	留意事項
掛金払込通帳	銀行の相互掛金契約に基づく掛金払込通帳	○第18号文書（銀行の作成する掛金通帳） ○印紙税額は１年ごとに200円	
貸付信託通帳	貸付信託の通帳（貸付信託受益証券等の預り事実を付け込むものではない）	○第18号文書（信託行為に関する通帳） ○印紙税額は１年ごとに200円	
金銭信託証書兼通帳	金銭信託契約についての証書と通帳とが１冊となっているもの	○第18号文書（信託行為に関する通帳） ○印紙税額は１年ごとに200円	この文書は、第12号文書（信託行為に関する契約書）と第18号文書に該当し、証書の部分の作成と通帳部分への最初の付け込みが同時に行われるものは、通則３ニの規定により第18号文書となります。

文 書 名	文 書 の 内 容	印紙税法の取扱い	留 意 事 項
勤務先預金通帳	会社等が労働基準法第18条第４項の規定により、従業員から受け入れる預金に係る通帳	○第18号文書（預貯金通帳） ○印紙税額は１年ごとに200円	
現金自動預金機専用通帳	金融機関に備え付けた現金自動預金機の利用登録をした者に交付するルーズリーフ式で、利用の都度打ち出される追加ページを利用者が、最初に交付を受けた表紙に順次とじ込んでいく通帳	○第18号文書（預貯金通帳） ○印紙税額は１年ごとに200円	個々の追加ページは第14号文書（金銭の寄託に関する契約書）としては取り扱われません。
自動継続定期預金通帳	自動継続定期預金の通帳	○第18号文書（預貯金通帳） ○印紙税額は１年ごとに200円	
総合口座通帳	普通預金、定期預金及び当座貸越の内容を付込証明するための通帳	○第18号文書（預貯金通帳） ○印紙税額は１年ごとに200円	全体が１冊の預金通帳（複合預金通帳）です。一括納付（法第12条）の方法による場合の口座数の計算は、一の総合口座通帳について、その通帳に付け込まれる普通預金及び定期預金の口座が①統括して管理されているときはこれを１口座とし②統括して管理されていないときは、その通帳を構成する各別の口座数により行います。
貯蓄預金通帳	貯蓄預金の通帳	○第18号文書（預貯金通帳） ○印紙税額は１年ごとに200円	
通知預金通帳	通知預金の通帳	○第18号文書（預貯金通帳） ○印紙税額は１年ごとに200円	

文書名	文書の内容	印紙税法の取扱い	留意事項
月払保険料通帳	生命保険の保険料の通帳	○第18号文書（生命保険会社の作成する保険料通帳） ○印紙税額は１年ごとに200円	
積金通帳	積金についての通帳	不課税文書	積金は預金ではないので、第18号文書（預貯金通帳、掛金通帳）には該当しません。また、積金であることを明示しているものは、第19号文書（第17号文書の課税事項を付込証明するための通帳）にも該当しません。
積立定期預金通帳	積立定期預金の通帳	○第18号文書（預貯金通帳） ○印紙税額は１年ごとに200円	
定期預金通帳	定期預金の通帳	○第18号文書（預貯金通帳） ○印紙税額は１年ごとに200円	
電子通帳	光媒体に預金の入出金事実を記録できるキャッシュカードサイズの電子通帳	○第18号文書（預貯金通帳） ○印紙税額は200円	印紙税法上の文書とは、紙片・帳簿その他これと類似するものに文字又は符号等により一定の事項を表現したもので、その素材、硬柔等は問わないこととされ、また、見読できないような磁気情報や光情報による記録事項も文書上に一定の表現があるものとしています。したがって、電子通帳は、印紙税法上の文書に該当し、入出金事実が記録されたものは第18号文書に該当します。
当座勘定入金帳	当座預金への入金事実のみを付け込む通帳	○第18号文書（預貯金通帳） ○印紙税額は１年ごとに200円	当座勘定入金帳（付込時に当座預金勘定への入金となる旨が明らかにされている集金用の当座勘定入金帳を含みます）は、一

文書名	文書の内容	印紙税法の取扱い	留意事項
			括納付（法第12条）をすることのできる預貯金通帳に該当します。
当座勘定入金帳（外貨預金専用）	当座預金（特定の外貨取引専用）とするために外貨等を受け取った際にその入金事実を付け込む通帳	○第18号文書（預貯金通帳） ○印紙税額は200円	この文書は、当座預金への入金事実を連続的に証明する目的で作成されるものですから、第18号文書に該当します。 なお、外貨又は外国為替手形等であっても金銭又は有価証券であることには変わりありません。
当座預金通帳	当座預金の受入れ・払出しの事実を連続的に付け込む通帳	○第18号文書（預貯金通帳） ○印紙税額は１年ごとに200円	
日掛記入帳	銀行の日掛けによる掛金の払込事実を証明するための通帳	○第18号文書（銀行の作成する掛金通帳） ○印紙税額は１年ごとに200円	
複合預金通帳	性格の異なる２以上の預貯金に関する事項を併せて付け込み証明する通帳	○第18号文書（預貯金通帳） ○印紙税額は１年ごとに200円	現実に２以上の預貯金に関する事項が付け込まれているかどうかは問いません。
普通預金記入メモ綴	銀行が、カード預金規定に基づく普通預金をする預金者に対して、通常の製本通帳に代えて交付する紙片のつづり	○第18号文書（預貯金通帳） ○印紙税額は１年ごとに200円	個々の預金出入れの時に交付される普通預金記入メモには一連番号が付されており、普通預金記入メモ綴に連続してつづり込むことを前提としていることから、各メモは普通預金記入メモ綴の一部をなすものとして、これをつづり込んだ普通預金記入メモつづり全体が預貯金通帳として取り扱われます。
普通預金通帳	普通預金の通帳	○第18号文書（預貯金通帳） ○印紙税額は１年ごとに200円	

文書名	文書の内容	印紙税法の取扱い	留意事項
普通預金取引記録票	無通帳方式により取引することを定めた普通預金約定に基づき、預金者からの預金の受入れ及び払出しの事実を連続的に記入して預金者に交付する紙片で、あらかじめ交付されている専用のつづり込み用表紙につづり込まれる文書	○この紙片がつづり込まれた全体が1冊の第18号文書（預貯金通帳） ○印紙税額は1年ごとに200円	この文書は、各片ごとに交付されるが、連続してつづり込まれることを前提としていることから、全体が1冊の預貯金通帳として取り扱われます。
保険証券兼保険料通帳	生命保険証券とその保険料通帳とが一の文書となっている文書	○第18号文書（生命保険会社の作成する保険料通帳） ○印紙税額は1年ごとに200円	保険証券の部分は第10号文書（保険証券）に、保険料通帳の部分は第18号文書に該当しますが、保険証券の部分の作成と保険料通帳の部分の作成（最初の付け込み）とが同時に行われる場合は、通則３ニの規定により第18号文書となります。
無尽掛金通帳	無尽業法に規定する営業無尽を行う無尽会社が無尽掛金契約者（掛金者）から払込みを受ける掛金の受領事実を連続的に付け込んで証明する目的で作成する通帳	○第18号文書（無尽会社の作成する掛金通帳） ○印紙税額は1年ごとに200円	
割引金積立帳	清酒製造会社が自家製品の販売店に対する謝恩の意味で売上高に応じて一定の割引を行い、その割引金積立ての証として交付する文書	不課税文書	この文書は、清酒製造会社に対する販売店の債権金額の明細帳であって、寄託等の事実を証明するものではないので、課税文書には該当しません。

課税物件表による第19号文書の取扱い

番号	課税物件		非課税物件
	物件名	定義	
19	第１号、第２号、第14号又は第17号に掲げる文書により証されるべき事項を付け込んで証明する目的をもって作成する通帳（前号に掲げる通帳を除く。）		

50音順による第19号文書例

文書名	文書の内容	印紙税法の取扱い	留意事項
請負通帳	発注会社が、受注会社との間の請負契約の成立を継続又は連続して付込証明するための通帳	○第19号文書（第２号文書の課税事項を付込証明するための通帳） ○印紙税額は１年ごとに400円	
カードローン通帳	カードローン契約における融資とその返済事実を連続的に付込証明する通帳	○第19号文書（第17号文書の課税事項を付込証明するための通帳） ○印紙税額は１年ごとに400円	
会費入金票綴	百貨店友の会の会費の入金事実を連続的に付込証明する文書	○第19号文書（第17号文書の課税事項を付込証明するための通帳） ○印紙税額は１年ごとに400円	

文書名	文書の内容	印紙税法の取扱い	留意事項
貸付金の払込通帳	貸付金の返済金及び利息の受領事実を付込証明するための通帳	○第19号文書（第17号文書の課税事項を付込証明するための通帳） ○印紙税額は１年ごとに400円	利息の受取金額が100万円を超える付込みを行う場合には、新たに第17号の１文書（売上代金に係る金銭の受取書）を作成したものとみなされます。
貸付金利息入金カード	貸付けの返済金とその利息の受領事実を連続して付込証明するカード	○第19号文書（第17号文書の課税事項を付込証明するための通帳） ○印紙税額は１年ごとに400円	外形上、１枚のカードであっても継続又は連続して一定事項を付込証明する目的で作成するものは、通帳に該当します。
クレジット代金支払通帳	金融機関がクレジット代金の受領事実を連続的に付込証明する通帳	○第19号文書（第17号文書の課税事項を付込証明するための通帳） ○印紙税額は１年ごとに400円	
月謝袋	生徒等が月謝納入の際使用し、学校等が領収印を押して返却する袋	非課税文書	私立学校、各種学校、学習塾等が、授業料等の納入を受けた際、その受取事実を月謝袋、学生証、授業料納入袋等に連続して付け込んで証明しているものは、課税されません。
月賦販売代金領収帳	割賦販売業者が、割賦販売に係る毎月の支払金の受領事実を付込証明するために購入者に交付しておく通帳	○第19号文書（第17号文書の課税事項を付込証明するための通帳） ○印紙税額は１年ごとに400円	
購入資材検収帳	納入された資材のうち検査合格品の受領事実を連続的に付込証明する通帳	不課税文書	
集金カード	従業員が出張先において物品販売代金を受領	不課税文書	

文 書 名	文 書 の 内 容	印紙税法の取扱い	留 意 事 項
	した際に、その事実を付け込み、これに得意先の確認印を受けて会社に報告するカード		
証書貸付元利金返済払込通帳	金融機関から証書貸付を受けた債務者が毎月の元利返済金を金融機関に返済する時に、その返済のあったことを連続して証明するための通帳	○第19号文書（第17号文書の課税事項を付込証明するための通帳） ○印紙税額は１年ごとに400円	利息の受取金額が100万円を超える付込みを行う場合には、新たに第17号の１文書（売上代金に係る金銭の受取書）を作成したものとみなされます。
信託総合通帳	普通預金に関する事項と信託の受益証券の寄託に関する事項を併せて付け込んで証明するための通帳	○第19号文書（第14号文書の課税事項を付込証明するための通帳） ○印紙税額は１年ごとに400円	全体が１冊の通帳（複合寄託通帳）に該当します。なお、複合寄託通帳は、一括納付(法第12条)の方法により、印紙税を納付することができます。 なお、一括納付の場合の口座数の計算については、寄託に関する口座と預金に関する口座とが①統括して管理されているときはこれを１口座とし、②統括して管理されていないときは、その通帳を構成する各別の口座数により行います。
洗濯物預り通帳	洗濯物の預り及び納入の事実を付込証明するための通帳	○第19号文書（第２号文書の課税事項を付込証明するための通帳） ○印紙税額は１年ごとに400円	対価を得て洗濯することを内容とする契約は請負契約です。
代金取立手形預り通帳	代金取立手形の預り事実を付込証明するための通帳	○第19号文書（第17号文書の課税事項を付込証明するための通帳） ○印紙税額は１年ごとに400円	

文書名	文書の内容	印紙税法の取扱い	留意事項
担保預り証	担保を預った事実と、後日の担保の変更事実を通帳形式で記載する証書	○担保品が金銭又は有価証券の場合は第19号文書（第17号文書の課税事項を付込証明するための通帳） ○印紙税額は１年ごとに400円	担保の変更事実を付け込む通帳は不課税文書です。
担保差入通帳	担保品の差し入れ事実等を付込証明するための通帳	○担保品が金銭又は有価証券の場合は第19号文書（第17号文書の課税事項を付込証明するための通帳） ○印紙税額は１年ごとに400円	
担保品受渡通帳	銀行が債務者から担保として株券、社債券等を継続的に提供させるに当たり、担保品の受入れ及び払出しの事実を連続して付込証明するために発行する通帳	○第19号文書（第17号文書の課税事項を付込証明するための通帳） ○印紙税額は１年ごとに400円	担保品が預金証書等の債権証書に限られる場合は、不課税文書となります。
地代の領収通帳	地代の領収事実を付込証明するための通帳	○第19号文書（第17号文書の課税事項を付込証明するための通帳） ○印紙税額は１年ごとに400円	地代は売上代金に該当します。なお、100万円を超える家賃の受領事実を付け込んだ場合には、その部分について第17号の１文書（売上代金に係る金銭の受取書）の作成があったものとみなされます。
通帳（かよい帳）	得意先に対する商品の売上事実とその代金の受領事実を付込証明するための通帳	○第19号文書（第17号文書の課税事項を付込証明するための通帳） ○印紙税額は１年ごとに400円	100万円を超える売上代金の受領事実を付け込んだ場合には、その部分について第17号の１文書（売上代金に係る金銭又は有価証券の受取書）の作成があったものとみなされます。したがって、収入印紙は、付込者（代金の受取人）が一般の領収証を

文書名	文書の内容	印紙税法の取扱い	留意事項
			発行するのと同様に、所定の印紙を別にはらなければなりません。
通帳（消費税及び地方消費税の金額が区分記載されたもの）	得意先からの売上代金の受領事実を付込証明する通帳で、１回の受領金額1,650,000円（商品代金1,500,000円と消費税及び地方消費税（10％）の金額150,000円とが区分記載してある）を付け込んだ文書	○1,650,000円の受領事実を付け込んだ部分は第17号の１文書（売上代金に係る金銭又は有価証券の受取書） ○印紙税額は400円 ○全体は第19号文書（第17号文書の課税事項を付込証明するための通帳） ○印紙税額は１年ごとに400円	通帳に100万円を超える売上代金の受領事実を付け込んだ場合は、その部分については第17号の１文書の作成があったものとみなされますが、その100万円を超えるかどうかの判定に当たっては、消費税及び地方消費税（10％）の金額が区分記載されているときは、消費税及び地方消費税（10％）の金額を含めない金額で判定します。したがって、事例の場合の記載金額は、消費税及び地方消費税（10％）の金額が区分記載されているので、消費税及び地方消費税（10％）の金額を含まない金額（1,500,000円）となります。
月掛特約・共済掛金領収書綴	農協の共済掛金の受取書がとじ込まれ、かつ切り離すことが予定されていないつづり帳	○第19号文書（第17号文書の課税事項を付込証明するための通帳） ○印紙税額は１年ごとに400円	
友の会会員証	映画友の会の会員証の裏面に会費の入金の事実を連続的に付込証明する文書	○第19号文書（第17号文書の課税事項を付込証明するための通帳） ○印紙税額は１年ごとに400円	
友の会通帳	友の会の会費の領収事実を付け込む通帳	○第19号文書（第17号文書の課税事項を付込証明するための通帳） ○印紙税額は１年ごとに400円	

文書名	文書の内容	印紙税法の取扱い	留意事項
入金取次帳	入金取次票、同控、入金票のセット数10部を1冊にとじ合わせ、表紙を付したものをあらかじめ得意先に交付しておき、金融機関担当者が預金入金の都度、複写の方法により作成し、入金取次票の所定箇所に押印して得意先に返還し、通帳として使用する文書	○第19号文書（第17号文書の課税事項を付込証明するための通帳） ○印紙税額は1年ごとに400円	
納品引渡簿	販売物品の引渡しの事実を連続的に付込証明する帳簿	不課税文書	
複合寄託通帳	預貯金に関する事項及び有価証券の寄託に関する事項を併せて付込証明する通帳	○第19号文書（第14号文書の課税事項を付込証明するための通帳） ○印紙税額は1年ごとに400円	具体的には、信託銀行において普通預金に関する事項及び貸付信託の受益証券の保護預りに関する事項を併せて付け込んで証明する目的をもって作成する、いわゆる信託総合口座通帳がこれに該当します。
普通預金入金帳	金融機関の外務員が普通預金として金銭等を受領した際に、その受入事実を連続的に付け込むこととしている通帳	○第19号文書（第14号文書の課税事項を付込証明するための通帳） ○印紙税額は1年ごとに400円	預貯金通帳とは、預貯金者との間における継続的な預貯金の受払等を継続的に付け込んで証明する目的で作成されるものをいいます。したがって、預金の受入事実のみを付け込むものは、第18号文書（預貯金通帳）には該当せず、第19号文書となります。
普通預金入金票綴	あらかじめ取引先に交付しておき、訪問による集金時に1枚目の収納伝票を切り取り、2枚目の入金票控に領収印を押印の上、取引先に置いておくつづり込み式の通帳	○第19号文書（第17号文書の課税事項を付込証明するための通帳） ○印紙税額は1年ごとに400円	この文書は、預金契約の成立の事実を証明するものではなく、また、預入れと払出しの事実を連続的に記載証明するための通帳ではないですから、第18号文書（預貯金通帳）には該当しません。

文書名	文書の内容	印紙税法の取扱い	留意事項
保証金預り通帳	取引先に支払うべきリベートを取引先の保証金として所定の期日まで預かることとしている場合において、リベートの支払原因が生じた都度、その預かり事実を連続して付け込む通帳	不課税文書	この文書は、リベートを保証金に振り替えて預かるという事実を証明するものであり、実際に金銭の授受が伴わないものですから、第19号文書（第17号文書の課　税事項を付込証明するための通帳）には該当しません。なお、保証金としての預かりは、相手方のために預かるものではありませんから、金銭の寄託に関する事項には該当しません。
家賃領収通帳	アパート等の賃貸建物の所有者がその賃借人から一定期間ごとに家賃の支払を受ける場合にその受領事実を連続的に付込証明する通帳	○第19号文書（第17号文書の課税事項を付込証明するための通帳） ○印紙税額は１年ごとに400円	100万円を超える家賃の受領事実を付け込んだ場合には、その部分について第17号の１文書（売上代金に係る金銭又は有価証券の受取書）の作成があったものとみなされます。したがって、代金の受取人が一般の領収証を発行するのと同様に、当該付込箇所に所定の印紙を別に貼付する必要があります。
容器受払簿	容器の受払いを連続的に付込証明する帳簿	不課税文書	

課税物件表による第20号文書の取扱い

番号	課税物件		非課税物件
	物件名	定義	
20	判取帳	判取帳とは、第１号、第２号、第14号又は第17号に掲げる文書により証されるべき事項につき２以上の相手方から付込証明を受ける目的をもって作成する帳簿をいう。	

50音順による第20号文書例

文書名	文書の内容	印紙税法の取扱い	留意事項
株券受渡控	株券の名義書換え、併合又は分割の申込事実を記載整理するほか名義書換え、併合又は分割後の株券を申込者に返還した際、その返還した株券の受領事実を２以上の受領者から付込証明を受けるための帳簿	○第20号文書（判取帳） ○印紙税額は１年ごとに4,000円	
支払カード	数名の相手方から各々金銭の受領事実について付込証明を受ける文書	○第20号文書（判取帳） ○印紙税額は１年ごとに4,000円	
諸給与一覧表	従業員に諸給与を支払った際に、２以上の従業員からその受領事実の証明を受けるために受領印を徴する台帳	非課税文書	この文書は、２以上の者から金銭の受領事実の付込証明を受けるためのものですから、第20号文書（判取帳）に該当しますが、会社等が事務整理上作成するものですから課税されません。

文書名	文書の内容	印紙税法の取扱い	留意事項
贈答品お届明細	贈答品を買主の指定する者へ届けることの確認書	不課税文書	
団体生命保険配当金支払明細書	職場の代表者が団体生命保険の配当金を加入者に支払った際に、2以上の加入者からその受領事実の証明を受けるために受領印を徴する個人別明細書	非課税文書	この文書は、会社等が事務整理上作成するものですから、課税されません。
チットブック	通関業者に対し通関のため船荷証券等の一件書類を交付した際に相手方から受取印を徴することとしている帳簿	○第20号文書（判取帳） ○印紙税額は1年ごとに4,000円	
配当金支払帳	株式配当金の受領事実を2以上の株主から付込証明を受けるための帳簿	○第20号文書（判取帳） ○印紙税額は1年ごとに4,000円	
判取帳	2以上の取引先から売上代金の受領について付込証明を受けるための帳簿	○第20号文書（判取帳） ○印紙税額は1年ごとに4,000円	100万円を超える売上代金の受取を付込証明した場合は、その部分について第17号の1文書（売上代金に係る金銭又は有価証券の受取書）を作成したものとみなされます。したがって、収入印紙は、付込者（代金の受取人）が一般の領収証を発行するのと同様に記載金額に応じた印紙を別に貼付しなければなりません。

その他文書の取扱い

50音順による文書例

文 書 名	文 書 の 内 容	印紙税法の取扱い	留 意 事 項
意匠権の専用実施権設定契約書	意匠権の専用実施権を設定することを定めた契約書	不課税文書	意匠権は印紙税法上の無体財産権に含まれますが、譲渡を内容とするものではないので、第1号の1文書（無体財産権の譲渡に関する契約書）には該当しません。
委任状	委任状	不課税文書	
運航委託契約書	船主が、所有する船舶の運航に関する業務を包括的に第三者に委託することを定めた契約書	不課税文書	
営業賃貸借契約書	賃貸人は、賃料をもらう代わりに一定期間会社の経営支配をやめ、賃借人が自己の名義と計算で会社経営を行うことを定めた契約書	不課税文書	この文書は、営業の譲渡を内容とするものではないので、第1号の1文書（営業の譲渡に関する契約書）には該当しません。
永小作権設定契約書	永小作権を設定することを定めた契約書	不課税文書	耕作又は牧畜を行うために小作料を払って他人の土地を使用することの権利の設定は、第1号の2文書（土地の賃借権の設定に関する契約書）には該当しません。
液化石油ガス（LPガス）販売契約書	ガス事業者が、食堂に対し、継続して液化石油ガス（LPガス）を販売することを定めた契約書	不課税文書	ガスを需要者に継続して供給する契約書は、第7号文書（継続的取引の基本となる契約書）から除かれています。
駅構内売店開設に	売店開設者と鉄道会社との間で駅構内の一定	不課税文書	この文書は、施設の賃貸借又は使用貸借に関する契約書ですか

文書名	文書の内容	印紙税法の取扱い	留意事項
関する契約書	の場所に売店を開設することを定めた契約書		ら、課税文書には該当しません。
お買上票	商店が割賦販売又は信用販売の方法で商品を販売した場合に、代金の支払期日、支払方法又は物品の引渡期日を記載して交付する文書	不課税文書	現金販売において記載文言により金銭の受領事実が明らかにされているもの又は金銭登録機によるもの若しくは特に当事者間において受取書としての了解があるものは、第17号文書に該当するものとして取り扱われます。
カードローン取引照合票	金融機関（貸主）が一定期間のカードローンの取引内容を記載して顧客（借主）に交付する文書	不課税文書	この文書は、預金口座振替契約（委任契約）に基づく引落し事実（事務処理の結果）の通知文書ですから、課税文書には該当しません。
買掛金残高証明書	買掛金残高の証明書	不課税文書	この文書は、買掛債務を証する文書であって、債務保証をしたものではありませんから、第13号文書（債務の保証に関する契約書）には該当しません。
解約合意書	過去に締結した契約事実を消滅させる合意書	不課税文書	印紙税法上の契約書とは、契約当事者の間において、契約（その予約を含む）の成立、更改又は内容の変更若しくは補充の事実を証明する目的で作成される文書をいい、契約の消滅の事実を証明する目的で作成される文書は含まれません。
各筆明細	農地等の有効利用の増進を図るため市町村が農業経営基盤強化促進法（昭和55年法律第65号）に基づき、遊休農地等の所有権移転、賃貸借又は使用貸借等を計画した場合に、当該農地等の所有権者等関係者の同意を得るために作成する文書	不課税文書	この文書は、市町村が農地等の所有権移転等の計画を示し、当該農地等の関係者がその計画に同意することを意思表示するために作成するものであり、結果的には不動産の譲渡契約、賃貸借契約又は使用貸借契約を締結したのと同様の効果となりますが、それは市町村が立てた所有権移転等の計画が、農業経営基盤強化促進法に基づき効力が生ずることに伴う反射的効果であって、不動産（農地等）の譲渡契約等の成立を証明するための

文書名	文書の内容	印紙税法の取扱い	留意事項
			ものとは認められませんから、課税文書には該当しません。
貸金庫借用期限延期証	貸金庫の借用期限を延期することを定めた文書	不課税文書	
割賦購入ローン契約書	信販会社の加盟店でローンにより物品を購入した顧客が、加盟店を通して信販会社に提出する契約書で、対価及び手数料の支払方法等を定める文書	不課税文書	単に信販会社が立替払いを行うことを内容とするものは、課税文書には該当しません。
株主総会の委任状	株主総会の議決権の行使を委任する委任状	不課税文書	
株主名簿登録済証書	株券の不発行を申し出た株主に対し、株主名簿にその旨及び株数等を登録したことを証明する文書	不課税文書	
貨物寄託契約書	営業者間における継続的な貨物の寄託についての契約書で、保管料及び荷役料の支払方法についての記載がある文書	不課税文書	荷役料の支払方法についての記載があっても、その文書の記載文言からみて、貨物の寄託のほかに、これと区別して、特に荷役を委託するものとは認められない場合は、請負契約の成立事実を証明するものとはいえず、第７号文書（継続的取引の基本となる契約書）には該当しません。
機械売渡担保契約証書	借入金債務を担保するため機械の所有権を貸主に移転し、借主はその機械を賃借することを定めた契約証書	不課税文書	担保物が不動産の場合には、第１号の１文書（不動産の譲渡に関する契約書）に該当します。
議決権を代理行使することの承諾書	議決権代理行使委任状に基づいて議決権を代理行使することを承諾する文書	不課税文書	

文 書 名	文 書 の 内 容	印紙税法の取扱い	留 意 事 項
機密保持に関する確認書	機密保持等に関しての合意を行うために作成する確認書	不課税文書	この文書は、機密保持について定めていますが、印紙税法の課税事項には当たりませんから、課税文書には該当しません。
給与振込に関する協定書	事業主が従業員の給与支払事務を金融機関に委託することを定めた協定書	不課税文書	金融機関に対して従業員の給与支払事務を委託する契約は、委任契約ですから、課税されません。
協同組合設立同意書	協同組合の出資者になろうとする者が、設立発起人に対し、設立趣旨の同意と、出資の引受けを定めた文書	不課税文書	
倉荷証券担保差入証書	金融機関が倉荷証券を担保として顧客に融資する際に提出を求める差入証書で、質権を設定する場合の諸条件を定める文書	不課税文書	担保として倉荷証券を差し入れることにより倉荷証券に質権を設定する内容は、印紙税法の課税事項には当たりませんから、課税文書には該当しません。
クレジット契約書	売買に係る代金を顧客が信販会社に立替払してもらうに際し、信販会社と顧客との間で作成される契約書	不課税文書	立替払契約は、委任契約と解されます。
広告物掲出についての契約書	広告物の掲出のため、壁面等を有償で使用することを定めた契約書	不課税文書	看板・ネオンサイン等の広告物の設置を目的として有償で建物、壁面、屋上などの構築物の一部を使用させる場合や、チラシなどの広告物の掲出を目的として電車やバスの一定の場所を有償で使用させることを内容とするものは、賃貸借契約書に該当するものですから、課税文書には該当しません。 なお、単に広告場所を有償で使用させるものではなく、広告場所を利用した広告を引き受ける内容のものは、第２号文書（請負に関する契約書）に該当します。

文書名	文書の内容	印紙税法の取扱い	留意事項
耕作権放棄承諾書	補償金（500万円）を受けることにより耕作権を放棄する旨の承諾書	不課税文書	この文書は、権利の放棄（消滅）を証するものであり、課税文書には該当しません。
口座振替依頼書	自己の諸取引により生じる債務の支払いを口座振替又は口座引落しにより行うことを金融機関に委託する依頼書	不課税文書	金融機関に対して自己の債務を口座振替又は口座引落しの方法で支払うことを委託する内容は、支払事務の処理を委託するものですから、委任契約に当たり、課税文書には該当しません。
交通事故の示談書	交通事故の示談書で、物品、金銭又は有価証券により損害を賠償することを定めた文書	不課税文書	示談書は、裁判外の和解についての文書であり、契約書に該当しますが、その内容が金銭、物品又は有価証券により損害を賠償（給付）するものは、課税文書には該当しません。 なお、不動産を給付するものは、第１号の１文書（不動産の譲渡に関する契約書）に該当します。
国債先物取引口座設定約諾書	顧客と証券会社又は銀行との間で、継続する２以上の有価証券の先物取引について売買の委託をすることを定めた約諾書	不課税文書	
個人情報の取扱い等に関する覚書	個人情報の取扱いについて定めた覚書	不課税文書	この文書は、個人情報の取扱いについて定めたものですが、課税事項の記載がないことから、課税文書には該当しません。
ゴルフクラブ会員証（流通性を持たせたもの）	ゴルフクラブの会員としての資格を証する文書	不課税文書	ゴルフクラブ等が入会保証金を受け入れた場合に作成する入会保証金預り証又は会員証等と称する文書は、これが流通性を持たせたものであれば、契約に基づく権利を表彰する文書として有価証券に該当しますが、印紙税法の課税事項には当たりませんので、課税文書には該当しません。
債券貸借取引に関	債券貸借取引に関する基本契約書に基づき、	不課税文書	この文書は、第１号の３文書（消費貸借に関する契約書）の

文書名	文書の内容	印紙税法の取扱い	留意事項
する基本契約書に係る合意書	個別の債券貸借取引を行う場合に、個別契約書の作成を省略することを定めた合意書		重要な事項を定めるものではないので、課税文書には該当しません。
財産形成貯蓄通知書	証券会社が財形貯蓄契約の申込みを受けた際に、その申込内容を申込者に通知する文書	不課税文書	
債務承認並びに抵当権設定契約証書	金銭消費貸借に基づく債務金額を承認し、その債務の担保として抵当権を設定することを定めた契約証書	不課税文書	消費貸借に基づく債務金額の承認に関する事項は、消費貸借契約の成立、変更又は補充を内容とするものではないので、第1号の3文書（消費貸借に関する契約書）には該当しません。
産業医委嘱契約書	事業者が医師に産業医を委嘱することを定めた契約書	不課税文書	この文書は、産業医(医師)の経験や知識を信頼して事業場における診療行為を委嘱するもので、委任契約と解されていますから、課税文書には該当しません。
産業廃棄物管理票（マニフェスト）	廃棄物の処理及び清掃に関する法律に基づき、廃棄物の流れを適正に管理し、不適正処理の防止に資するために作成が義務付けされている文書	不課税文書	この文書は、契約の成立等の事実を証するために作成されるものではないことから、課税文書には該当しません。
質権設定契約書	電話加入権に質権を設定することを定めた契約書	不課税文書	質権を設定する内容は、印紙税法の課税事項には当たりませんから、課税文書には該当しません。
実用新案権の専用実施権設定契約書	実用新案権の専用実施権を設定することを定めた契約書	不課税文書	実用新案権は印紙税法上の無体財産権に含まれますが、譲渡を内容とするものではないので、第1号の1文書（無体財産権の譲渡に関する契約書）には該当しません。
自動車借受契約書	自動車を借り受けることを定めた契約書	不課税文書	自動車、機械、備品などの動産の貸借契約は、課税文書には該当しません。

文書名	文書の内容	印紙税法の取扱い	留意事項
自動車保管場所（車庫）賃貸借契約書	自動車保管場所（車庫）を賃貸借することを定めた契約書	不課税文書	車庫や駐車場という施設の賃貸借契約は、土地の賃貸借契約ではありませんので、第１号の２文書（土地の賃借権の設定に関する契約書）には該当しません。
社員出向契約書	関係会社へ社員を出向させることの契約書で、次の事務を行うことを定めた文書 １　出向先会社の業務を指導、監督することを目的としたもの ２　出向者が出向先会社の指揮監督下に入って就業する単なる労働力の提供を目的としたもの	不課税文書	この文書は、出向の形態又はその目的にかかわらず、出向者が出向先会社の指揮監督下に入って就業し、労働力を提供することを定めていますが、印紙税法の課税事項には当たらず、課税文書には該当しません。
社宅借用書	社宅へ入居の許可を受けた者が、入居条件を承諾する文書	不課税文書	社宅の使用料が有償の場合は賃貸借契約に、無償の場合は使用貸借契約となり、いずれも課税文書には該当しません。
社宅使用許可書	従業員に対する社宅使用の許可、使用期間等の諸条件を定めた文書	不課税文書	
砂利採取契約書	他人の土地で砂利を採取し、これに対して砂利採取料を支払うことを定めた契約書	不課税文書	
従業員等の受入れに関する覚書	小売業者が店舗の新装及び改装の際に、仕入先の従業員等の派遣を受け、店舗内において仕入商品の装飾や演出等の作業を行わせることを定めた覚書	不課税文書	この文書は、仕入先が小売業に対して仕事の完成を約し、その仕事の結果に対して小売業者が報酬を支払うことを約した文書ではありませんから、第２号文書（請負に関する契約書）には該当しません。また、仕入先の従業員等が行う作業は、自社取扱商品の販売促進のために必要な業務として行うものですから、売買に関する業務を委託することを約した契約書にも当たらず、

文書名	文書の内容	印紙税法の取扱い	留意事項
			第７号文書（継続的取引の基本となる契約書）にも該当しません。
手術承諾書	医師が手術を行う際に、患者等がこれを承諾する旨を記載して医師に提出する文書	不課税文書	
出荷指図書、出荷依頼書	商品等を倉庫業者に寄託している事業者が、その倉庫業者に寄託物の出荷を依頼する文書	不課税文書	貨物の寄託における入出庫作業等は、一般には保管と一体不可分の行為として認識されていますから、これにより作成される指図書等は、課税文書には該当しません。
出版契約書	出版会社と著作者との間において、書籍を出版することについて定めた契約書	不課税文書	
出版権使用契約書	著作物について出版権設定契約が締結されている場合において、出版権者が第三者に文庫版等の二次出版を認める契約書	不課税文書	
商号使用許諾書	商号の通常使用許諾書	不課税文書	商号は印紙税法上の無体財産権に含まれますが、譲渡を内容とするものではないので、第１号の１文書（無体財産権の譲渡に関する契約書）には該当しません。
譲渡担保契約書	手形を担保として譲渡することを定めた契約書	不課税文書	
商標使用契約書	商標権の使用権を設定することを定めた契約書	不課税文書	商標権は印紙税法上の無体財産権に含まれますが、譲渡を内容とするものではないので、第１号の１文書（無体財産権の譲渡に関する契約書）には該当しません。

文書名	文書の内容	印紙税法の取扱い	留意事項
商品化権ライセンス契約書	キャラクターなどを各種商品に付すことを許諾することを定めた契約書	不課税文書	キャラクターは著作権により保護されるものと考えられますが、キャラクターの権利自体を譲渡するものではありませんから、第1号の1文書（無体財産権の譲渡に関する契約書）には該当しません。
新株引受権証書	株式会社が発行する株主の新株引受権を表彰する証書	不課税文書	
信販販売の加盟店契約書	信販会社の加盟店となって、その信販会社の会員に商品を信用販売し、販売代金は、信販会社が会員に代わって支払うことを定めた契約書	不課税文書	単に信販会社が立替払いを行うことを内容とするものは、課税文書には該当しません。
診療嘱託契約書	従業員の診療を嘱託することを定めた契約書	不課税文書	この文書は、医師の経験や知識等を信頼して診療行為を委嘱するもので、委任契約と解されていますから、課税文書には該当しません。
ストックオプション付与契約書	株式会社が、取締役・従業員に対して、あらかじめ定められた価格で将来において自社の株式を購入できる権利（いわゆるストックオプション）を付与することを定めた契約書	不課税文書	株式譲渡請求権又は新株引受権のいずれの方式による契約書であっても、課税文書には該当しません。
代表者名義変更届	預金取引について、代表者名の変更事実を金融機関に届け出る文書	不課税文書	
ダイヤモンド等の下取り保証書	買い上げた宝石を買上げ後1年以内に限って買上価格で下取りすることを定めた保証書	不課税文書	

文書名	文書の内容	印紙税法の取扱い	留意事項
タクシー乗車券取扱協定書	個人タクシー協同組合間において、それぞれが発行したチケットについての相互利用の方法等を取り決めた協定書	不課税文書	
建物賃貸借契約書	建物の賃貸借について定めた契約書	不課税文書	建物の賃貸借に関する記載だけでなく、保証金等として受け取った金銭を賃貸借期間に関係なく、一定期間据え置き後一括返還又は分割返還することを内容とするものは、第１号の３文書（消費貸借に関する契約書）に該当します。
建物賃貸借予約契約書	建物の一部を賃貸借することを定めた予約契約書	不課税文書	建物の賃貸借に関する記載だけでなく、保証金等として受け取った金銭を賃貸借期間に関係なく、一定期間据え置き後一括返還又は分割返還することを内容とするものは、第１号の３文書（消費貸借に関する契約書）に該当します。
担保差入証	取引の保証として普通預金を担保とすることを約した差入証	不課税文書	
地役権設定契約書	地役権を設定することを定めた契約書	不課税文書	地役権は一定の目的に従って他人の土地を自己の土地の便益に供する権利ですので、第１号の２文書（地上権の設定に関する契約書）には該当しません。
仲介手数料契約書（不動産売買の仲介）	不動産売買の仲介について、物件名、手数料等について定めた契約書	不課税文書	不動産売買の仲介契約は、依頼者が仲介人に事務の処理を委託することを内容とするものであり、委任契約ですから、課税文書には該当しません。

文書名	文書の内容	印紙税法の取扱い	留意事項
調査委託契約書	調査分析を委託することを定めた契約書	不課税文書	調査委託契約は、一般的には受託者の知識経験に基づく調査内容を期待するもので、仕事の完成を目的とするものではなく、委任契約ですから、課税文書には該当しません。
手合通知書（他に契約書が作成されることが明らかにされているもの）	電話等によって受けた物品の注文内容を記載し、注文者に交付する通知書	不課税文書	
抵当権譲渡契約書	同一の債務者に対する債権者間で、抵当権を有する者が抵当権を有しない者に対して自らの抵当権を譲渡し、その分だけ無担保の債権者になるための契約書	不課税文書	抵当権に関する事項は、印紙税法の課税事項には当たりませんから、課税文書には該当しません。
抵当権設定証書	抵当権を設定することを定めた証書	不課税文書	抵当権に関する事項は、印紙税法の課税事項には当たりませんから、課税文書には該当しません。
抵当権放棄契約書	同一の債務者に対する債権者間で、抵当権を有する者が抵当権を有しない者に対して自らの抵当権に基づく優先弁済を受ける利益を放棄し、抵当権者の有する優先弁済の権利を分け合うための契約書	不課税文書	抵当権に関する事項は、印紙税法の課税事項には当たりませんから、課税文書には該当しません。
手形割引料計算書	手形割引依頼を受けた金融機関が割引料等を記載して依頼人に交付	不課税文書	有価証券の受領事実が間接的に証明されていても、受領事実の証明以外の目的で作成されたも

文書名	文書の内容	印紙税法の取扱い	留意事項
	する計算書		のは、第17号文書（有価証券の受取書）には該当しません。
テナント契約書	建物の一部に店舗を設けることを定めた契約書（場所、施設、じゅう器備品を有償で使用するもの）	不課税文書	建物の賃貸借に関する事項は、印紙税法の課税事項に当たりませんから、課税文書には該当しません。
転換社債の受付票	転換社債の転換請求の取次を受け付けたことを証する受付票	不課税文書	保護預かりしている転換社債の転換請求を受けたもの等、有価証券を受領していないことが明らかなものは、課税文書には該当しません。
電子計算機用プログラム使用契約書	電子計算機のメーカーと顧客との間において、プログラムが記録された物を有償で使用収益することを定めた契約書	不課税文書	プログラム使用許諾契約は、プログラムについての著作権を譲渡するものではなく、単にその利用を認めるものに過ぎませんので、第１号の１文書（無体財産権の譲渡に関する契約書）には該当しません。
転抵当権設定契約書	金銭の借主が第三者に対して有している抵当権の上に、更に転抵当権を設定し、自らの債務の担保として利用する際に締結する契約書	不課税文書	転抵当権に関する事項は、印紙税法の課税事項には当たりませんから、課税文書には該当しません。
当座勘定借越約定書	一定の限度額の範囲内で当座預金の残高を超えて発行された小切手等の立替払を委託する約定書	不課税文書	小切手等の立替払を委託するものでなく、金銭の貸付けを内容とするものは、第１号の３文書（消費貸借に関する契約書）に該当します。
土地の使用承諾書	土地を無償で家屋建築用敷地として使用することを承諾した文書	不課税文書	土地の使用貸借権の設定に関する事項は、印紙税法の課税事項には当たりません。
取締役就任承諾書	株式会社の取締役に就任することを承諾した文書	不課税文書	

文書名	文書の内容	印紙税法の取扱い	留意事項
入漁権設定契約書	入漁権を設定することを定めた契約書	不課税文書	入漁権に関する事項は、印紙税法の課税事項には当たりませんから、課税文書には該当しません。
入社誓約書	会社の就業に関する諸規程に従い、誠実に勤務することなどを記載して会社に提出する誓約書	不課税文書	保証人が連署するものであっても、第13号文書（債務の保証に関する契約書）には該当しません。
人間ドックの実施契約書	健康保険組合と病院との間で、人間ドックを実施することを定めた契約書	不課税文書	この文書は、医師（病院）の経験や知識等を信頼して、健康のチェックを行うことを委嘱するもので、委任契約と解されていますから、課税文書には該当しません。
根抵当権変更契約証書	既存の根抵当権設定契約における極度額を変更することを定めた契約証書	不課税文書	根抵当権に関する事項は、印紙税法の課税事項には当たりませんから、課税文書には該当しません。
値引承諾書	購入者の申出により、値引きに応ずることを定めたもの	不課税文書	
農業経営委託契約書	農家が農業協同組合に対して農業経営を委託することを定めた契約書	不課税文書	専門的知識や経験などを有する農業協同組合に対して農業経営を委託する内容は、委任契約と解されていますから、課税文書には該当しません。
納品書	納品する販売商品のほかにその商品の代金支払方法等を記載しているもの	不課税文書	
白紙委任状	代理人の氏名、日付、授権事項を記載していない委任状	不課税文書	

文書名	文書の内容	印紙税法の取扱い	留意事項
パソコンサービス利用契約書	パソコンによる預金取引照会及び資金移動サービスを利用することを定めた契約書	不課税文書	預金取引照会サービスは、単に情報の提供を受けるものであり、課税事項には該当しません。 なお、資金移動サービスとは、あらかじめ指定された預金口座から、あらかじめ指定された他の預金口座へ振替又は振込みをする事務を依頼する委任契約です。
裸傭船契約書	船舶を裸傭船とすることを定めた契約書	不課税文書	この文書は、船舶の賃貸借契約の成立を証するものですから、第１号の４文書（運送に関する契約書）には該当しません。
ヴィラ（貸別荘）予約申受書	貸別荘利用希望者の申込みに対し、応諾の事実を証するために交付する申受書（利用者が賃料を支払うことを内容とするもの）	不課税文書	貸別荘等の施設を単に使用させることを内容とするものは、課税文書には該当しません。
不動産鑑定評価契約書	不動産鑑定評価について定めた契約書	不課税文書	不動産の鑑定評価契約は、委任契約です。
預金口座振替依頼書	金融機関に対してガス料金などを口座振替の方法により支払うことを依頼する文書	不課税文書	ガス、電気、水道料金等の公共料金について、預金者が第三者に対して負担している債務を口座振替払いとするために金融機関に依頼する内容は、支払事務の処理を委託するものとして委任契約に当たりますから、課税文書には該当しません。
預金担保差入証	銀行借入れを受ける際に作成するもので、借入金の返済方法についての記載がある差入証	不課税文書	当該文書に記載された借入金の返済方法は、担保物である預金の満期日における処理方法をあらかじめ依頼したものであり、課税文書には該当しません。

文書名	文書の内容	印紙税法の取扱い	留意事項
リース契約書	建設機械、電子計算機などの物品を賃貸借することを定めた契約書	不課税文書	物品の賃貸借に関する事項は、印紙税法の課税事項に当たりませんから、課税文書には該当しません。
利益配当金計算書	会社が株主に対して確定した配当金の計算結果を通知する文書	不課税文書	各株主に対して、単に配当金額を連絡するための通知文書は不課税文書ですが、「振込済である」旨の記載又は「振込先金融機関名」等の記載のあるものは、第16号文書(配当金振込通知書)に該当します。

法 令 と 通 達

印紙税法〔昭42.5.31 法23〕

最終改正　令５法53

第一章　総則

（趣旨）

第１条　この法律は、印紙税の課税物件、納税義務者、課税標準、税率、納付及び申告の手続その他印紙税の納税義務の履行について必要な事項を定めるものとする。

（課税物件）

第２条　別表第１の課税物件の欄に掲げる文書には、この法律により、印紙税を課する。

（納税義務者）

第３条　別表第１の課税物件の欄に掲げる文書のうち、第５条〔非課税文書〕の規定により印紙税を課さないものとされる文書以外の文書（以下「課税文書」という。）の作成者は、その作成した課税文書につき、印紙税を納める義務がある。

２　一の課税文書を二以上の者が共同して作成した場合には、当該二以上の者は、その作成した課税文書につき、連帯して印紙税を納める義務がある。

（課税文書の作成とみなす場合等）

第４条　別表第１第３号に掲げる約束手形又は為替手形で手形金額の記載のないものにつき手形金額の補充がされた場合には、当該補充をした者が、当該補充をした時に、同号に掲げる約束手形又は為替手形を作成したものとみなす。

２　別表第１第18号から第20号までの課税文書を１年以上にわたり継続して使用する場合には、当該課税文書を作成した日から１年を経過した日以後最初の付込みをした時に、当該課税文書を新たに作成したものとみなす。

３　一の文書（別表第１第３号から第６号まで、第９号及び第18号から第20号までに掲げる文書を除く。）に、同表第１号から第17号までの課税文書（同表第３号から第６号まで及び第９号の課税文書を除く。）により証されるべき事項の追記をした場合又は同表第18号若しくは第19号の課税文書として使用するための付込みをした場合には、当該追記又は付込みをした者が、当該追記又は付込みをした時に、当該追記又は付込みに係る事項を記載した課税文書を新たに作成したものとみなす。

４　別表第１第19号又は第20号の課税文書（以下この項において「通帳等」という。）に次の各号に掲げる事項の付込みがされた場合において、当該付込みがされた事項に係る記載金額（同表の課税物件表の適用に関する通則４に規定する記載金額をいう。第９条第３項〔税印による納付の特例〕において同じ。）が当該各号に掲げる金額であるときは、当該付込みがされた事項に係る部分については、当該通帳等への付込みがなく、当該各号に規定する課税文書の作成があったものとみなす。

一　別表第１第１号の課税文書により証されるべき事項　10万円を超える金額

二　別表第１第２号の課税文書により証されるべき事項　100万円を超える金額

三　別表第１第17号の課税文書（物件名の欄１に掲げる受取書に限る。）により証されるべ

き事項　100万円を超える金額

5　次条第２号に規定する者（以下この条において「国等」という。）と国等以外の者とが共同して作成した文書については、国等又は公証人法（明治41年法律第53号）に規定する公証人が保存するものは国等以外の者が作成したものとみなし、国等以外の者（公証人を除く。）が保存するものは国等が作成したものとみなす。

6　前項の規定は、次条第３号に規定する者とその他の者（国等を除く。）とが共同して作成した文書で同号に規定するものについて準用する。

（非課税文書）

第５条　別表第１の課税物件の欄に掲げる文書のうち、次に掲げるものには、印紙税を課さない。

一　別表第１の非課税物件の欄に掲げる文書

二　国、地方公共団体又は別表第２に掲げる者が作成した文書

三　別表第３の上欄に掲げる文書で、同表の下欄に掲げる者が作成したもの

（納税地）

第６条　印紙税の納税地は、次の各号に掲げる課税文書の区分に応じ、当該各号に掲げる場所とする。

一　第11条第１項〔書式表示による申告及び納付の特例〕又は第12条第１項〔預貯金通帳等に係る申告及び納付等の特例〕の承認に係る課税文書　これらの承認をした税務署長の所属する税務署の管轄区域内の場所

二　第９条第１項〔税印による納付の特例〕の請求に係る課税文書　当該請求を受けた税務署長の所属する税務署の管轄区域内の場所

三　第10条第１項〔印紙税納付計器の使用による納付の特例〕に規定する印紙税納付計器により、印紙税に相当する金額を表示して同項に規定する納付印を押す課税文書　当該印紙税納付計器の設置場所

四　前３号に掲げる課税文書以外の課税文書で、当該課税文書にその作成場所が明らかにされているもの　当該作成場所

五　第１号から第３号までに掲げる課税文書以外の課税文書で、当該課税文書にその作成場所が明らかにされていないもの　政令で定める場所

第二章　課税標準及び税率

（課税標準及び税率）

第７条　印紙税の課税標準及び税率は、別表第１の各号の課税文書の区分に応じ、同表の課税標準及び税率の欄に定めるところによる。

第三章　納付、申告及び還付等

（印紙による納付等）

第８条　課税文書の作成者は、次条から第12条〔預貯金通帳等に係る申告及び納付等の特例〕までの規定の適用を受ける場合を除き、当該課税文書に課されるべき印紙税に相当する金額の印紙（以下「相当印紙」という。）を、当該課税文書の作成の時までに、当該課税文書にはり付ける方法により、印紙税を納付しなければならない。

2　課税文書の作成者は、前項の規定により当該課税文書に印紙をはり付ける場合には、政令で定めるところにより、当該課税文書と印紙の彩紋とにかけ、判明に印紙を消さなければならない。

（税印による納付の特例）

第９条　課税文書の作成者は、政令で定める手続により、財務省令で定める税務署の税務署長に対し、当該課税文書に相当印紙をはり付けることに代えて、税印（財務省令で定める印影の形式を有する印をいう。次項において同じ。）を押すことを請求することができる。

2　前項の請求をした者は、次項の規定によりその請求が棄却された場合を除き、当該請求に係る課税文書に課されるべき印紙税額に相当する印紙税を、税印が押される時までに、国に納付しなければならない。

3　税務署長は、第１項の請求があった場合において、当該請求に係る課税文書の記載金額が明らかでないことその他印紙税の保全上不適当であると認めるときは、当該請求を棄却することができる。

（印紙税納付計器の使用による納付の特例）

第10条　課税文書の作成者は、政令で定めるところにより、印紙税納付計器（印紙税の保全上支障がないことにつき、政令で定めるところにより、国税庁長官の指定を受けた計器（第16条〔納付印等の製造等の禁止〕及び第18条第２項〔記帳義務〕において「指定計器」という。）で、財務省令で定める形式の印影を生ずべき印（以下「納付印」という。）を付したものをいう。以下同じ。）を、その設置しようとする場所の所在地の所轄税務署長の承認を受けて設置した場合には、当該課税文書に相当印紙をはり付けることに代えて、当該印紙税納付計器により、当該課税文書に課されるべき印紙税額に相当する金額を表示して納付印を押すことができる。

2　前項の承認を受けて印紙税納付計器を設置する者は、政令で定めるところにより、同項の税務署長の承認を受けて、その者が交付を受ける課税文書の作成者のために、その交付を受ける際、当該作成者が当該課税文書に相当印紙をはり付けることに代えて、当該印紙税納付計器により、当該課税文書に課されるべき印紙税額に相当する金額を表示して納付印を押すことができる。

3　第１項の承認を受けた者は、前２項の規定により印紙税納付計器を使用する前に、政令で定めるところにより、第１項の税務署長に対し、当該印紙税納付計器により表示することができる印紙税額に相当する金額の総額を限度として当該印紙税納付計器を使用するため必要な措置を講ずることを請求しなければならない。

4　前項の請求をした者は、同項の表示することができる金額の総額に相当する印紙税を、同項の措置を受ける時までに、国に納付しなければならない。

5　第１項の承認を受けた者が印紙税に係る法令の規定に違反した場合その他印紙税の取締り上不適当と認められる場合には、税務署長は、その承認を取り消すことができる。

6　税務署長は、印紙税の保全上必要があると認めるときは、政令で定めるところにより、印紙税納付計器に封を施すことができる。

7　第１項又は第２項の規定により印紙税に相当する金額を表示して納付印を押す方法について必要な事項は、財務省令で定める。

（書式表示による申告及び納付の特例）

第11条　課税文書の作成者は、課税文書のうち、その様式又は形式が同一であり、かつ、その作成の事実が後日においても明らかにされているもので次の各号の一に該当するものを作成しようとする場合には、政令で定めるところにより、当該課税文書を作成しようとする場所の所在地の所轄税務署長の承認を受け、相当印紙のはり付けに代えて、金銭をもって当該課税文書に係る印紙税を納付することができる。

一　毎月継続して作成されることとされているもの

二　特定の日に多量に作成されることとされているもの

2　前項の承認の申請者が第15条〔保全担保〕の規定により命ぜられた担保の提供をしない場合その他印紙税の保全上不適当と認められる場合には、税務署長は、その承認を与えないことができる。

3　第１項の承認を受けた者は、当該承認に係る課税文書の作成の時までに、当該課税文書に財務省令で定める書式による表示をしなければならない。

4　第１項の承認を受けた者は、政令で定めるところにより、次に掲げる事項を記載した申告書を、当該課税文書が同項第１号に掲げる課税文書に該当する場合には毎月分（当該課税文書を作成しなかった月分を除く。）をその翌月末日までに、当該課税文書が同項第２号に掲げる課税文書に該当する場合には同号に規定する日の属する月の翌月末日までに、その承認をした税務署長に提出しなければならない。

一　その月中（第１項第２号に掲げる課税文書にあっては、同号に規定する日）に作成した当該課税文書の号別及び種類並びに当該種類ごとの数量及び当該数量を税率区分の異なるごとに合計した数量（次号において「課税標準数量」という。）

二　課税標準数量に対する印紙税額及び当該印紙税額の合計額（次項において「納付すべき税額」という。）

三　その他参考となるべき事項

5　前項の規定による申告書を提出した者は、当該申告書の提出期限までに、当該申告書に記載した納付すべき税額に相当する印紙税を国に納付しなければならない。

6　第１項第１号の課税文書につき同項の承認を受けている者は、当該承認に係る課税文書につき同項の適用を受ける必要がなくなったときは、政令で定める手続により、その旨を同項の税務署長に届け出るものとする。

（預貯金通帳等に係る申告及び納付等の特例）

第12条　別表第１第18号及び第19号の課税文書のうち政令で定める通帳（以下この条において「預貯金通帳等」という。）の作成者は、政令で定めるところにより、当該預貯金通帳等を作成しようとする場所の所在地の所轄税務署長の承認を受け、相当印紙の貼付けに代えて、金銭をもって、当該承認の日以後の各課税期間（４月１日から翌年３月31日までの期間をいう。以下この条において同じ。）内に作成する当該預貯金通帳等に係る印紙税を納付することができる。

2　前項の承認の申請者が第15条〔保全担保〕の規定により命ぜられた担保の提供をしない場合その他印紙税の保全上不適当と認められる場合には、税務署長は、その承認を与えないことができる。

3　第１項の承認を受けた者は、当該承認に係る預貯金通帳等に、課税期間において最初の付込みをする時までに、財務省令で定める書式による表示をしなければならない。ただし、既に当該表示をしている預貯金通帳等については、この限りでない。

4　第１項の承認を受けた場合には、当該承認を受けた者が課税期間内に作成する当該預貯金通帳等は、当該課税期間の開始の時に作成するものとみなし、当該課税期間内に作成する当該預貯金通帳等の数量は、当該課税期間の開始の時における当該預貯金通帳等の種類ごとの当該預貯金通帳等に係る口座の数として政令で定めるところにより計算した数に相当する数量とみなす。

5　第１項の承認を受けた者は、政令で定めるところにより、次に掲げる事項を記載した申告書を、課税期間ごとに、当該課税期間の開始の日から起算して１月以内に、その承認をした税務署長に提出しなければならない。

一　当該承認に係る預貯金通帳等の課税文書の号別及び当該預貯金通帳等の種類並びに当該種類ごとの前項に規定する政令で定めるところにより計算した当該預貯金通帳等に係る口座の数に相当する当該預貯金通帳等の数量及び当該数量を当該号別に合計した数量（次号において「課税標準数量」という。）

二　課税標準数量に対する印紙税額及び当該印紙税額の合計額（次項において「納付すべき税額」という。）

三　その他参考となるべき事項

6　前項の規定による申告書を提出した者は、当該申告書の提出期限までに、当該申告書に記載した納付すべき税額に相当する印紙税を国に納付しなければならない。

7　第１項の承認を受けている者は、当該承認に係る預貯金通帳等につき同項の適用を受ける必要がなくなったときは、政令で定めるところにより、その旨を同項の税務署長に届け出るものとする。

第13条　削除

（過誤納の確認等）

第14条　印紙税に係る過誤納金（第10条第４項〔印紙税納付計器の使用による納付の特例〕の規定により納付した印紙税で印紙税納付計器の設置の廃止その他の事由により納付の必要がなくなったものを含む。以下この条において同じ。）の還付を受けようとする者は、政令で定めるところにより、その過誤納の事実につき納税地の所轄税務署長の確認を受けなければならない。ただし、第11条〔書式表示による申告及び納付の特例〕及び第12条〔預貯金通帳等に係る申告及び納付等の特例〕の規定による申告書（当該申告書に係る国税通則法（昭和37年法律第66号）第18条第２項若しくは第19条第３項（期限後申告・修正申告）に規定する期限後申告書若しくは修正申告書又は同法第24条から第26条まで（更正・決定）の規定による更正若しくは決定を含む。）に係る印紙税として納付され、又は第20条〔印紙納付に係る不納税額があった場合の過怠税の徴収〕に規定する過怠税として徴収された過誤納金については、この限りでない。

2　第９条第２項〔税印による納付の特例〕又は第10条第４項の規定により印紙税を納付すべき者が、第９条第１項又は第10条第１項の税務署長に対し、政令で定めるところにより、印紙税に係る過誤納金（前項の確認を受けたもの及び同項ただし書に規定する過誤納金を除く。）の過誤納の事実の確認とその納付すべき印紙税への充当とをあわせて請求したときは、当該税務署長は、その充当をすることができる。

3　第１項の確認又は前項の充当を受ける過誤納金については、当該確認又は充当の時に過誤納があったものとみなして、国税通則法第56条から第58条まで（還付・充当・還付加算金）の規定を適用する。

第四章　雑則

（保全担保）

第15条　国税庁長官、国税局長又は税務署長は、印紙税の保全のために必要があると認めるときは、政令で定めるところにより、第11条第１項〔書式表示による申告及び納付の特例〕又は第12条第１項〔預貯金通帳等に係る申告及び納付等の特例〕の承認の申請者に対し、金額及び期間を指定して、印紙税につき担保の提供を命ずることができる。

2　国税庁長官、国税局長又は税務署長は、必要があると認めるときは、前項の金額又は期間を変更することができる。

（納付印等の製造等の禁止）

第16条　何人も、印紙税納付計器、納付印（指定計器以外の計器その他の器具に取り付けられたものを含む。以下同じ。）又は納付印の印影に紛らわしい外観を有する印影を生ずべき印（以下「納付印等」と総称する。）を製造し、販売し、又は所持してはならない。ただし、納付印等の製造、販売又は所持をしようとする者が、政令で定めるところにより、当該製造、販売若しくは所持をしようとする場所の所在地の所轄税務署長の承認を受けた場合又は第10条第１項〔印紙税納付計器の使用による納付の特例〕の承認を受けて印紙税納付計器を所持する場合は、この限りでない。

（印紙税納付計器販売業等の申告等）

第17条　印紙税納付計器の販売業又は納付印の製造業若しくは販売業をしようとする者は、その販売場又は製造場ごとに、政令で定めるところにより、その旨を当該販売場（その者が販売場を設けない場合には、その住所とし、住所がない場合には、その居所とする。）又は製造場の所在地の所轄税務署長に申告しなければならない。印紙税納付計器の販売業者又は納付印の製造業者若しくは販売業者が当該販売業又は製造業の廃止又は休止をしようとする場合も、また同様とする。

2　第10条第１項〔印紙税納付計器の使用による納付の特例〕の承認を受けて同項の印紙税納付計器を設置した者が当該設置を廃止した場合には、政令で定めるところにより、その旨を同項の税務署長に届け出て同条第６項の封の解除その他必要な措置を受けなければならない。

（記帳義務）

第18条　第11条第１項〔書式表示による申告及び納付の特例〕又は第12条第１項〔預貯金通帳等に係る申告及び納付等の特例〕の承認を受けた者は、政令で定めるところにより、当該承認に係る課税文書の作成に関する事実を帳簿に記載しなければならない。

2　印紙税納付計器の販売業者又は納付印の製造業者若しくは販売業者は、政令で定めるところにより、指定計器又は納付印等の受入れ、貯蔵又は払出しに関する事実を帳簿に記載しなければならない。

（申告義務等の承継）

第19条　法人が合併した場合には、合併後存続する法人又は合併により設立された法人は、合併により消滅した法人の次に掲げる義務を、相続（包括遺贈を含む。）があった場合には、相続人（包括受遺者を含む。）は、被相続人（包括遺贈者を含む。）の次に掲げる義務をそれぞれ承継する。

一　第11条第４項〔書式表示による申告及び納付の特例〕又は第12条第５項〔預貯金通帳等に係る申告及び納付等の特例〕の規定による申告の義務

二　前条の規定による記帳の義務

（印紙納付に係る不納税額があった場合の過怠税の徴収）

第20条　第８条第１項〔印紙による納付等〕の規定により印紙税を納付すべき課税文書の作成者が同項の規定により納付すべき印紙税を当該課税文書の作成の時までに納付しなかった場合には、当該印紙税の納税地の所轄税務署長は、当該課税文書の作成者から、当該納付しなかった印紙税の額とその２倍に相当する金額との合計額に相当する過怠税を徴収する。

２　前項に規定する課税文書の作成者から当該課税文書に係る印紙税の納税地の所轄税務署長に対し、政令で定めるところにより、当該課税文書について印紙税を納付していない旨の申出があり、かつ、その申出が印紙税についての調査があったことにより当該申出に係る課税文書について国税通則法第32条第１項（賦課決定）の規定による前項の過怠税についての決定があるべきことを予知してされたものでないときは、当該課税文書に係る同項の過怠税の額は、同項の規定にかかわらず、当該納付しなかった印紙税の額と当該印紙税の額に100分の10の割合を乗じて計算した金額との合計額に相当する金額とする。

３　第８条第１項の規定により印紙税を納付すべき課税文書の作成者が同条第２項の規定により印紙を消さなかった場合には、当該印紙税の納税地の所轄税務署長は、当該課税文書の作成者から、当該消されていない印紙の額面金額に相当する金額の過怠税を徴収する。

４　第１項又は前項の場合において、過怠税の合計額が千円に満たないときは、これを千円とする。

５　前項に規定する過怠税の合計額が、第２項の規定の適用を受けた過怠税のみに係る合計額であるときは、当該過怠税の合計額については、前項の規定の適用はないものとする。

６　税務署長は、国税通則法第32条第３項（賦課決定通知）の規定により第１項又は第３項の過怠税に係る賦課決定通知書を送達する場合には、当該賦課決定通知書に課税文書の種類その他の政令で定める事項を附記しなければならない。

７　第１項又は第３項の過怠税の税目は、印紙税とする。

第五章　罰則

第21条　次の各号のいずれかに該当する者は、３年以下の拘禁刑若しくは100万円以下の罰金に処し、又はこれを併科する。

一　偽りその他不正の行為により印紙税を免れ、又は免れようとした者

二　偽りその他不正の行為により第14条第１項〔過誤納の確認等〕の規定による還付を受け、又は受けようとした者

２　前項の犯罪に係る課税文書に対する印紙税に相当する金額又は還付金に相当する金額の３倍が100万円を超える場合には、情状により、同項の罰金は、100万円を超え当該印紙税に相当する金額又は還付金に相当する金額の３倍以下とすることができる。

第22条　次の各号のいずれかに該当する者は、１年以下の拘禁刑又は50万円以下の罰金に処する。

一　第８条第１項〔印紙による納付等〕の規定による相当印紙の貼付けをしなかった者

二　第11条第４項〔書式表示による申告及び納付の特例〕又は第12条第５項〔預貯金通帳等に係る申告及び納付等の特例〕の規定による申告書をその提出期限までに提出しなかった者

三　第16条〔納付印等の製造等の禁止〕の規定に違反した者

四　第18条第１項又は第２項〔記帳義務〕の規定による帳簿の記載をせず、若しくは偽り、又はその帳簿を隠匿した者

第23条　次の各号のいずれかに該当する者は、30万円以下の罰金に処する。

一　第８条第２項〔印紙による納付等〕の規定に違反した者

二　第11条第３項〔書式表示による申告及び納付の特例〕又は第12条第３項〔預貯金通帳等に係る申告及び納付等の特例〕の規定による表示をしなかった者

三　第17条第１項〔印紙税納付計器販売業等の申告等〕の規定による申告をせず、又は同条第２項の規定による届出をしなかった者

第24条　法人の代表者又は法人若しくは人の代理人、使用人その他の従業者が、その法人又は人の業務又は財産に関して前３条〔罰則〕の違反行為をしたときは、その行為者を罰するほか、その法人又は人に対して当該各条の罰金刑を科する。

■附　則　　（省略）

別表第１　課税物件表（第２条―第５条、第７条、第12条関係）

課税物件表の適用に関する通則

１　この表における文書の所属の決定は、この表の各号の規定による。この場合において、当該各号の規定により所属を決定することができないときは、２及び３に定めるところによる。

２　一の文書でこの表の二以上の号に掲げる文書により証されるべき事項又はこの表の一若しくは二以上の号に掲げる文書により証されるべき事項とその他の事項とが併記され、又は混合して記載されているものその他一の文書でこれに記載されている事項がこの表の二以上の号に掲げる文書により証されるべき事項に該当するものは、当該各号に掲げる文書に該当する文書とする。

３　一の文書が２の規定によりこの表の各号のうち二以上の号に掲げる文書に該当することとなる場合には、次に定めるところによりその所属を決定する。

イ　第１号又は第２号に掲げる文書と第３号から第17号までに掲げる文書とに該当する文書は、第１号又は第２号に掲げる文書とする。ただし、第１号又は第２号に掲げる文書で契約金額の記載のないものと第７号に掲げる文書とに該当する文書は、同号に掲げる文書とし、第１号又は第２号に掲げる文書と第17号に掲げる文書とに該当する文書のうち、当該文書に売上代金（同号の定義の欄１に規定する売上代金をいう。以下この通則において同じ。）に係る受取金額（100万円を超えるものに限る。）の記載があるもので、当該受取金額が当該文書に記載された契約金額（当該金額が二以上ある

場合には、その合計額）を超えるもの又は契約金額の記載のないものは、同号に掲げる文書とする。

ロ　第１号に掲げる文書と第２号に掲げる文書とに該当する文書は、第１号に掲げる文書とする。ただし、当該文書に契約金額の記載があり、かつ、当該契約金額を第１号及び第２号に掲げる文書のそれぞれにより証されるべき事項ごとに区分することができる場合において、第１号に掲げる文書により証されるべき事項に係る金額として記載されている契約金額（当該金額が二以上ある場合には、その合計額。以下このロにおいて同じ。）が第２号に掲げる文書により証されるべき事項に係る金額として記載されている契約金額に満たないときは、同号に掲げる文書とする。

ハ　第３号から第17号までに掲げる文書のうち二以上の号に掲げる文書に該当する文書は、当該二以上の号のうち最も号数の少ない号に掲げる文書とする。ただし、当該文書に売上代金に係る受取金額（100万円を超えるものに限る。）の記載があるときは、第17号に掲げる文書とする。

ニ　ホに規定する場合を除くほか、第18号から第20号までに掲げる文書と第１号から第17号までに掲げる文書とに該当する文書は、第18号から第20号までに掲げる文書とする。

ホ　第19号若しくは第20号に掲げる文書と第１号に掲げる文書とに該当する文書で同号に掲げる文書に係る記載された契約金額が10万円を超えるもの、第19号若しくは第20号に掲げる文書と第２号に掲げる文書とに該当する文書で同号に掲げる文書に係る記載された契約金額が100万円を超えるもの又は第19号若しくは第20号に掲げる文書と第17号に掲げる文書とに該当する文書で同号に掲げる文書に係る記載された売上代金に係る受取金額が100万円を超えるものは、それぞれ、第１号、第２号又は第17号に掲げる文書とする。

4　この表の課税標準及び税率の欄の税率又は非課税物件の欄の金額が契約金額、券面金額その他当該文書により証されるべき事項に係る金額（以下この４において「契約金額等」という。）として当該文書に記載された金額（以下この４において「記載金額」という。）を基礎として定められている場合における当該金額の計算については、次に定めるところによる。

イ　当該文書に二以上の記載金額があり、かつ、これらの金額が同一の号に該当する文書により証されるべき事項に係るものである場合には、これらの金額の合計額を当該文書の記載金額とする。

ロ　当該文書が２の規定によりこの表の二以上の号に該当する文書である場合には、次に定めるところによる。

(一)　当該文書の記載金額を当該二以上の号のそれぞれに掲げる文書により証されるべき事項ごとに区分することができるときは、当該文書が３の規定によりこの表のいずれの号に掲げる文書に所属することとなるかに応じ、その所属する号に掲げる文書により証されるべき事項に係る金額を当該文書の記載金額とする。

(二)　当該文書の記載金額を当該二以上の号のそれぞれに掲げる文書により証されるべき事項ごとに区分することができないときは、当該金額（当該金額のうちに、当該文書が３の規定によりこの表のいずれかの号に所属することとなる場合における当該所属する号に掲げる文書により証されるべき事項に係る金額以外の金額として明らかにされている部分があるときは、当該明らかにされている部分の金額を除く。）を当該文書の記載金額とする。

ハ　当該文書が第17号に掲げる文書（3の規定により同号に掲げる文書となるものを含む。）のうち同号の物件名の欄1に掲げる受取書である場合には、税率の適用に関しては、イ又はロの規定にかかわらず、次に定めるところによる。

㈠　当該受取書の記載金額を売上代金に係る金額とその他の金額に区分することができるときは、売上代金に係る金額を当該受取書の記載金額とする。

㈡　当該受取書の記載金額を売上代金に係る金額とその他の金額に区分することができないときは、当該記載金額（当該金額のうちに売上代金に係る金額以外の金額として明らかにされている部分があるときは、当該明らかにされている部分の金額を除く。）を当該受取書の記載金額とする。

ニ　契約金額等の変更の事実を証すべき文書について、当該文書に係る契約についての変更前の契約金額等の記載のある文書が作成されていることが明らかであり、かつ、変更の事実を証すべき文書により変更金額（変更前の契約金額等と変更後の契約金額等の差額に相当する金額をいう。以下同じ。）が記載されている場合（変更前の契約金額等と変更後の契約金額等が記載されていることにより変更金額を明らかにすることができる場合を含む。）には、当該変更金額が変更前の契約金額等を増加させるものであるときは、当該変更金額を当該文書の記載金額とし、当該変更金額が変更前の契約金額等を減少させるものであるときは、当該文書の記載金額の記載はないものとする。

ホ　次の㈠から㈢までの規定に該当する文書の記載金額については、それぞれ㈠から㈢までに定めるところによる。

㈠　当該文書に記載されている単価及び数量、記号その他によりその契約金額等の計算をすることができるときは、その計算により算出した金額を当該文書の記載金額とする。

㈡　第1号又は第2号に掲げる文書に当該文書に係る契約についての契約金額又は単価、数量、記号その他の記載のある見積書、注文書その他これらに類する文書（この表に掲げる文書を除く。）の名称、発行の日、記号、番号その他の記載があることにより、当事者間において当該契約についての契約金額が明らかであるとき又は当該契約についての契約金額の計算をすることができるときは、当該明らかである契約金額又は当該計算により算出した契約金額を当該第1号又は第2号に掲げる文書の記載金額とする。

㈢　第17号に掲げる文書のうち売上代金として受け取る有価証券の受取書に当該有価証券の発行者の名称、発行の日、記号、番号その他の記載があること、又は同号に掲げる文書のうち売上代金として受け取る金銭若しくは有価証券の受取書に当該売上代金に係る受取金額の記載のある支払通知書、請求書その他これらに類する文書の名称、発行の日、記号、番号その他の記載があることにより、当事者間において当該売上代金に係る受取金額が明らかであるときは、当該明らかである受取金額を当該受取書の記載金額とする。

ヘ　当該文書の記載金額が外国通貨により表示されている場合には、当該文書を作成した日における外国為替及び外国貿易法（昭和24年法律第228号）第７条第１項（外国為替相場）の規定により財務大臣が定めた基準外国為替相場又は裁定外国為替相場により当該記載金額を本邦通貨に換算した金額を当該文書についての記載金額とする。

5　この表の第１号、第２号、第７号及び第12号から第15号までにおいて「契約書」とは、契約証書、協定書、約定書その他名称のいかんを問わず、契約（その予約を含む。以下同じ。）の成立若しくは更改又は契約の内容の変更若しくは補充の事実（以下「契約の成立等」という。）を証すべき文書をいい、念書、請書その他契約の当事者の一方のみが作成する文書又は契約の当事者の全部若しくは一部の署名を欠く文書で、当事者間の了解又は商慣習に基づき契約の成立等を証することとされているものを含むものとする。

6　1から5までに規定するもののほか、この表の規定の適用に関し必要な事項は、政令で定める。

番号	課税物件		課税標準及び税率	非課税物件
	物件名	定義		
1	1　不動産、鉱業権、無体財産権、船舶若しくは航空機又は営業の譲渡に関する契約書 2　地上権又は土地の賃借権の設定又は譲渡に関する契約書 3　消費貸借に関する契約書 4　運送に関する契約書（傭船契約書を含む。）	1　不動産には、法律の規定により不動産とみなされるもののほか、鉄道財団、軌道財団及び自動車交通事業財団を含むものとする。 2　無体財産権とは、特許権、実用新案権、商標権、意匠権、回路配置利用権、育成者権、商号及び著作権をいう。 3　運送に関する契約書には、乗車券、乗船券、航空券及び送り状を含まないものとする。 4　傭船契約書には、航空機の傭船契約書を含むものとし、裸傭船契約書を含まないものとする。	1　契約金額の記載のある契約書 次に掲げる契約金額の区分に応じ、1通につき、次に掲げる税率とする。 10万円以下のもの　200円 10万円を超え50万円以下のもの　400円 50万円を超え100万円以下のもの　1,000円 100万円を超え500万円以下のもの　2,000円 500万円を超え1,000万円以下のもの　1万円 1,000万円を超え5,000万円以下のもの　2万円 5,000万円を超え1億円以下のもの　6万円 1億円を超え5億円以下のもの　10万円 5億円を超え10億円以下のもの　20万円 10億円を超え50億円以下のもの　40万円 50億円を超えるもの　60万円 2　契約金額の記載のない契約書 1通につき　200円	1　契約金額の記載のある契約書（課税物件表の適用に関する通則3イの規定が適用されることによりこの号に掲げる文書となるものを除く。）のうち、当該契約金額が1万円未満のもの
	上記の1に該当する「不動産の譲渡に関する契約書」のうち、平成9年4月1日から令和6年3月31日までの間に作成されるものについては、契約書の作成年月日及び記載された契約金額に応じ、右		**【平成26年4月1日～令和6年3月31日】** 記載された契約金が 1万円以上50万円以下のもの　200円 50万円を超え100万円	

<table>
<tr>
<td></td>
<td colspan="2">欄のとおり印紙税額が軽減されています。
（注）契約金額の記載のないものの印紙税額は、本則どおり200円となります。</td>
<td>以下のもの　500円
100万円を超え500万円以下のもの　1千円
500万円を超え1千万円以下のもの　5千円
1千万円を超え5千万円以下のもの　1万円
5千万円を超え1億円以下のもの　3万円
1億円を超え5億円以下のもの　6万円
5億円を超え10億円以下のもの　16万円
10億円を超え50億円以下のもの　32万円
50億円を超えるもの　48万円
【平成９年４月１日～平成26年３月31日】
記載された契約金額が
1千万円を超え5千万円以下のもの　1万5千円
5千万円を超え1億円以下のもの　4万5千円
1億円を超え5億円以下のもの　8万円
5億円を超え10億円以下のもの　18万円
10億円を超え50億円以下のもの　36万円
50億円を超えるもの　54万円</td>
<td></td>
</tr>
<tr>
<td>2</td>
<td>請負に関する契約書</td>
<td>1　請負には、職業野球の選手、映画の俳優その他これらに類する者で政令で定めるものの役務の提供を約することを内容とする契約を含むものとする。</td>
<td>1　契約金額の記載のある契約書
次に掲げる契約金額の区分に応じ、1通につき、次に掲げる税率とする。
100万円以下のもの　200円
100万円を超え200万円以下のもの　400円</td>
<td>1　契約金額の記載のある契約書（課税物件表の適用に関する通則3イの規定が適用されることによりこの号に掲げる文書となるものを除く。）のうち、当該契</td>
</tr>
</table>

			200万円を超え300万円以下のもの　1,000円 300万円を超え500万円以下のもの　2,000円 500万円を超え1,000万円以下のもの　1万円 1,000万円を超え5,000万円以下のもの2万円 5,000万円を超え1億円以下のもの　6万円 1億円を超え5億円以下のもの　10万円 5億円を超え10億円以下のもの　20万円 10億円を超え50億円以下のもの　40万円 50億円を超えるもの　60万円 2　契約金額の記載のない契約書 1通につき　200円	約金額が1万円未満のもの
	上記の「請負に関する契約書」のうち、建設業法第2条第1項に規定する建設工事の請負に係る契約に基づき作成されるもので、平成9年4月1日から令和6年3月31日までの間に作成されるものについては、契約書の作成年月日及び記載された契約金額に応じ、右欄のとおり印紙税額が軽減されています。 （注）契約金額の記載のないものの印紙税額は、本則どおり200円となります。		**【平成26年4月1日～令和6年3月31日】** 記載された契約金額が 1万円以上200万円以下のもの　200円 200万円を超え300万円以下のもの　500円 300万円を超え500万円以下のもの　1千円 500万円を超え1千万円以下のもの　5千円 1千万円を超え5千万円以下のもの　1万円 5千万円を超え1億円以下のもの　3万円 1億円を超え5億円以下のもの　6万円 5億円を超え10億円以下のもの　16万円 10億円を超え50億円以下のもの　32万円 50億円を超えるもの	

			48万円 **【平成９年４月１日～平成26年３月31日】** 記載された契約金額が １千万円を超え５千万円以下のもの １万５千円 ５千万円を超え１億円以下のもの４万５千円 １億円を超え５億円以下のもの　８万円 ５億円を超え10億円以下のもの　18万円 10億円を超え50億円以下のもの　36万円 50億円を超えるもの 54万円	
3	約束手形又は為替手形		１　２に掲げる手形以外の手形 次に掲げる手形金額の区分に応じ、１通につき、次に掲げる税率とする。 100万円以下のもの 200円 100万円を超え200万円以下のもの　400円 200万円を超え300万円以下のもの　600円 300万円を超え500万円以下のもの　1,000円 500万円を超え1,000万円以下のもの　2,000円 1,000万円を超え2,000万円以下のもの 4,000円 2,000万円を超え3,000万円以下のもの 6,000円 3,000万円を超え5,000万円以下のもの１万円 5,000万円を超え１億円以下のもの　２万円	１　手形金額が10万円未満の手形 ２　手形金額の記載のない手形 ３　手形の複本又は謄本

			１億円を超え２億円以下のもの　　4万円 ２億円を超え３億円以下のもの　　6万円 ３億円を超え５億円以下のもの　　10万円 ５億円を超え10億円以下のもの　　15万円 10億円を超えるもの　　20万円 ２　次に掲げる手形 １通につき　　200円 イ　一覧払の手形（手形法（昭和７年法律第20号）第34条第２項（一覧払の為替手形の呈示開始期日の定め）（同法第77条第１項第２号（約束手形への準用）において準用する場合を含む。）の定めをするものを除く。） ロ　日本銀行又は銀行その他政令で定める金融機関を振出人及び受取人とする手形（振出人である銀行その他当該政令で定める金融機関を受取人とするものを除く。） ハ　外国通貨により手形金額が表示される手形 ニ　外国為替及び外国貿易法第６条第１項第６号（定義）に規定する非居住者の本邦にある同法第16条の２（支払等の制限）に規定する銀行等（以下この号において「銀行等」という。）	

			に対する本邦通貨をもって表示される勘定を通ずる方法により決済される手形で政令で定めるもの ホ　本邦から貨物を輸出し又は本邦に貨物を輸入する外国為替及び外国貿易法第６条第１項第５号（定義）に規定する居住者が本邦にある銀行等を支払人として振り出す本邦通貨により手形金額が表示される手形で政令で定めるもの ヘ　ホに掲げる手形及び外国の法令に準拠して外国において銀行業を営む者が本邦にある銀行等を支払人として振り出した本邦通貨により手形金額が表示される手形で政令で定めるものを担保として、銀行等が自己を支払人として振り出す本邦通貨により手形金額が表示される手形で政令で定めるもの	
4	株券、出資証券若しくは社債券又は投資信託、貸付信託、特定目的信託若しくは受益証券発行信託の受益証券	1　出資証券とは、相互会社（保険業法（平成７年法律第105号）第２条第５項（定義）に規定する相互会社をいう。以下同じ。）の作成する基金証券及び法人の社員又は出資者たる	次に掲げる券面金額（券面金額の記載のない証券で株数又は口数の記載のあるものにあっては、１株又は１口につき政令で定める金額に当該株数又は口数を乗じて計算した金額）の区分に応じ、１通につき、次に掲げる税率とする。 500万円以下のもの	1　日本銀行その他特別の法律により設立された法人で政令で定めるものの作成する出資証券（協同組織金融機関の優先出資に関する法律（平成５年法律第44号）に規定

		地位を証する文書（投資信託及び投資法人に関する法律（昭和26年法律第198号）に規定する投資証券を含む。）をいう。 2　社債券には、特別の法律により法人の発行する債券及び相互会社の社債券を含むものとする。	200円 500万円を超え1,000万円以下のもの　1,000円 1,000万円を超え5,000万円以下のもの　2,000円 5,000万円を超え１億円以下のもの　１万円 １億円を超えるもの　２万円	する優先出資証券を除く。） 2　受益権を他の投資信託の受託者に取得させることを目的とする投資信託の受益証券で政令で定めるもの （参考） 一定の要件を満たしている額面株式の株券の無効手続に伴い新たに発行する株券
5	合併契約書又は吸収分割契約書若しくは新設分割計画書	1　合併契約書とは、会社法（平成17年法律第86号）第748条（合併契約の締結）に規定する合併契約（保険業法第159条第１項（相互会社と株式会社の合併）に規定する合併契約を含む。）を証する文書（当該合併契約の変更又は補充の事実を証するものを含む。）をいう。 2　吸収分割契約書とは、会社法第757条（吸収分割契約の締結）に規定する吸収分割契約を証する文書（当該吸収分割契約の変更又は補充の事	１通につき　４万円	

		実を証するものを含む。）をいう。 3　新設分割計画書とは、会社法第762条第１項（新設分割計画の作成）に規定する新設分割計画を証する文書（当該新設分割計画の変更又は補充の事実を証するものを含む。）をいう。		
6	定款	1　定款は、会社（相互会社を含む。）の設立のときに作成される定款の原本に限るものとする。	１通につき　4万円	1　株式会社又は相互会社の定款のうち、公証人法第58条第３項（書面の定款の認証）の規定により公証人の保存するもの以外のもの
7	継続的取引の基本となる契約書（契約期間の記載のあるもののうち、当該契約期間が３月以内であり、かつ、更新に関する定めのないものを除く。）	1　継続的取引の基本となる契約書とは、特約店契約書、代理店契約書、銀行取引約定書その他の契約書で、特定の相手方との間に継続的に生ずる取引の基本となるもののうち、政令で定めるものをいう。	１通につき　4,000円	
8	預貯金証書		１通につき　200円	1　信用金庫その他政令で定める金融機関の作成する預貯金証書

				で、記載された預入額が１万円未満のもの
9	倉荷証券、船荷証券又は複合運送証券	１　倉荷証券には、商法（明治32年法律第48号）第601条（倉荷証券の記載事項）の記載事項の一部を欠く証書で、倉荷証券と類似の効用を有するものを含むものとする。 ２　船荷証券又は複合運送証券には、商法第758条（船荷証券の記載事項）（同法第769条第２項（複合運送証券）において準用する場合を含む。）の記載事項の一部を欠く証書で、これらの証券と類似の効用を有するものを含むものとする。	１通につき　200円	
10	保険証券	１　保険証券とは、保険証券その他名称のいかんを問わず、保険法（平成20年法律第56号）第６条第１項（損害保険契約の締結時の書面交付）、第40条第１項（生命保険契約の締結時の書面交	１通につき　200円	

		付）又は第69条第１項（傷害疾病定額保険契約の締結時の書面交付）その他の法令の規定により、保険契約に係る保険者が当該保険契約を締結したときに当該保険契約に係る保険契約者に対して交付する書面（当該保険契約者からの再交付の請求により交付するものを含み、保険業法第３条第５項第３号（免許）に掲げる保険に係る保険契約その他政令で定める保険契約に係るものを除く。）をいう。		
11	信用状		１通につき　200円	
12	信託行為に関する契約書	１　信託行為に関する契約書には、信託証書を含むものとする。	１通につき　200円	
13	債務の保証に関する契約書（主たる債務の契約書に併記するものを除く。）		１通につき　200円	１　身元保証ニ関スル法律（昭和８年法律第42号）に定める身元保証に関する契約書
14	金銭又は有価証券の寄託に関する契約書		１通につき　200円	

15	債権譲渡又は債務引受けに関する契約書		1通につき 200円	1 契約金額の記載のある契約書のうち、当該契約金額が1万円未満のもの
16	配当金領収証又は配当金振込通知書	1 配当金領収証とは、配当金領収書その他名称のいかんを問わず、配当金の支払を受ける権利を表彰する証書又は配当金の受領の事実を証するための証書をいう。 2 配当金振込通知書とは、配当金振込票その他名称のいかんを問わず、配当金が銀行その他の金融機関にある株主の預貯金口座その他の勘定に振込済みである旨を株主に通知する文書をいう。	1通につき 200円	1 記載された配当金額が3,000円未満の証書又は文書
17	1 売上代金に係る金銭又は有価証券の受取書 2 金銭又は有価証券の受取書で1に掲げる受取書以外のもの	1 売上代金に係る金銭又は有価証券の受取書とは、資産を譲渡し若しくは使用させること（当該資産に係る権利を設定することを含む。）又は役務を提供することによる対価（手付けを含み、金融商品取引法	1 売上代金に係る金銭又は有価証券の受取書で受取金額の記載のあるもの 次に掲げる受取金額の区分に応じ、1通につき、次に掲げる税率とする。 100万円以下のもの 200円 100万円を超え200万円以下のもの 400円 200万円を超え300万円	1 記載された受取金額が5万円未満の受取書 2 営業（会社以外の法人で、法令の規定又は定款の定めにより利益金又は剰余金の配当又は分配をすることができることとなっているものが、その出資者以外

		（昭和23年法律第25号）第２条第１項（定義）に規定する有価証券その他これに準ずるもので政令で定めるものの譲渡の対価、保険料その他政令で定めるものを除く。以下「売上代金」という。）として受け取る金銭又は有価証券の受取書をいい、次に掲げる受取書を含むものとする。 イ　当該受取書に記載されている受取金額の一部に売上代金が含まれている金銭又は有価証券の受取書及び当該受取金額の全部又は一部が売上代金であるかどうかが当該受取書の記載事項により明らかにされていない金銭又は有価証券の受取書 ロ　他人の事務の委託を受けた者（以下この欄において「受託者」という。）が当該委託をした者（以下この欄	以下のもの　600円 300万円を超え500万円以下のもの　1,000円 500万円を超え1,000万円以下のもの　2,000円 1,000万円を超え2,000万円以下のもの　4,000円 2,000万円を超え3,000万円以下のもの　6,000円 3,000万円を超え5,000万円以下のもの１万円 5,000万円を超え１億円以下のもの　２万円 １億円を超え２億円以下のもの　４万円 ２億円を超え３億円以下のもの　６万円 ３億円を超え５億円以下のもの　10万円 ５億円を超え10億円以下のもの　15万円 10億円を超えるもの　20万円 ２　１に掲げる受取書以外の受取書 １通につき　200円	の者に対して行う事業を含み、当該出資者がその出資をした法人に対して行う営業を除く。）に関しない受取書 ３　有価証券又は第８号、第12号、第14号若しくは前号に掲げる文書に追記した受取書 ※　平成26年３月31日までに作成されたものについては、記載された受取金額が、３万円未満のものが非課税とされていた。

		において「委託者」という。)に代わって売上代金を受け取る場合に作成する金銭又は有価証券の受取書（銀行その他の金融機関が作成する預貯金口座への振込金の受取書その他これに類するもので政令で定めるものを除く。ニにおいて同じ。) ハ　受託者が委託者に代わって受け取る売上代金の全部又は一部に相当する金額を委託者が受託者から受け取る場合に作成する金銭又は有価証券の受取書 ニ　受託者が委託者に代わって支払う売上代金の全部又は一部に相当する金額を委託者から受け取る場合に作成する金銭又は有価証券の受取書		

18	預貯金通帳、信託行為に関する通帳、銀行若しくは無尽会社の作成する掛金通帳、生命保険会社の作成する保険料通帳又は生命共済の掛金通帳	1　生命共済の掛金通帳とは、農業協同組合その他の法人が生命共済に係る契約に関し作成する掛金通帳で、政令で定めるものをいう。	1冊につき　200円	1　信用金庫その他政令で定める金融機関の作成する預貯金通帳 2　所得税法第9条第1項第2号（非課税所得）に規定する預貯金に係る預貯金通帳その他政令で定める普通預金通帳
19	第1号、第2号、第14号又は第17号に掲げる文書により証されるべき事項を付け込んで証明する目的をもって作成する通帳（前号に掲げる通帳を除く。）		1冊につき　400円	
20	判取帳	1　判取帳とは、第1号、第2号、第14号又は第17号に掲げる文書により証されるべき事項につき二以上の相手方から付込証明を受ける目的をもって作成する帳簿をいう。	1冊につき　4,000円	

別表第２　非課税法人の表（第５条、附則第９条の２関係）

名　　称	根　　拠　　法
沖縄振興開発金融公庫	沖縄振興開発金融公庫法（昭和47年法律第31号）
株式会社国際協力銀行	会社法及び株式会社国際協力銀行法（平成23年法律第39号）
株式会社日本政策金融公庫	会社法及び株式会社日本政策金融公庫法（平成19年法律第57号）
株式会社日本貿易保険	会社法及び貿易保険法（昭和25年法律第67号）
漁業信用基金協会	中小漁業融資保証法（昭和27年法律第346号）
軽自動車検査協会	道路運送車両法（昭和26年法律第185号）
広域臨海環境整備センター	広域臨海環境整備センター法（昭和56年法律第76号）
港務局	港湾法（昭和25年法律第218号）
国立健康危機管理研究機構	国立健康危機管理研究機構法（令和５年法律第46号）
国立大学法人	国立大学法人法（平成15年法律第112号）
市街地再開発組合	都市再開発法（昭和44年法律第38号）
自動車安全運転センター	自動車安全運転センター法（昭和50年法律第57号）
住宅街区整備組合	大都市地域における住宅及び住宅地の供給の促進に関する特別措置法（昭和50年法律第67号）
消防団員等公務災害補償等共済基金	消防団員等公務災害補償等責任共済等に関する法律（昭和31年法律第107号）
信用保証協会	信用保証協会法（昭和28年法律第196号）
大学共同利用機関法人	国立大学法人法
地方公共団体金融機構	地方公共団体金融機構法（平成19年法律第64号）
地方公共団体情報システム機構	地方公共団体情報システム機構法（平成25年法律第29号）
地方公務員災害補償基金	地方公務員災害補償法（昭和42年法律第121号）
地方住宅供給公社	地方住宅供給公社法（昭和40年法律第124号）
地方税共同機構	地方税法（昭和25年法律第226号）

地方道路公社	地方道路公社法（昭和45年法律第82号）
地方独立行政法人	地方独立行政法人法（平成15年法律第118号）
中小企業団体中央会	中小企業等協同組合法（昭和24年法律第181号）
独立行政法人（その資本金の額若しくは出資の金額の全部が国若しくは地方公共団体の所有に属しているもの又はこれに類するもののうち、財務大臣が指定をしたものに限る。）	独立行政法人通則法（平成11年法律第103号）及び同法第１条第１項（目的等）に規定する個別法
独立行政法人農林漁業信用基金	独立行政法人農林漁業信用基金法（平成14年法律第128号）
土地開発公社	公有地の拡大の推進に関する法律（昭和47年法律第66号）
土地改良区	土地改良法（昭和24年法律第195号）
土地改良区連合	
土地改良事業団体連合会	
土地区画整理組合	土地区画整理法（昭和29年法律第119号）
日本勤労者住宅協会	日本勤労者住宅協会法（昭和41年法律第133号）
日本下水道事業団	日本下水道事業団法（昭和47年法律第41号）
日本司法支援センター	総合法律支援法（平成16年法律第74号）
日本赤十字社	日本赤十字社法（昭和27年法律第305号）
日本中央競馬会	日本中央競馬会法（昭和29年法律第205号）
日本年金機構	日本年金機構法（平成19年法律第109号）
農業信用基金協会	農業信用保証保険法（昭和36年法律第204号）
福島国際研究教育機構	福島復興再生特別措置法（平成24年法律第25号）
防災街区整備事業組合	密集市街地における防災街区の整備の促進に関する法律（平成９年法律第49号）
放送大学学園	放送大学学園法（平成14年法律第156号）

（参考）印紙税法別表第二　独立行政法人の項の規定に基づき、印紙税を課さない法人（平成13年財務省告示第56号）

令和４年11月14日現在

名　　称	根　　拠　　法
国立研究開発法人医薬基盤・健康・栄養研究所	国立研究開発法人医薬基盤・健康・栄養研究所法（平成16年法律第135号）
国立研究開発法人海上・港湾・航空技術研究所	国立研究開発法人海上・港湾・航空技術研究所法（平成11年法律第208号）
国立研究開発法人建築研究所	国立研究開発法人建築研究所法（平成11年法律第206号）
国立研究開発法人国際農林水産業研究センター	国立研究開発法人国際農林水産業研究センター法（平成11年法律第197号）
国立研究開発法人国立環境研究所	国立研究開発法人国立環境研究所法（平成11年法律第216号）
国立研究開発法人国立がん研究センター	高度専門医療に関する研究等を行う国立研究開発法人に関する法律（平成20年法律第93号）
国立研究開発法人国立国際医療研究センター	
国立研究開発法人国立循環器病研究センター	
国立研究開発法人国立成育医療研究センター	
国立研究開発法人国立精神・神経医療研究センター	
国立研究開発法人国立長寿医療研究センター	
国立研究開発法人産業技術総合研究所	国立研究開発法人産業技術総合研究所法（平成11年法律第203号）
国立研究開発法人森林研究・整備機構	国立研究開発法人森林研究・整備機構法（平成11年法律第198号）
国立研究開発法人水産研究・教育機構	国立研究開発法人水産研究・教育機構法（平成11年法律第199号）

国立研究開発法人土木研究所	国立研究開発法人土木研究所法（平成11年法律第205号）
国立研究開発法人日本医療研究開発機構	国立研究開発法人日本医療研究開発機構法（平成26年法律第49号）
国立研究開発法人物質・材料研究機構	国立研究開発法人物質・材料研究機構法（平成11年法律第173号）
国立研究開発法人防災科学技術研究所	国立研究開発法人防災科学技術研究所法（平成11年法律第174号）
国立研究開発法人量子科学技術研究開発機構	国立研究開発法人量子科学技術研究開発機構法（平成11年法律第176号）
独立行政法人奄美群島振興開発基金	奄美群島振興開発特別措置法（昭和29年法律第189号）
独立行政法人医薬品医療機器総合機構	独立行政法人医薬品医療機器総合機構法（平成14年法律第192号）
独立行政法人エネルギー・金属鉱物資源機構	独立行政法人エネルギー・金属鉱物資源機構法（平成14年法律第94号）
独立行政法人海技教育機構	独立行政法人海技教育機構法（平成11年法律第214号）
独立行政法人家畜改良センター	独立行政法人家畜改良センター法（平成11年法律第185号）
独立行政法人環境再生保全機構	独立行政法人環境再生保全機構法（平成15年法律第43号）
独立行政法人教職員支援機構	独立行政法人教職員支援機構法（平成12年法律第88号）
独立行政法人空港周辺整備機構	公共用飛行場周辺における航空機騒音による障害の防止等に関する法律（昭和42年法律第110号）
独立行政法人経済産業研究所	独立行政法人経済産業研究所法（平成11年法律第200号）
独立行政法人工業所有権情報・研修館	独立行政法人工業所有権情報・研修館法（平成11年法律第201号）
独立行政法人航空大学校	独立行政法人航空大学校法（平成11年法律第215号）
独立行政法人高齢・障害・求職者雇用支援機構	独立行政法人高齢・障害・求職者雇用支援機構法（平成14年法律第165号）

独立行政法人国際観光振興機構	独立行政法人国際観光振興機構法（平成14年法律第181号）
独立行政法人国際協力機構	独立行政法人国際協力機構法（平成14年法律第136号）
独立行政法人国際交流基金	独立行政法人国際交流基金法（平成14年法律第137号）
独立行政法人国民生活センター	独立行政法人国民生活センター法（平成14年法律第123号）
独立行政法人国立印刷局	独立行政法人国立印刷局法（平成14年法律第41号）
独立行政法人国立科学博物館	独立行政法人国立科学博物館法（平成11年法律第172号）
独立行政法人国立高等専門学校機構	独立行政法人国立高等専門学校機構法（平成15年法律第113号）
独立行政法人国立公文書館	国立公文書館法（平成11年法律第79号）
独立行政法人国立重度知的障害者総合施設のぞみの園	独立行政法人国立重度知的障害者総合施設のぞみの園法（平成14年法律第167号）
独立行政法人国立女性教育会館	独立行政法人国立女性教育会館法（平成11年法律第168号）
独立行政法人国立青少年教育振興機構	独立行政法人国立青少年教育振興機構法（平成11年法律第167号）
独立行政法人国立特別支援教育総合研究所	独立行政法人国立特別支援教育総合研究所法（平成11年法律第165号）
独立行政法人国立美術館	独立行政法人国立美術館法（平成11年法律第177号）
独立行政法人国立病院機構	独立行政法人国立病院機構法（平成14年法律第191号）
独立行政法人国立文化財機構	独立行政法人国立文化財機構法（平成11年法律第178号）
独立行政法人自動車技術総合機構	独立行政法人自動車技術総合機構法（平成11年法律第218号）
独立行政法人住宅金融支援機構	独立行政法人住宅金融支援機構法（平成17年法律第82号）
独立行政法人酒類総合研究所	独立行政法人酒類総合研究所法（平成11年法律第164号）

独立行政法人製品評価技術基盤機構	独立行政法人製品評価技術基盤機構法（平成11年法律第204号）
独立行政法人造幣局	独立行政法人造幣局法（平成14年法律第40号）
独立行政法人大学改革支援・学位授与機構	独立行政法人大学改革支援・学位授与機構法（平成15年法律第114号）
独立行政法人大学入試センター	独立行政法人大学入試センター法（平成11年法律第166号）
独立行政法人地域医療機能推進機構	独立行政法人地域医療機能推進機構法（平成17年法律第71号）
独立行政法人駐留軍等労働者労務管理機構	独立行政法人駐留軍等労働者労務管理機構法（平成11年法律第217号）
独立行政法人鉄道建設・運輸施設整備支援機構	独立行政法人鉄道建設・運輸施設整備支援機構法（平成14年法律第180号）
独立行政法人統計センター	独立行政法人統計センター法（平成11年法律第219号）
独立行政法人都市再生機構	独立行政法人都市再生機構法（平成15年法律第100号）
独立行政法人日本学術振興会	独立行政法人日本学術振興会法（平成14年法律第159号）
独立行政法人日本芸術文化振興会	独立行政法人日本芸術文化振興会法（平成14年法律第163号）
独立行政法人日本高速道路保有・債務返済機構	独立行政法人日本高速道路保有・債務返済機構法（平成16年法律第100号）
独立行政法人日本スポーツ振興センター	独立行政法人日本スポーツ振興センター法（平成14年法律第162号）
独立行政法人日本貿易振興機構	独立行政法人日本貿易振興機構法（平成14年法律第172号）
独立行政法人農畜産業振興機構	独立行政法人農畜産業振興機構法（平成14年法律第126号）
独立行政法人農林水産消費安全技術センター	独立行政法人農林水産消費安全技術センター法（平成11年法律第183号）

独立行政法人福祉医療機構	独立行政法人福祉医療機構法（平成14年法律第166号）
独立行政法人北方領土問題対策協会	独立行政法人北方領土問題対策協会法(平成14年法律第132号）
独立行政法人水資源機構	独立行政法人水資源機構法（平成14年法律第182号）
独立行政法人郵便貯金簡易生命保険管理・郵便局ネットワーク支援機構	独立行政法人郵便貯金簡易生命保険管理・郵便局ネットワーク支援機構法（平成17年法律第101号）
独立行政法人労働者健康安全機構	独立行政法人労働者健康安全機構法（平成14年法律第171号）
独立行政法人労働政策研究・研修機構	独立行政法人労働政策研究・研修機構法（平成14年法律第169号）
年金積立金管理運用独立行政法人	年金積立金管理運用独立行政法人法（平成16年法律第105号）

別表第３ 非課税文書の表（第５条関係）

文書名	作成者
国庫金又は地方公共団体の公金の取扱いに関する文書	日本銀行その他法令の規定に基づき国庫金又は地方公共団体の公金の取扱いをする者
清酒製造業等の安定に関する特別措置法（昭和45年法律第77号）第３条第１項第１号（中央会の事業の範囲の特例）の事業に関する文書	同法第２条第３項（定義）に規定する中央会
独立行政法人中小企業基盤整備機構法（平成14年法律第147号）第15条第１項第１号から第４号まで、第５号ロ及びハ、第６号、第８号（中心市街地の活性化に関する法律（平成10年法律第92号）第39条第１項の規定による特定の地域における施設の整備等の業務に限る。）、第11号、第13号、第16号並びに第17号（業務の範囲）に掲げる業務並びに独立行政法人中小企業基盤整備機構法第15条第２項の業務（同項第７号に掲げる業務を除く。）並びに同法附則第８条（旧繊維法に係る業務の特例）、第８条の２第１項（旧新事業創出促進法に係る業務の特例）及び第８条の４第１項（旧特定産業集積活性化法に係る業務の特例）の業務並びに同法附則第８条の８第１号及び第２号（改正前中小強化法等に係る業務の特例）に掲げる業務に関する文書	独立行政法人中小企業基盤整備機構
国立研究開発法人情報通信研究機構法（平成11年法律第162号）第14条第１項第１号から第８号まで（業務の範囲）の業務及び特定通信・放送開発事業実施円滑化法（平成２年法律第35号）第６条第１項第１号（機構による特定通信・放送開発事業の推進）の業務に関する文書	国立研究開発法人情報通信研究機構
日本私立学校振興・共済事業団法（平成９年法律第48号）第23条第１項第２号（業務）の業務に関する文書	日本私立学校振興・共済事業団
国立研究開発法人宇宙航空研究開発機構法（平成14年法律第161号）第18条第１項第１号、第２号及び第９号（業務の範囲等）の業務に関する文書	国立研究開発法人宇宙航空研究開発機構
国立研究開発法人農業・食品産業技術総合研究機構法（平成11年法律第192号）第14条第１項第１号から第４号まで及び第２項から第４項まで（業務の範囲）の業務（同法第15条第２号（区分経理）に掲げる業務に該当するものを除く。）に関する文書	国立研究開発法人農業・食品産業技術総合研究機構

情報処理の促進に関する法律（昭和45年法律第90号）第51条第１項第３号及び第４号（業務の範囲）の業務に関する文書	独立行政法人情報処理推進機構
国立研究開発法人海洋研究開発機構法（平成15年法律第95号）第17条第３号（業務の範囲）の業務に関する文書	国立研究開発法人海洋研究開発機構
外国人の技能実習の適正な実施及び技能実習生の保護に関する法律（平成28年法律第89号）第87条第１号及び第６号（同条第１号の業務に係る業務に限る。）（業務の範囲）の業務に関する文書	外国人技能実習機構
独立行政法人日本学生支援機構法（平成15年法律第94号）第13条第１項第１号（業務の範囲）に規定する学資の貸与に係る業務に関する文書	独立行政法人日本学生支援機構、独立行政法人日本学生支援機構の業務の委託を受ける者又は当該業務に係る学資の貸与を受ける者
社会福祉法（昭和26年法律第45号）第２条第２項第７号（定義）に規定する生計困難者に対して無利子又は低利で資金を融通する事業による貸付金に関する文書	社会福祉法人その他当該資金を融通する者又は当該資金の融通を受ける者
船員保険法（昭和14年法律第73号）又は国民健康保険法（昭和33年法律第192号）に定める資金の貸付けに関する文書のうち政令で定めるもの	当該資金の貸付けを受ける者
公衆衛生修学資金貸与法（昭和32年法律第65号）に定める公衆衛生修学資金の貸与に係る消費貸借に関する契約書	当該修学資金の貸与を受ける者
矯正医官修学資金貸与法（昭和36年法律第23号）に定める矯正医官修学資金の貸与に係る消費貸借に関する契約書	当該修学資金の貸与を受ける者
母子及び父子並びに寡婦福祉法（昭和39年法律第129号）に定める資金の貸付けに関する文書	当該資金の貸付けを受ける者
独立行政法人自動車事故対策機構法（平成14年法律第183号）第13条第５号及び第６号（業務の範囲）に規定する資金の貸付けに関する文書	独立行政法人自動車事故対策機構又は当該資金の貸付けを受ける者
私立学校教職員共済法（昭和28年法律第245号）第26条第１項第３号（福祉事業）の貸付け並びに同項第４号及び第５号（福祉事業）の事業に関する文書	日本私立学校振興・共済事業団又は同法第14条第１項（加入者）に規定する加入者
国家公務員共済組合法（昭和33年法律第128号）第98条第１	国家公務員共済組合、国家公

項第３号（福祉事業）の貸付け並びに同項第４号及び第５号（福祉事業）の事業に関する文書	務員共済組合連合会又は国家公務員共済組合の組合員
地方公務員等共済組合法（昭和37年法律第152号）第112条第１項第２号（福祉事業）の貸付け並びに同項第３号及び第４号（福祉事業）の事業に関する文書	地方公務員共済組合、全国市町村職員共済組合連合会又は地方公務員共済組合の組合員
社会保険診療報酬支払基金法（昭和23年法律第129号）に定める診療報酬の支払及び診療報酬請求書の審査に関する文書	社会保険診療報酬支払基金又は同法第１条（目的）に規定する保険者
自動車損害賠償保障法（昭和30年法律第97号）に定める自動車損害賠償責任保険に関する保険証券若しくは保険料受取書又は同法に定める自動車損害賠償責任共済に関する共済掛金受取書	保険会社又は同法第６条第２項に規定する組合
国民健康保険法に定める国民健康保険の業務運営に関する文書	国民健康保険組合又は国民健康保険団体連合会
高齢者の医療の確保に関する法律（昭和57年法律第80号）第139条第１項各号（支払基金の業務）に掲げる業務、同法附則第11条第１項（病床転換助成事業に係る支払基金の業務）に規定する業務及び介護保険法（平成９年法律第123号）第160条第１項各号（支払基金の業務）に掲げる業務に関する文書	社会保険診療報酬支払基金
国民年金法（昭和34年法律第141号）第128条第１項（基金の業務）又は第137条の15第１項（連合会の業務）に規定する給付及び同条第２項第１号（連合会の業務）に掲げる事業並びに確定拠出年金法（平成13年法律第88号）第73条（企業型年金に係る規定の準用）において準用する同法第33条第３項（支給要件）、第37条第３項（支給要件）及び第40条（支給要件）に規定する給付に関する文書	国民年金基金又は国民年金基金連合会
中小企業退職金共済法（昭和34年法律第160号）第７条第３項（退職金共済手帳の交付）の退職金共済手帳又は同法第70条第１項（業務の範囲）に規定する業務のうち、同法第44条第４項（掛金）に規定する退職金共済証紙の受払いに関する業務に係る金銭の受取書	同法第２条第６項（定義）に規定する共済契約者又は同法第72条第１項（業務の委託）の規定に基づき、独立行政法人勤労者退職金共済機構から退職金共済証紙の受払いに関する業務の委託を受けた金融機関

漁業災害補償法（昭和39年法律第158号）第101条第１項（事務の委託）に規定する事務の委託に関する文書又は同法第196条の３第１号（業務）に定める資金の貸付け若しくは同条第２号（業務）に定める債務の保証に係る消費貸借に関する契約書（漁業共済組合又は漁業共済組合連合会が保存するものを除く。）	漁業共済組合若しくはその組合員又は漁業共済組合連合会
労働保険の保険料の徴収等に関する法律（昭和44年法律第84号）に定める労働保険料その他の徴収金に係る還付金の受取書又は同法第33条第１項（労働保険事務組合）の規定による労働保険事務の委託に関する文書	同法の規定による事業主又は同法第33条第３項に規定する労働保険事務組合
独立行政法人農業者年金基金法（平成14年法律第127号）第９条第１号（業務の範囲）に掲げる農業者年金事業に関する文書又は同法附則第６条第１項第１号（業務の特例）に規定する給付に関する文書	独立行政法人農業者年金基金又は同法第10条第１項第２号（業務の委託）に規定する農業協同組合
児童福祉法（昭和22年法律第164号）第56条の５の２（連合会の業務）の規定による業務、高齢者の医療の確保に関する法律第155条第１項（国保連合会の業務）の規定による業務、介護保険法第176条第１項第１号及び第２号並びに第２項第３号（連合会の業務）に掲げる業務並びに障害者の日常生活及び社会生活を総合的に支援するための法律（平成17年法律第123号）第96条の２（連合会の業務）の規定による業務に関する文書	国民健康保険団体連合会
確定給付企業年金法（平成13年法律第50号）第30条第３項（裁定）に規定する給付又は同法第91条の18第４項第１号（連合会の業務）に掲げる事業及び同法第91条の24第２項（裁定）に規定する給付に関する文書	企業年金基金又は企業年金連合会

印紙税法施行令（昭42．5．31 政令 108）

最終改正　令４政令146

（定義）

第１条　この政令において「課税文書」、「印紙税納付計器」、「指定計器」、「納付印」、「預貯金通帳等」、「納付印等」又は「記載金額」とは、それぞれ印紙税法（以下「法」という。）第３条第１項〔納税義務者〕、第10条第１項〔印紙税納付計器の使用による納付の特例〕、第12条第１項〔預貯金通帳等に係る申告及び納付等の特例〕、第16条〔納付印等の製造等の禁止〕又は別表第１の課税物件表の適用に関する通則４に規定する課税文書、印紙税納付計器、指定計器、納付印、預貯金通帳等、納付印等又は記載金額をいう。

第２条及び第３条　削除

（納税地）

第４条　法第６条第５号〔納税地〕に掲げる政令で定める場所は、同号の課税文書の次の各号に掲げる区分に応じ、当該各号に掲げる場所とする。

一　その作成者の事業に係る事務所、事業所その他これらに準ずるものの所在地が記載されている課税文書　当該所在地

二　その他の課税文書　当該課税文書の作成の時における作成者の住所（住所がない場合には、居所。以下同じ。）

２　二以上の者が共同して作成した課税文書に係る法第６条第５号に掲げる政令で定める場所は、前項の規定にかかわらず、当該課税文書の次の各号に掲げる区分に応じ、当該各号に掲げる場所とする。

一　その作成者が所持している課税文書　当該所持している場所

二　その作成者以外の者が所持している課税文書　当該作成者のうち当該課税文書に最も先に記載されている者のみが当該課税文書を作成したものとした場合の前項各号に掲げる場所

（印紙を消す方法）

第５条　課税文書の作成者は、法第８条第２項〔印紙による納付等〕の規定により印紙を消す場合には、自己又はその代理人（法人の代表者を含む。）、使用人その他の従業者の印章又は署名で消さなければならない。

（税印を押すことの請求等）

第６条　法第９条第１項〔税印による納付の特例〕の請求をしようとする者は、次に掲げる事項を記載した請求書を当該税務署長に提出しなければならない。

一　請求者の住所、氏名又は名称及び個人番号（行政手続における特定の個人を識別するための番号の利用等に関する法律（平成25年法律第27号）第２条第５項（定義）に規定する個人番号をいう。以下同じ。）又は法人番号（同条第15項に規定する法人番号をいう。以下同じ。）（個人番号又は法人番号を有しない者にあっては、住所及び氏名又は名称）

二　当該請求に係る課税文書の号別及び種類並びに当該種類ごとの数量

三　当該請求に係る課税文書に課されるべき印紙税額
四　その他参考となるべき事項
2　税務署長は、法第９条第３項の規定により同条第１項の請求を棄却する場合には、その旨及びその理由を記載した書類を当該請求をした者に交付するものとする。

（計器の指定の申請等）

第７条　法第10条第１項〔印紙税納付計器の使用による納付の特例〕の指定を受けようとする者は、次に掲げる事項を記載した申請書を国税庁長官に提出しなければならない。
一　申請者の住所及び氏名又は名称並びに法人にあっては、法人番号
二　当該指定を受けようとする計器の製造者の住所及び氏名又は名称
三　当該計器の名称、型式、構造、機能及び操作の方法
四　その他参考となるべき事項
2　前項の申請書を提出した者は、当該指定を受けようとする計器を国税庁長官に提示しなければならない。
3　法第10条第１項の指定は、当該指定をしようとする計器の名称、型式、構造及び機能を告示することにより行うものとする。
4　国税庁長官は、法第10条第１項の指定した場合には、その旨を第１項の申請者に通知するものとする。

（印紙税納付計器の設置の承認の申請等）

第８条　法第10条第１項〔印紙税納付計器の使用による納付の特例〕の承認を受けようとする者は、次に掲げる事項を記載した申請書を当該税務署長に提出しなければならない。
一　申請者の住所、氏名又は名称及び個人番号又は法人番号（個人番号を有しない個人にあっては、住所及び氏名）
二　当該印紙税納付計器を設置しようとする場所
三　当該印紙税納付計器に係る指定計器の名称、型式及び計器番号
四　当該印紙税納付計器を設置しようとする年月日
五　その他参考となるべき事項
2　税務署長は、前項の申請書の提出があった場合には、同項の申請者が法第10条第５項の規定により当該承認を取り消された日から２年を経過するまでの者であるときその他印紙税の保全上不適当と認められるときを除き、その承認を与えるものとする。
3　法第10条第２項の承認を受けようとする者は、次に掲げる事項を記載した申請書を当該税務署長に提出しなければならない。
一　申請者の住所及び氏名又は名称並びに法人にあっては、法人番号
二　当該印紙税納付計器を設置する場所
三　当該印紙税納付計器に係る指定計器の名称、型式及び計器番号
四　当該印紙税納付計器により申請者が交付を受ける課税文書に納付印を押そうとする最初の日
五　申請の理由
六　その他参考となるべき事項
4　法第10条第３項の請求をしようとする者は、次に掲げる事項を記載した請求書を当該税務署長に提出するとともに、印紙税納付計器その他同項の措置を受けるため必要な物件を

提示しなければならない。

一　請求者の住所、氏名又は名称及び個人番号又は法人番号（個人番号を有しない個人にあっては、住所及び氏名）

二　当該印紙税納付計器の設置場所

三　当該印紙税納付計器に係る指定計器の名称、型式及び計器番号

四　当該印紙税納付計器により表示しようとする印紙税に相当する金額の総額

五　その他参考となるべき事項

5　税務署長は、法第10条第６項の規定により印紙税納付計器に封を施す場合には、当該封を破らなければ同条第３項の措置を講じた金額の総額又は当該印紙税納付計器により表示した印紙税に相当する金額の累計額若しくは納付印を押した回数を変更することができない箇所に行うものとする。

6　税務署長は、法第10条第５項の規定により同条第１項の承認を取り消す場合には、その旨及びその理由を記載した書類を当該承認を取り消される者に交付するものとする。この場合には、税務署長は、当該取消しに係る印紙税納付計器につき同条第６項の封の解除その他必要な措置を講ずるものとする。

第９条　削除

（書式表示による申告及び納付の承認の申請等）

第10条　法第11条第１項〔書式表示による申告及び納付の特例〕の承認を受けようとする者は、当該承認を受けようとする課税文書の同項各号の区分ごとに、次に掲げる事項を記載した申請書を当該税務署長に提出しなければならない。

一　申請者の住所、氏名又は名称及び個人番号又は法人番号（個人番号又は法人番号を有しない者にあっては、住所及び氏名又は名称）

二　当該承認を受けようとする課税文書の次に掲げる区分に応じ、次に掲げる事項

イ　法第11条第１項第１号に掲げるもの　当該課税文書の号別及び種類並びに当該課税文書の作成につき同項の規定の適用を受けようとする最初の日

ロ　法第11条第１項第２号に掲げるもの　当該課税文書の号別及び種類並びに当該種類ごとの作成予定数量及び作成予定年月日

三　当該課税文書の様式又は形式

四　当該課税文書の作成の事実が明らかにされる方法

五　その他参考となるべき事項

2　法第11条第４項の規定による申告書には、同項各号に掲げる事項のほか、次に掲げる事項を記載しなければならない。

一　申告者の住所、氏名又は名称及び個人番号又は法人番号（個人番号又は法人番号を有しない者にあっては、住所及び氏名又は名称）

二　当該申告に係る課税文書の作成場所

3　法第11条第４項の規定による申告書は、当該申告に係る課税文書の同条第１項各号の区分ごとに提出しなければならない。

4　法第11条第４項の規定による申告書を提出する義務がある者が当該申告書の提出期限前に当該申告書を提出しないで死亡した場合において、法第19条〔申告義務等の承継〕の規定によりその者の申告義務を承継した相続人（包括受遺者を含む。以下同じ。）が提出する

当該申告書には、次に掲げる事項を併せて記載しなければならない。

一　各相続人の住所、氏名、個人番号、被相続人（包括遺贈者を含む。以下この号において同じ。）との続柄、民法（明治29年法律第89号）第900条から第902条まで（法定相続分・代襲相続人の相続分・遺言による相続分の指定）の規定による相続分及び相続（包括遺贈を含む。以下この号において同じ。）によって得た財産の価額（個人番号を有しない者にあっては、住所、氏名、被相続人との続柄、同法第900条から第902条までの規定による相続分及び相続によって得た財産の価額）

二　相続人が限定承認をした場合には、その旨

三　相続人が２人以上ある場合には、当該申告書の提出により納付すべき税額を第１号に規定する各相続人の相続分によりあん分して計算した額に相当する印紙税額

5　相続人が２人以上ある場合には、前項の申告書は、各相続人が連署して提出するものとする。ただし、当該申告書は、各相続人が各別に提出することを妨げない。

6　前項ただし書に規定する方法により第４項の申告書を提出する場合には、当該申告書には、同項第１号に掲げる事項のうち他の相続人の個人番号は、記載することを要しない。

7　第５項ただし書に規定する方法により第４項の申告書を提出した相続人は、直ちに、他の相続人に対し、当該申告書に記載した事項の要領を通知するものとする。

8　法第11条第６項の規定による届出は、次に掲げる事項を記載した書面により行うものとする。

一　届出者の住所、氏名又は名称及び個人番号又は法人番号（個人番号又は法人番号を有しない者にあっては、住所及び氏名又は名称）

二　当該適用を受ける必要がなくなる年月日並びにその課税文書の号別及び種類

三　当該課税文書につき法第11条第１項の承認を受けた年月日

四　その他参考となるべき事項

（書式表示をすることができる預貯金通帳等の範囲）

第11条　法第12条第１項〔預貯金通帳等に係る申告及び納付等の特例〕に規定する政令で定める通帳は、次に掲げる通帳とする。

一　普通預金通帳

二　通知預金通帳

三　定期預金通帳（第７号に該当するものを除く。）

四　当座預金通帳

五　貯蓄預金通帳

六　勤務先預金通帳（労働基準法（昭和22年法律第49号）第18条第４項（預金の利子）又は船員法（昭和22年法律第100号）第34条第３項（預金の利子）に規定する預金の受入れに関し作成するものに限る。）

七　複合預金通帳（法別表第１第18号に掲げる預貯金通帳のうち、性格の異なる二以上の預貯金に関する事項を併せて付け込んで証明する目的をもって作成する通帳をいう。）

八　複合寄託通帳（法別表第１第19号に掲げる通帳のうち、預貯金に関する事項及び有価証券の寄託に関する事項を併せて付け込んで証明する目的をもって作成する通帳をいう。）

（預貯金通帳等に係る申告及び納付の承認の申請等）

第12条　法第12条第１項〔預貯金通帳等に係る申告及び納付等の特例〕の承認を受けようとする者は、次に掲げる事項を記載した申請書を、当該承認を受けようとする最初の課税期間（同項に規定する課税期間をいう。次項及び第６項第２号並びに第18条第２項において同じ。）の開始の日の属する年の３月15日までに、当該税務署長に提出しなければならない。

一　申請者の住所、氏名又は名称及び個人番号又は法人番号（個人番号を有しない個人にあっては、住所及び氏名）

二　当該承認を受けようとする預貯金通帳等の前条各号の区分

三　その他参考となるべき事項

２　法第12条第４項〔預貯金通帳等に係る申告及び納付等の特例〕に規定する口座の数として政令で定めるところにより計算した数は、当該課税期間の開始の時における当該預貯金通帳等の種類ごとの当該預貯金通帳等に係る口座（統括して管理されている一の預貯金通帳等に係る二以上の口座については、これらの口座を一の口座とし、一括して整理するために設けられている二以上の預貯金通帳等に係る口座については、当該口座を構成する各別の口座とする。以下この条及び第18条第２項において同じ。）の数から、睡眠口座の数及び法別表第１第18号の非課税物件の欄２に規定する通帳に係る口座（第18条第２項において「非課税預貯金通帳に係る口座」という。）の数を控除して計算した数とする。

３　前項に規定する睡眠口座とは、当該預貯金通帳等に係る口座につきその残高（有価証券の寄託に係る口座については、当該寄託がされている有価証券の券面金額の合計額とする。）が1,000円に満たないもので、当該口座における最後の取引の日から３年を経過したものをいう。

４　法第12条第５項の規定による申告書には、同項各号に掲げる事項のほか、次に掲げる事項を記載しなければならない。

一　申告者の住所、氏名又は名称及び個人番号又は法人番号（個人番号を有しない個人にあっては、住所及び氏名）

二　当該申告に係る課税文書の作成場所

５　第10条第４項から第７項まで〔書式表示による申告及び納付の承認の申請等〕の規定は、法第12条第５項の規定による申告書を提出する義務がある者が当該申告書の提出期限前に当該申告書を提出しないで死亡した場合について準用する。

６　法第12条第７項の規定による届出は、次に掲げる事項を記載した書面により行うものとする。

一　届出者の住所、氏名又は名称及び個人番号又は法人番号（個人番号を有しない個人にあっては、住所及び氏名）

二　当該適用を受ける必要がなくなる最初の課税期間及びその預貯金通帳等の前条各号の区分

三　当該預貯金通帳等につき法第12条第１項の承認を受けた年月日

四　その他参考となるべき事項

第13条　削除

（過誤納の確認等）

第14条　法第14条第１項〔過誤納の確認等〕の確認を受けようとする者は、次に掲げる事項を記載した申請書を当該税務署長に提出しなければならない。

一　申請者の住所、氏名又は名称及び個人番号又は法人番号（個人番号又は法人番号を有しない者にあっては、住所及び氏名又は名称）

二　当該過誤納に係る印紙税の次に掲げる区分に応じ、次に掲げる事項

イ　印紙を貼り付けた文書、税印を押した文書又は印紙税納付計器により印紙税額に相当する金額を表示して納付印を押した文書に係る印紙税　当該文書の種類、当該種類ごとの数量、当該過誤納となった金額及び当該印紙を貼付け又は当該税印若しくは納付印を押した年月日

ロ　イに掲げる印紙税を除くほか、法第９条第２項〔税印による納付の特例〕又は法第10条第４項〔印紙税納付計器の使用による納付の特例〕の規定により納付した印紙税　当該納付した印紙税の額、当該印紙税の額のうち過誤納となった金額及び当該納付した年月日

三　過誤納となった理由

四　その他参考となるべき事項

２　法第14条第１項の確認を受けようとする者は、前項の申請書を提出する際、当該過誤納となった事実を証するため必要な文書その他の物件を当該税務署長に提示しなければならない。

３　税務署長は、法第14条第１項の確認をしたときは、前項の規定により提示された文書その他の物件に当該確認をしたことを明らかにするため必要な措置を講ずるものとする。

４　法第14条第２項の規定による確認と充当との請求をしようとする者は、第１項各号に掲げる事項及び当該過誤納金をその納付すべき印紙税に充当することを請求する旨を記載した請求書を当該税務署長に提出しなければならない。

５　第２項の規定は法第14条第２項の確認及び充当の請求をする場合について、第３項の規定は同条第２項の充当をした場合について、それぞれ準用する。

（担保の提供の期限等）

第15条　国税庁長官、国税局長又は税務署長は、法第15条第１項〔保全担保〕の規定により担保の提供を命ずる場合には、これを提供すべき期限を指定しなければならない。

２　前項の担保は、その提供を命じた者の承認を受けた場合には、順次その総額を分割して提供することができる。

（納付印等の製造等の承認の申請）

第16条　法第16条ただし書〔納付印等の製造等の禁止〕の承認を受けようとする者は、次に掲げる事項を記載した申請書を当該税務署長に提出しなければならない。

一　申請者の住所及び氏名又は名称並びに法人にあっては、法人番号

二　当該製造、販売又は所持をしようとする場所

三　当該製造、販売又は所持をしようとする納付印等の区分及び区分ごとの数量

四　当該製造、販売又は所持をしようとする物が納付印の印影に紛らわしい外観を有する印影を生ずべき印であるときは、当該印影の図案

五　申請の理由

六　その他参考となるべき事項

（印紙税納付計器販売業等の申告等）

第17条　法第17条第１項前段〔印紙税納付計器販売業等の申告等〕の規定による申告をしようとする者は、次に掲げる事項を記載した申告書を当該税務署長に提出しなければならない。

一　申告者の住所、氏名又は名称及び個人番号又は法人番号（個人番号を有しない個人にあっては、住所及び氏名）

二　当該販売場又は製造場の所在地（販売場を設けない場合には、その旨）

三　当該販売又は製造をしようとする印紙税納付計器又は納付印の区分

四　当該販売をしようとする物が印紙税納付計器であるときは、当該印紙税納付計器に係る指定計器の名称及び型式

五　当該販売又は製造の開始の年月日

六　その他参考となるべき事項

２　法第17条第１項後段の規定による申告をしようとする者は、次に掲げる事項を記載した申告書を前項の税務署長に提出しなければならない。

一　申告者の住所、氏名又は名称及び個人番号又は法人番号（個人番号を有しない個人にあっては、住所及び氏名）

二　当該販売場又は製造場の所在地

三　販売業又は製造業の廃止の年月日又は休止の期間

四　その他参考となるべき事項

３　法第17条第２項の届出をしようとする者は、次に掲げる事項を記載した書類を当該税務署長に提出するとともに、当該印紙税納付計器を提示しなければならない。

一　提出者の住所、氏名又は名称及び個人番号又は法人番号（個人番号を有しない個人にあっては、住所及び氏名）

二　当該印紙税納付計器を設置した場所

三　当該印紙税納付計器に係る指定計器の名称、型式及び計器番号

四　当該設置の廃止の年月日

五　その他参考となるべき事項

（記帳義務）

第18条　法第11条第１項〔書式表示による申告及び納付の特例〕の承認を受けた者は、次に掲げる事項を帳簿に記載しなければならない。

一　当該承認に係る課税文書の号別及び種類並びに当該種類ごとの当該課税文書の用紙の受入れの数量及び年月日並びに受入先の住所及び氏名又は名称

二　当該承認に係る課税文書の次に掲げる区分に応じ、当該課税文書の種類ごとの次に掲げる事項

イ　法別表第１第１号から第４号まで又は第17号の課税文書　当該課税文書の税率区分ごとの作成の数量及び年月日

ロ　イ以外の課税文書　当該課税文書の作成の数量及び年月日

２　法第12条第１項〔預貯金通帳等に係る申告及び納付等の特例〕の承認を受けた者は、課税期間の開始の時における次に掲げる事項を帳簿に記載しなければならない。

一　当該承認に係る預貯金通帳等の第11条各号〔書式表示をすることができる預貯金通帳

等の範囲〕の区分ごとの当該預貯金通帳等に係る口座の数

二　第12条第３項に規定する睡眠口座及び非課税預貯金通帳に係る口座の数

３　印紙税納付計器の販売業者又は納付印の製造業者若しく販売業者は、次に掲げる事項を帳簿に記載しなければならない。

一　受け入れ又は製造した指定計器又は納付印等の区分並びに当該区分ごとの受入れ又は製造の数量及び年月日並びに受入先の住所及び氏名又は名称

二　販売した指定計器又は納付印等の区分並びに当該区分ごとの販売の数量及び年月日並びに販売先の住所及び氏名又は名称

三　貯蔵している指定計器又は納付印等の区分及び区分ごとの数量

（印紙税を納付していない旨の申出等）

第19条　法第20条第２項〔印紙納付に係る不納税額があった場合の過怠税の徴収〕の申出をしようとする者は、次に掲げる事項を記載した申出書を当該税務署長に提出しなければならない。

一　申出者の住所、氏名又は名称及び個人番号又は法人番号（個人番号又は法人番号を有しない者にあっては、住所及び氏名又は名称）

二　当該申出に係る課税文書の号別及び種類、数量並びにその作成年月日

三　当該課税文書に課されるべき印紙税額及び当該課税文書につき納付していない印紙税額並びにこれらの印紙税額のそれぞれの合計額

四　その他参考となるべき事項

２　法第20条第６項に規定する政令で定める事項は、次に掲げる事項とする。

一　当該過怠税に係る課税文書の号別及び種類、数量並びにその作成年月日並びに作成者の住所及び氏名又は名称

二　当該課税文書の所持者が明らかな場合には、当該所持者の住所及び氏名又は名称

三　過怠税を徴収する理由

第20条　削除

（その役務の提供を約することを内容とする契約が請負となる者の範囲）

第21条　法別表第１第２号の定義の欄に規定する政令で定める者は、次に掲げる者とする。

一　プロボクサー

二　プロレスラー

三　演劇の俳優

四　音楽家

五　舞踊家

六　映画又は演劇の監督、演出家又はプロジューサー

七　テレビジョン放送の演技者、演出家又はプロジューサー

２　法別表第１第２号の定義の欄に規定する契約は、職業野球の選手、映画の俳優又は前項に掲げる者のこれらの者としての役務の提供を約することを内容とする契約に限るものとする。

（相互間の手形の税率が軽減される金融機関の範囲）

第22条　法別表第１第３号の課税標準及び税率の欄２ロに規定する政令で定める金融機関は、次に掲げる金融機関（第９号及び第10号に掲げるものにあっては、貯金又は定期積金の受

入れを行うものに限る。）とする。
一　信託会社
二　保険会社
三　信用金庫及び信用金庫連合会
四　労働金庫及び労働金庫連合会
五　農林中央金庫
六　株式会社商工組合中央金庫
七　株式会社日本政策投資銀行
八　信用協同組合及び信用協同組合連合会
九　農業協同組合及び農業協同組合連合会
十　漁業協同組合、漁業協同組合連合会、水産加工業協同組合及び水産加工業協同組合連合会
十一　金融商品取引法（昭和23年法律第25号）第２条第30項（定義）に規定する証券金融会社
十二　コール資金の貸付け又はその貸借の媒介を業として行う者のうち、財務大臣の指定するもの

（非居住者円の手形の範囲及び表示）

第23条　法別表第１第３号の課税標準及び税率の欄２ニに規定する政令で定める手形は、外国為替及び外国貿易法（昭和24年法律第228号）第６条第１項第６号（定義）に規定する非居住者（第23条の３において「非居住者」という。）の本邦にある同法第16条の２（支払等の制限）に規定する銀行等（以下「銀行等」という。）に対する本邦通貨をもって表示される勘定を通ずる方法により決済される輸出に係る荷為替手形で、銀行等により当該手形であることにつき確認を受けて財務省令で定める表示を受けたものとする。

（税率が軽減される居住者振出しの手形の範囲及び表示）

第23条の２　法別表第１第３号の課税標準及び税率の欄２ホに規定する政令で定める手形は、次の各号に掲げる手形（同欄２イに掲げる一覧払の手形を除く。）で、銀行等により当該各号に掲げる手形であることにつき確認を受けて財務省令で定める表示を受けたものとする。
一　本邦から貨物を輸出する外国為替及び外国貿易法第６条第１項第５号（定義）に規定する居住者（以下この条において「居住者」という。）が本邦にある銀行等を支払人として振り出す本邦通貨により手形金額が表示される満期の記載のある輸出に係る荷為替手形
二　本邦から貨物を輸出する居住者が本邦にある銀行等以外の者を支払人として振り出した本邦通貨により手形金額が表示された満期の記載のある輸出に係る荷為替手形につき本邦にある銀行等の割引を受けた場合において、当該銀行等の当該割引のために要した資金の調達に供するため、当該居住者が当該銀行等を支払人として振り出す本邦通貨により手形金額が表示される満期の記載のある為替手形
三　本邦に貨物を輸入する居住者が輸入代金の支払のための資金を本邦にある銀行等から本邦通貨により融資を受けた場合において、当該銀行等の当該融資のために要した資金の調達に供するため、当該居住者が当該銀行等を支払人として振り出す本邦通貨により手形金額が表示される満期の記載のある為替手形

（税率が軽減される手形の担保となる外国の銀行が振り出す手形の範囲）

第23条の３　法別表第１第３号の課税標準及び税率の欄２へに規定する外国の法令に準拠して外国において銀行業を営む者（以下この条において「外国の銀行」という。）が本邦にある銀行等を支払人として振り出した本邦通貨により手形金額が表示される政令で定める手形は、非居住者が外国において振り出した本邦通貨により手形金額が表示された満期の記載のある輸出に係る荷為替手形の割引をし、又は非居住者に輸入代金の支払のための資金を本邦通貨により融資した外国の銀行が、当該割引又は当該融資のために要した資金を調達するため、本邦にある銀行等を支払人として振り出した本邦通貨により手形金額が表示される満期の記載のある為替手形とする。

（税率が軽減される銀行等振出しの手形の範囲及び表示）

第23条の４　法別表第１第３号の課税標準及び税率の欄２へに規定する銀行等が自己を支払人として振り出す本邦通貨により手形金額が表示される政令で定める手形は、前２条に規定する手形を担保として、本邦にある銀行等が自己を支払人として振り出す本邦通貨により手形金額が表示される満期の記載のある為替手形（同欄２イに掲げる一覧払の手形を除く。）で、当該銀行等において財務省令で定める表示をしたものとする。

（株券等に係る１株又は１口の金額）

第24条　法別表第１第４号の課税標準及び税率の欄に規定する政令で定める金額は、次の各号に掲げる証券の区分に応じ、当該各号に定める金額とする。

一　株券　当該株券に係る株式会社が発行する株式の払込金額（株式１株と引換えに払い込む金銭又は給付する金銭以外の財産の額をいい、払込金額がない場合にあっては、当該株式会社の資本金の額及び資本準備金の額の合計額を発行済株式（当該発行する株式を含む。）の総数で除して得た額）

二　投資証券　当該投資証券に係る投資法人が発行する投資口の払込金額（投資口１口と引換えに払い込む金銭の額をいい、払込金額がない場合にあっては、当該投資法人の出資総額を投資口（当該発行する投資口を含む。）の総口数で除して得た額）

三　オープン型の委託者指図型投資信託の受益証券　当該受益証券に係る信託財産の信託契約締結当初の信託の元本の総額を当該元本に係る受益権の口数で除して得た額（法第11条第１項第１号〔書式表示による申告及び納付の特例〕の規定に該当する受益証券で同項の承認を受けたものにあっては、当該受益証券に係る信託財産につきその月中に信託された元本の総額を当該元本に係る受益権の口数で除して得た額）

四　受益証券発行信託の受益証券　当該受益証券に係る信託財産の価額を当該信託財産に係る受益権の口数で除して得た額

（出資証券が非課税となる法人の範囲）

第25条　法別表第１第４号の非課税物件の欄に規定する政令で定める法人は、次に掲げる法人とする。

一　協業組合、商工組合及び商工組合連合会

二　漁業共済組合及び漁業共済組合連合会

三　商店街振興組合及び商店街振興組合連合会

四　消費生活協同組合及び消費生活協同組合連合会

五　信用金庫及び信用金庫連合会

六　森林組合、生産森林組合及び森林組合連合会

七　水産業協同組合

八　生活衛生同業組合、生活衛生同業小組合及び生活衛生同業組合連合会

九　中小企業等協同組合

十　農業協同組合、農業協同組合連合会及び農事組合法人

十一　農林中央金庫

十二　輸出組合及び輸入組合

十三　労働金庫及び労働金庫連合会

十四　労働者協同組合及び労働者協同組合連合会

（非課税となる受益証券の範囲）

第25条の２　法別表第１第４号の非課税物件の欄２に規定する政令で定める受益証券は、同欄２に規定する投資信託に係る信託契約により譲渡が禁止されている記名式の受益証券で、券面に譲渡を禁ずる旨の表示がされているものとする。

（継続的取引の基本となる契約書の範囲）

第26条　法別表第１第７号の定義の欄に規定する政令で定める契約書は、次に掲げる契約書とする。

一　特約店契約書その他名称のいかんを問わず、営業者（法別表第１第17号の非課税物件の欄に規定する営業を行う者をいう。）の間において、売買、売買の委託、運送、運送取扱い又は請負に関する二以上の取引を継続して行うため作成される契約書で、当該二以上の取引に共通して適用される取引条件のうち目的物の種類、取扱数量、単価、対価の支払方法、債務不履行の場合の損害賠償の方法又は再販売価格を定めるもの（電気又はガスの供給に関するものを除く。）

二　代理店契約書、業務委託契約書その他名称のいかんを問わず、売買に関する業務、金融機関の業務、保険募集の業務又は株式の発行若しくは名義書換えの事務を継続して委託するため作成される契約書で、委託される業務又は事務の範囲又は対価の支払方法を定めるもの

三　銀行取引約定書その他名称のいかんを問わず、金融機関から信用の供与を受ける者と当該金融機関との間において、貸付け（手形割引及び当座貸越しを含む。）、支払承諾、外国為替その他の取引によって生ずる当該金融機関に対する一切の債務の履行について包括的に履行方法その他の基本的事項を定める契約書

四　信用取引口座設定約諾書その他名称のいかんを問わず、金融商品取引法第２条第９項（定義）に規定する金融商品取引業者又は商品先物取引法（昭和25年法律第239号）第２条第23項（定義）に規定する商品先物取引業者とこれらの顧客との間において、有価証券又は商品の売買に関する二以上の取引（有価証券の売買にあっては信用取引又は発行日決済取引に限り、商品の売買にあっては商品市場における取引（商品清算取引を除く。）に限る。）を継続して委託するため作成される契約書で、当該二以上の取引に共通して適用される取引条件のうち受渡しその他の決済方法、対価の支払方法又は債務不履行の場合の損害賠償の方法を定めるもの

五　保険特約書その他名称のいかんを問わず、損害保険会社と保険契約者との間において、二以上の保険契約を継続して行うため作成される契約書で、これらの保険契約に共通し

て適用される保険要件のうち保険の目的の種類、保険金額又は保険料率を定めるもの

（預貯金証書等が非課税となる金融機関の範囲）

第27条　法別表第１第８号及び第18号の非課税物件の欄に規定する政令で定める金融機関は、次に掲げる金融機関とする。

一　信用金庫連合会

二　労働金庫及び労働金庫連合会

三　農林中央金庫

四　信用協同組合及び信用協同組合連合会

五　農業協同組合及び農業協同組合連合会

六　漁業協同組合、漁業協同組合連合会、水産加工業協同組合及び水産加工業協同組合連合会

（保険証券に該当しない書面を交付する保険契約の範囲）

第27条の２

法別表第１第10号の定義の欄に規定する政令で定める保険契約は、次に掲げる契約とする。

一　人が外国への旅行又は国内の旅行のために住居を出発した後、住居に帰着するまでの間における保険業法（平成７年法律第105号）第３条第５項第１号又は第２号に掲げる保険に係る保険契約

二　人が航空機に搭乗している間における保険業法第３条第５項第１号又は第２号に掲げる保険に係る保険契約

三　既に締結されている保険契約（以下この号において「既契約」という。）の保険約款（特約を含む。）に次に掲げる定めのいずれかの記載がある場合において、当該定めに基づき当該既契約を更新する保険契約（当該既契約の更新の際に法別表第１第10号の定義の欄に規定する規定により、当該既契約の保険者から当該既契約の保険契約者に対して交付する書面において、当該保険契約者からの請求により同号に掲げる保険証券に該当する書面を交付する旨の記載がある場合のものに限る。）

イ　既契約の保険期間の満了に際して当該既契約の保険者又は当該既契約の保険契約者のいずれかから当該既契約を更新しない旨の意思表示がないときは当該既契約を更新する旨の定め

ロ　既契約の保険期間の満了に際して新たに保険契約の締結を申し込む旨の書面を用いることなく、当該既契約に係る保険事故、保険金額及び保険の目的物と同一の内容で当該既契約を更新する旨の定め

四　共済に係る契約

（売上代金に該当しない対価の範囲等）

第28条　法別表第１第17号の定義の欄に規定する政令で定める有価証券は、次に掲げるものとする。

一　金融商品取引法第２条第１項第１号から第15号まで（定義）に掲げる有価証券及び同項第17号に掲げる有価証券（同項第16号に掲げる有価証券の性質を有するものを除く。）に表示されるべき権利（これらの有価証券が発行されていないものに限る。）

二　合名会社、合資会社又は合同会社の社員の持分、法人税法（昭和40年法律第34号）第２条第７号（定義）に規定する協同組合等の組合員又は会員の持分その他法人の出資者の持分

三　株主又は投資主（投資信託及び投資法人に関する法律（昭和26年法律第198号）第２条

第16項（定義）に規定する投資主をいう。）となる権利、優先出資者（協同組織金融機関の優先出資に関する法律（平成５年法律第44号）第13条（優先出資者となる時期）の優先出資者をいう。）となる権利、特定社員（資産の流動化に関する法律（平成10年法律第105号）第２条第５項（定義）に規定する特定社員をいう。）又は優先出資社員（同法第26条（社員）に規定する優先出資社員をいう。）となる権利その他法人の出資者となる権利

2　法別表第１第17号の定義の欄に規定する政令で定める対価は、次に掲げる対価とする。

一　公債及び社債（特別の法律により法人の発行する債券及び相互会社の社債を含む。）並びに預貯金の利子

二　財務大臣と銀行等との間又は銀行等相互間で行われる外国為替及び外国貿易法第６条第１項第８号（定義）に規定する対外支払手段又は同項第13号に規定する債権であって外国において若しくは外国通貨をもって支払を受けることができるものの譲渡の対価

3　法別表第１第17号の定義の欄１ロに規定する政令で定める受取書は、銀行その他の金融機関が作成する信託会社（金融機関の信託業務の兼営等に関する法律（昭和18年法律第43号）により同法第１条第１項（兼営の認可）に規定する信託業務を営む同項に規定する金融機関を含む。）にある信託勘定への振込金又は為替取引における送金資金の受取書とする。

（生命共済の掛金通帳の範囲）

第29条　法別表第１第18号の定義の欄に規定する政令で定める掛金通帳は、農業協同組合法（昭和22年法律第132号）第10条第１項第10号（共済に関する施設）の事業を行う農業協同組合又は農業協同組合連合会が死亡又は生存を共済事故とする共済（建物その他の工作物又は動産について生じた損害を併せて共済事故とするものを除く。）に係る契約に関し作成する掛金通帳とする。

（非課税となる普通預金通帳の範囲）

第30条　法別表第１第18号の非課税物件の欄２に規定する政令で定める普通預金通帳は、所得税法（昭和40年法律第33号）第10条（障害者等の少額預金の利子所得等の非課税）の規定によりその利子につき所得税が課されないこととなる普通預金に係る通帳（第11条第７号に掲げる通帳を除く。）とする。

（非課税となる資金の貸付けに関する文書の範囲）

第31条　法別表第３に規定する船員保険法（昭和14年法律第73号）又は国民健康保険法（昭和33年法律第192号）に定める資金の貸付けに関する文書のうち政令で定めるものは、次に掲げる文書とする。

㈠　船員保険法第111条第５項（保健事業及び福祉事業）に規定する資金の貸付け（同法第83条第１項（高額療養費）又は第73条第１項（出産育児一時金）若しくは第81条（家族出産育児一時金）の規定により高額療養費又は出産育児一時金若しくは家族出産育児一時金（以下この号において「療養費等」という。）が支給されるまでの間において行われる当該療養費等の支給に係る療養又は出産のため必要な費用に係る資金の貸付けに限る。）に関して作成する文書

㈡　国民健康保険法第82条第９項（保健事業）に規定する資金の貸付け（同法第57条の２第１項（高額療養費）又は第58条第１項（その他の給付）の規定により高額療養費又は出産育児一時金（以下この号において「療養費等」という。）が支給されるまでの間において行われる当該療養費等の支給に係る療養又は出産のための費用に係る資金の貸付けに限る。）に関して作成する文書

印紙税法施行規則（昭42.5.31 大令19）

最終改正　平12大令69

第１条　削除

（税印を押すことの請求をすることができる税務署等）

第２条　印紙税法（昭和42年法律第23号。以下「法」という。）第９条第１項〔税印による納付の特例〕に規定する財務省令で定める税務署は、別表第２のとおりとする。

２　法第９条第１項に規定する財務省令で定める印影の形式は、別表第３のとおりとする。

（納付印の印影の形式等）

第３条　法第10条第１項〔印紙税納付計器の使用による納付の特例〕に規定する財務省令で定める印影の形式は、別表第４のとおりとする。

２　法第10条第１項に規定する印紙税納付計器により、印紙税に相当する金額を表示して納付印を押す場合には、赤色のインキを使用しなければならない。

（書式表示等の書式）

第４条　法第11条第３項〔書式表示による申告及び納付の特例〕及び第12条第３項〔預貯金通帳等に係る申告及び納付等の特例〕に規定する財務省令で定める書式は、別表第５のとおりとする。

（非居住者円手形の表示の書式）

第５条　印紙税法施行令（昭和42年政令第108号。次条において「令」という。）第23条〔非居住者円の手形の範囲及び表示〕に規定する財務省令で定める表示の書式は、別表第６のとおりとする。

（円建銀行引受手形の表示の書式）

第６条　令第23条の２〔税率が軽減される居住者振出しの手形の範囲及び表示〕及び第23条の４〔税率が軽減される銀行等振出しの手形の範囲及び表示〕に規定する財務省令で定める表示の書式は、別表第７のとおりとする。

別表第１　削除

別表第２〔第２条〕

所轄国税局又は沖縄国税事務所	税　務　署　名
東京	麴町、日本橋、京橋、芝、四谷、麻布、浅草、品川、世田谷、渋谷、新宿、豊島、王子、本所、立川、横浜中、川崎南、小田原、千葉東、甲府
関東信越	浦和、川越、熊谷、水戸、宇都宮、足利、前橋、長野、諏訪、松本、新潟、長岡
大阪	東、西、南、北、阿倍野、東淀川、茨木、堺、門真、上京、下京、

	福知山、神戸、尼崎、姫路、奈良、和歌山、大津
札幌	札幌中、函館、小樽、旭川中、室蘭、北見、釧路、帯広
仙台	仙台北、盛岡、福島、いわき、秋田南、青森、山形、酒田、米沢
名古屋	名古屋中、名古屋中村、昭和、熱田、一宮、岡崎、豊橋、静岡、沼津、浜松西、津、四日市、岐阜北
金沢	金沢、小松、福井、富山、高岡
広島	広島東、海田、尾道、福山、山口、徳山、下関、宇部、岡山東、鳥取、米子、松江
高松	高松、松山、今治、徳島、高知
福岡	福岡、博多、飯塚、久留米、小倉、佐賀、長崎、佐世保
熊本	熊本西、大分、鹿児島、川内、宮崎、延岡
沖縄	那覇、沖縄

別表第３〔第２条〕

直径　40ミリメートル

別表第４〔第３条〕

第１号

縦26ミリメートル
横22ミリメートル

第２号

日本政府
金額
印紙税
税務署名記号番号

甲　縦26ミリメートル
横22ミリメートル
乙　縦28.6ミリメートル
横24.2ミリメートル

別表第５〔第４条〕

第１号

印紙税申告納付につき税務署承認済

縦17ミリメートル以上
横15ミリメートル以上

第２号

印紙税申告納 付につき 税務署承認済

縦15ミリメートル以上
横17ミリメートル以上

別表第６〔第５条〕

銀行
非居住者円
印紙税法上の表示

縦20ミリメートル
横30ミリメートル

別表第７〔第６条〕

銀行
円建銀行引受手形
印紙税法上の表示

縦21ミリメートル
横23ミリメートル

＜印紙税に関する法令＞

○印紙税法施行令第22条第12号の規定に基づき、コール資金の貸付け又はその貸借の媒介を業として行なう者を指定する告示（昭和42年　大蔵省告示第70号）

印紙税法施行令（昭和42年政令第108号）第22条第12号の規定に基づき、コール資金の貸付け又はその貸借の媒介を業として行なう者を次のように指定し、コール資金の貸付又は其の貸借の媒介を業として行なう者を指定する件（昭和32年４月大蔵省告示第65号）は、廃止する。

会社名	本店所在地
上田八木短資株式会社	大阪市中央区高麗橋２丁目４番２号
東京短資株式会社	東京都中央区日本橋室町４丁目４番10号
セントラル短資株式会社	東京都中央区日本橋本石町３丁目３番14号

○日本国と大韓民国との間の両国に隣接する大陸棚の南部の共同開発に関する協定の実施に伴う石油及び可燃性天然ガス資源の開発に関する特別措置法施行令（抄）（昭和53年　政令第248号）

（印紙税法の適用）

第７条　特定鉱業権に関する印紙税法（昭和42年法律第23号）の規定の適用については、同法別表第１第１号の課税物件の欄中「鉱業権」とあるのは、「特定鉱業権」とする。

○租税特別措置法（抄）（昭和32年　法律第26号）

（不動産の譲渡に関する契約書等に係る印紙税の税率の特例）

第91条　平成９年４月１日から平成26年３月31日までの間に作成される印紙税法別表第１第１号〔課税物件表〕の物件名の欄１に掲げる不動産の譲渡に関する契約書（一の文書が当該契約書と当該契約書以外の同号に掲げる契約書とに該当する場合における当該一の文書を含む。次項及び次条第１項において「不動産譲渡契約書」という。）又は同表第２号に掲げる請負に関する契約書（建設業法第２条第１項〔定義〕に規定する建設工事の請負に係る契約に基づき作成されるものに限る。第３項及び次条第１項において「建設工事請負契約書」という。）のうち、これらの契約書に記載された契約金額が1,000万円を超えるものに係る印紙税の税率は、同表第１号及び第２号の規定にかかわらず、次の各号に掲げる契約金額の区分に応じ、１通につき、当該各号に定める金額とする。

一　1,000万円を超え5,000万円以下のもの　１万5,000円

二　5,000万円を超え１億円以下のもの　４万5,000円

三　１億円を超え５億円以下のもの　８万円

四　５億円を超え10億円以下のもの　18万円

五　10億円を超え50億円以下のもの　36万円

六　50億円を超えるもの　54万円

2　平成26年４月１日から令和６年３月31日までの間に作成される不動産譲渡契約書のうち、当該不動産譲渡契約書に記載された契約金額が10万円を超えるものに係る印紙税の税率は、印紙税法別表第１第１号の規定にかかわらず、次の各号に掲げる契約金額の区分に応じ、一通につき、当該各号に定める金額とする。

一　10万円を超え50万円以下のもの　200円
二　50万円を超え100万円以下のもの　500円
三　100万円を超え500万円以下のもの　1,000円
四　500万円を超え1,000万円以下のもの　5,000円
五　1,000万円を超え5,000万円以下のもの　１万円
六　5,000万円を超え１億円以下のもの　３万円
七　１億円を超え５億円以下のもの　６万円
八　５億円を超え10億円以下のもの　16万円
九　10億円を超え50億円以下のもの　32万円
十　50億円を超えるもの　48万円

3　平成26年４月１日から令和６年３月31日までの間に作成される建設工事請負契約書のうち、当該建設工事請負契約書に記載された契約金額が100万円を超えるものに係る印紙税の税率は、印紙税法別表第１第２号の規定にかかわらず、次の各号に掲げる契約金額の区分に応じ、一通につき、当該各号に定める金額とする。

一　100万円を超え200万円以下のもの　200円
二　200万円を超え300万円以下のもの　500円
三　300万円を超え500万円以下のもの　1,000円
四　500万円を超え1,000万円以下のもの　5,000円
五　1,000万円を超え5,000万円以下のもの　１万円
六　5,000万円を超え１億円以下のもの　３万円
七　１億円を超え５億円以下のもの　６万円
八　５億円を超え10億円以下のもの　16万円
九　10億円を超え50億円以下のもの　32万円
十　50億円を超えるもの　48万円

4　前２項の規定の適用がある場合における印紙税法第４条第４項及び別表第１の課税物件表の適用に関する通則３の規定の適用については、同項第１号中「10万円」とあるのは「10万円（当該課税文書が租税特別措置法（昭和32年法律第26号）第91条第１項に規定する不動産譲渡契約書である場合にあっては、50万円）」と、同項第２号中「100万円」とあるのは「100万円（当該課税文書が租税特別措置法第91条第１項に規定する建設工事請負契約書である場合にあっては、200万円）」と、同法別表第１の課税物件表の適用に関する通則３ホ中「10万円」とあるのは「10万円（同号に掲げる文書が租税特別措置法第91条第１項に規定する不動産譲渡契約書である場合にあっては、50万円）」と、「契約金額が100万円」とあるのは「契約金額が100万円（同号に掲げる文書が同項に規定する建設工事請負契約書である場合にあっては、200万円）」とする。

（自然災害の被災者が作成する代替建物の取得又は新築等に係る不動産譲渡契約書等の印紙税の非課税）

第91条の２　自然災害（被災者生活再建支援法第２条第２号に規定する政令で定める自然災害をいう。以下この項において同じ。）の被災者であって政令で定めるもの又はその者の相続人その他の政令で定める者（次項において「被災者」という。）が、次の各号のいずれかに該当する場合に作成する不動産譲渡契約書等（不動産譲渡契約書又は建設工事請負契約書をいう。次項において同じ。）のうち、当該自然災害の発生した日から同日以後５年を経過する日までの間に作成されるものについては、政令で定めるところにより、印紙税を課さない。

一　自然災害により滅失した建物又は自然災害により損壊したため取り壊した建物（第３号において「滅失等建物」という。）が所在した土地を譲渡する場合

二　自然災害により損壊した建物（第６号において「損壊建物」という。）を譲渡する場合

三　滅失等建物に代わるものとして政令で定める建物（以下この項において「代替建物」という。）の敷地の用に供する土地を取得する場合

四　代替建物を取得する場合

五　代替建物を新築する場合

六　損壊建物を修繕する場合

２　前項の場合において、同項の規定の適用を受ける被災者（以下この項において「非課税被災者」という。）と当該非課税被災者以外の者とが共同で作成した不動産譲渡契約書等については、当該非課税被災者が保存するものは当該非課税被災者が作成したものとみなし、当該非課税被災者以外の者が保存するものは当該非課税被災者以外の者が作成したものとみなす。

（都道府県が行う高等学校の生徒に対する学資としての資金の貸付けに係る消費貸借契約書等の印紙税の非課税）

第91条の３　都道府県又は公益社団法人若しくは公益財団法人であって都道府県に代わって高等学校等（学校教育法第１条に規定する高等学校、中等教育学校（同法第66条に規定する後期課程に限る。）及び特別支援学校（同法第76条第２項に規定する高等部に限る。）並びに同法第124条に規定する専修学校（同法第125条第１項に規定する高等課程に限る。）をいう。以下この条において同じ。）の生徒に学資としての資金の貸付けに係る事業を行うもの（政令で定めるものに限る。）が高等学校等の生徒に対して無利息で行う学資としての資金の貸付けに係る印紙税法別表第１第１号の物件名の欄３に掲げる消費貸借に関する契約書（次項及び次条において「消費貸借契約書」という。）には、印紙税を課さない。

２　高等学校等の生徒又は独立行政法人日本学生支援機構法（平成15年法律第94号）第３条に規定する学生等であって政令で定めるものに対して無利息で行われる学資としての資金の貸付け（政令で定めるものに限る。）に係る消費貸借契約書（財務省令で定める表示があるものに限り、前項の規定の適用があるものを除く。）のうち、平成28年４月１日から令和７年３月31日までの間に作成されるものには、印紙税を課さない。

３　前項の規定の適用に関し必要な事項は、政令で定める。

（特別貸付けに係る消費貸借契約書の印紙税の非課税）

第91条の４　地方公共団体又は株式会社日本政策金融公庫その他政令で定める者（以下この項において「公的貸付機関等」という。）が災害（激甚（じん）災害に対処するための特別の財政援助等に関する法律（昭和37年法律第150号）第２条第１項の規定により激甚災害として指定され、同条第２項の規定により当該激甚災害に対して適用すべき措置として同法第12条に規定する措置が指定されたものをいう。以下この条において同じ。）により被害を受けた者に対して行う金銭の貸付け（当該公的貸付機関等が行う他の金銭の貸付けの条件に比し特別に有利な条件で行う金銭の貸付けとして政令で定めるものに限る。）に係る消費貸借契約書のうち、当該災害の発生した日から同日以後５年を経過する日までの間に作成されるものについては、印紙税を課さない。

２　銀行その他の資金の貸付けを業として行う金融機関として政令で定めるもの（以下この項において「金融機関」という。）が災害の被災者であって政令で定めるものに対して行う金銭の貸付け（当該金融機関が行う他の金銭の貸付けの条件に比し特別に有利な条件で行う金銭の貸付けとして政令で定めるものに限る。）に係る消費貸借契約書のうち、当該災害の発生した日から同日以後５年を経過する日までの間に作成されるものについては、政令で定めるところにより、印紙税を課さない。

（納税準備預金通帳の印紙税の非課税）

第92条　納税準備預金通帳（第５条第２項に規定する納税準備預金の通帳をいう。）には、印紙税は、課さない。

＜印紙税の非課税に関する法令＞

○アジア開発銀行を設立する協定（抄）　（昭和41年　条約第４号）

（課税の免除）

第56条

1　銀行並びにその資産、財産及び収入並びにその業務及び取引は、すべての内国税及び関税を免除される。銀行は、また、公租公課の納付、源泉徴収又は徴収の義務を免除される。

2　銀行が理事、代理、役員又は使用人（銀行のための任務を遂行する専門家を含む。）に支払う給料その他の給与に対し又はこれらの給与に関しては、いかなる租税も課してはならない。ただし、加盟国が自国の市民又は国民に銀行から支払われる給料その他の給与に対して自国及びその行政区画が課税する権利を留保する旨の宣言を批准書又は受諾書とともに寄託する場合は、この限りでない。

3　銀行が発行する債務証書その他の証書（その配当又は利子を含む。）に対しては、保有者のいかんを問わず、次のいかなる種類の租税も課してはならない。

(i)　銀行が発行したことのみを理由として債務証書その他の証書に対して不利な差別を設ける租税

(ii)　債務証書その他の証書の発行、支払予定若しくは支払実施の場所若しくは通貨又は銀行が維持する事務所若しくは業務所の位置を唯一の法律上の基準とする租税

4　銀行が保証する債務証書その他の証書（その配当又は利子を含む。）に対しては、保有者のいかんを問わず、次のいかなる種類の租税も課してはならない。

(i)　銀行が保証したことのみを理由として債務証書その他の証書に対して不利な差別を設ける租税

(ii)　銀行が維持する事務所又は業務所の位置を唯一の法律上の基準とする租税

○沖縄の復帰に伴う建設省関係法令の適用の特別措置等に関する政令（抄）
（昭和47年　政令第115号）

（土地区画整理に関する経過措置）

第53条　１～４　（省略）

5　法第147条第１項の土地区画整理及び土地区画整理を施行している土地区画整理組合については、当該土地区画整理を土地区画整理法第２条第１項に規定する土地区画整理事業と、当該組合を同法第３条第２項に規定する土地区画整理組合（中略）とみなして、次に掲げる法律（これに基づく命令を含む。）の規定を適用する。

一～七　（省略）

八　印紙税法（昭和42年法律第23号）

九　（省略）

６～７　（省略）

○沖縄の復帰に伴う国税関係法令の適用の特別措置等に関する政令（抄）

（昭和47年　政令第151号）

（印紙税の非課税）

第79条　沖縄県の区域内における位置境界不明地域内の各筆の土地の位置境界の明確化等に関する特別措置法（以下この条において「明確化法」という。）第２条第１項に規定する位置境界不明地域（以下この条において「位置境界不明地域」という。）内の各筆の土地で明確化法第12条第４項の書面によりその位置境界が明らかとなったものの所有者又は当該明らかとなった土地の上に存する建物その他の工作物（以下この条において「建物等」という。）を設置している者が次の各号に掲げる場合に該当することとなった場合における当該各号に掲げる文書には、印紙税を課さない。

一　当該土地の上に当該土地の所有者以外の者が建物等を設置していることが明らかとなった場合において、当該建物等を設置している者が当該土地の所有者から当該土地の明確化法第20条に規定する買取りの申出を受けたとき又は当該土地の所有者が当該建物等を設置している者から当該建物等の同条に規定する買取りの申出を受けたとき。当該申出に基づく買取りの際に作成する不動産の譲渡に関する契約書

二　当該土地の所有者がその所有に係る土地とその所有に係る土地以外の土地（当該所有に係る土地が所在する市町村及びこれに隣接する市町村の区域内にある位置境界不明地域内にあるものに限る。）との交換又は買換えについて明確化法第21条に規定するあっせんを受けた場合　当該あっせんに基づく交換又は買換えに係る取得又は譲渡の際に作成する不動産の譲渡に関する契約書

２　前項の規定は、明確化法第12条第４項の書面により位置境界不明地域内の各筆の土地の位置境界が明らかとなった日から当該土地につき明確化法第十四条の規定により作成された地図及び簿冊について国土調査法第19条第５項の規定による指定があった日（前項第２号に掲げる場合にあっては、同号に規定するその所有に係る土地について当該指定があった日又はその所有に係る土地以外の土地について当該指定があった日のうちいずれか遅い日）の属する年の翌年の12月31日までの間に作成され、かつ、前項第１号又は第２号に掲げる文書に該当することにつき財務省令で定めるところにより沖縄総合事務局長（防衛大臣が定めた計画に係る位置境界不明地域内にある土地又は建物等の取得又は譲渡である場合には、沖縄防衛局長）の確認を受けた文書で財務省令で定める表示がされたものに限り、適用する。

○商法等の一部を改正する等の法律の施行に伴う関係法律の整備に関する法律（抄）

（平成13年法律第80号）

（印紙税法の一部改正等に伴う経過措置）

第48条　１（略）

２　商法等改正法附則第20条第１項の規定により作成する株券（当該株券に該当することにつき財務省令で定めるところにより当該株券を作成しようとする場所の所在地の所轄税務署長に届け出たもので、かつ、財務省令で定める表示がされたものに限る。）については、印紙税を課さない。

○額面株式の株券の無効手続に伴い作成する株券に係る印紙税の非課税に関する省令　（平成13年　財務省令第56号）

商法等の一部を改正する等の法律の施行に伴う関係法律の整備に関する法律（平成13年法律第80号）第48条第２項の規定に基づき、額面株式の株券の無効手続に伴い作成する株券に係る印紙税の非課税に関する省令を次のように定める。

1　商法等の一部を改正する等の法律の施行に伴う関係法律の整備に関する法律（平成13年法律第80号。以下「法」という。）第48条第２項の規定による届出は、次に掲げる事項を記載した書面により行うものとする。

一　届出者の名称、本店又は主たる事務所の所在地及び法人番号（行政手続における特定の個人を識別するための番号の利用等に関する法律（平成25年法律第27号）第２条第15項に規定する法人番号をいう。）

二　届出者の代表者の氏名

三　商法等の一部を改正する等の法律（平成13年法律第79号。以下「商法等改正法」という。）附則第20条第１項に規定する額面株式の株券の無効及び新株券の発行に係る取締役会の決議（会社法（平成17年法律第86号）第２条第12号に規定する指名委員会等設置会社における執行役の決定を含む。）の年月日

四　額面株式の総数

五　額面株式の株券を会社に提出すべき期間

六　その他参考となるべき事項

2　法第48条第２項に規定する財務省令で定める表示は、当該株券にされた別表の書式とする。

別表

第１号

印紙税非課税 につき 税務署届出済

縦17ミリメートル以上
横15ミリメートル以上

第２号

印紙税非課税 につき 税務署届出済

縦15ミリメートル以上
横17ミリメートル以上

○旧令による共済組合等からの年金受給者のための特別措置法（抄）（昭和25年　法律第256号）

（非課税）

第16条　1　（省略）

2　連合会が支給する第８条第１号及び第２号に規定する年金及び一時金に関する証書及び帳簿には、印紙税を課さない。

3　（省略）

○漁船損害等補償法（抄）（昭和27年　法律第28号）

（印紙税の非課税）

第10条　この法律による漁船損害等補償に関する書類（漁船乗組船主保険事業に関する書類を除く。）には、印紙税を課さない。

（漁船損害等補償に関する書類の意義）

注　漁船損害等補償法（昭和27年法律第28号）第10条《印紙税の非課税》に規定する「漁船損害等補償に関する書類」とは、漁船保険組合が行う漁船保険事業、漁船船主責任保険事業又は漁船積荷保険事業及び政府の行う再保険事業に関する文書をいう。（基通非課税文書12）

○金融機関再建整備法（抄）（昭和21年　法律第39号）

（印紙税の非課税）

第60条　旧金融機関が、この法律の定めるところにより、新金融機関に対し、不動産その他の資産を譲渡する場合においては、その譲渡に関する証書及び帳簿に関しては、印紙税は、これを課さない。

○健康保険法（抄）（大正11年　法律第70号）

（印紙税の非課税）

第195条　健康保険に関する書類には、印紙税を課さない。

（健康保険に関する書類の範囲）

注　健康保険法（大正11年法律第70号）第195条《印紙税の非課税》に規定する「健康保険に関する書類」には、保険施設事業の実施に関する文書、同法第150条に規定する事業の施設の用に供する不動産等の取得等に関する文書及び組合又は連合会の事務所等の用に供するための不動産の取得等に関する文書を含まない。（基通非課税文書９）

○原子爆弾被爆者に対する援護に関する法律（抄）（平成６年　法律第117号）

（非課税）

第46条　1　（省略）

2　特別葬祭給付金に関する書類及び第34条第１項に規定する国債を担保とする金銭の貸借に関する書類には、印紙税を課さない。

○国際復興開発銀行協定（抄）（昭和27年　条約第14号）

第７条　地位、免除及び特権

第９項　課税の免除

(a)　銀行並びにその資産、財産及び収入並びにこの協定によって認められるその業務及び取引は、すべての内国税及び関税を免除される。銀行は、また、公租公課の徴収又は納付の責任を免除される。

(b)　銀行がその理事、代理、役員又は使用人に支払う給料その他の給与に対し又はこれらに関しては、これらの者が当該加盟国の市民、臣民その他の国民でないときは、いかなる租税も課してはならない。

(c)　銀行が発行する債務証書その他の証書（その配当又は利子を含む。）に対しては、保有者のいかんを問わず、次のいかなる種類の課税も行ってはならない。

(i)　銀行が発行したことのみを理由として債務証書その他の証書に対して不利な差別を設ける課税

(ii)　債務証書その他の証書の発行、支払予定若しくは支払実施の場所若しくは通貨又は銀行が維持する事務所若しくは業務所の位置を唯一の法律上の基準とする課税

(d)　銀行が保証する債務証書その他の証書（その配当又は利子を含む。）に対しては、保有者のいかんを問わず、次のいかなる種類の課税も行ってはならない。

(i)　銀行が保証したことのみを理由として債務証書その他の証書に対して不利な差別を設ける課税

(ii)　銀行が維持する事務所又は業務所の位置を唯一の法律上の基準とする課税

第10項　本条の適用

各加盟国は、本条に掲げる原則を自国の法律において実施するために自国領域で必要な措置をとり、且つ、その措置の詳細を銀行に通報しなければならない。

○国家公務員災害補償法（抄）（昭和26年　法律第191号）

（印紙税の非課税）

第31条　補償に関する書類には、印紙税を課さない。

○森林保険法（抄）（昭和12年　法律第25号）

（印紙税の非課税）

第18条　森林保険に関する書類には印紙税を課さない。

○生命保険中央会及び損害保険中央会の保険業務に関する権利義務の承継等に関する法律（抄）（昭和22年　法律第109号）

（印紙税の不課税）

第６条　東亜火災海上保険株式会社及び第４条第３項の保険会社の同条第１項の業務に関する書類には、印紙税を課さない。

○非化石エネルギーの開発及び導入の促進に関する法律（抄）　（昭和55年法律第71号）

附　則

第16条　1　（省略）

2　附則第14条の規定により機構が石炭鉱業構造調整業務を行う場合には、当該業務に関する文書で、機構が作成したものについては、印紙税を課さない。

3　印紙税法（昭和42年法律第23号）第４条第５項の規定は、機構とその他の者（同項に規定する国等を除く。）とが共同して作成した文書で前項に規定するものについて準用する。

4～6　（省略）

（石炭鉱害の賠償等の業務）

第18条　機構は、第39条第１項及び第２項に規定する業務のほか、石炭鉱害賠償等臨時措置法（昭和38年法律第97号。以下「賠償法」という。）附則第２条に規定する措置が講じられるまでの間、賠償法第12条第１項に規定する業務（以下「石炭鉱害賠償等業務」という。）を行うことができる。

（石炭鉱害賠償等業務の実施に伴う特例）

第20条　1～2　（省略）

3　附則第16条第２項から第４項までの規定は、附則第18条の規定により機構が石炭鉱害賠償等業務を行う場合について準用する。

4～6　（省略）

○戦傷病者戦没者遺族等援護法（抄）　（昭和27年　法律第127号）

（非課税）

第48条　1　（省略）

2　援護に関する書類及び第37条に規定する国債を担保とする金銭の貸借に関する書類には、印紙税を課さない。

○戦傷病者等の妻に対する特別給付金支給法（抄）　（昭和41年　法律第109号）

（非課税）

第10条　1　（省略）

2　特別給付金に関する書類及び第４条第１項に規定する国債を担保とする金銭の貸借に関する書類には、印紙税を課さない。

○戦傷病者特別援護法（抄）　（昭和38年　法律第168号）

（非課税）

第27条　1　（省略）

2　援護に関する書類には、印紙税を課さない。

○戦没者等の遺族に対する特別弔慰金支給法（抄）　（昭和40年　法律第100号）

（非課税）

第12条　1　（省略）

2　特別弔慰金に関する書類及び第５条第１項に規定する国債を担保とする金銭の貸借に関する書類には、印紙税を課さない。

○戦没者等の妻に対する特別給付金支給法（抄）（昭和38年　法律第61号）

（非課税）

第10条　１　（省略）

2　特別給付金に関する書類及び第４条第１項に規定する国債を担保とする金銭の貸借に関する書類には、印紙税を課さない。

○戦没者の父母等に対する特別給付金支給法（抄）（昭和42年　法律第57号）

（非課税）

第12条　１　（省略）

2　特別給付金に関する書類及び第５条第１項に規定する国債を担保とする金銭の貸借に関する書類には、印紙税を課さない。

○日本国とアメリカ合衆国との間の相互協力及び安全保障条約第６条に基づく施設及び区域並びに日本国における合衆国軍隊の地位に関する協定の実施に伴う所得税法等の臨時特例に関する法律（抄）（昭和27年　法律第111号）

（印紙税法の特例）

第８条　合衆国軍隊及び軍人用販売機関等が発する証書及び帳簿については、印紙税を課さない。

○日本国における国際連合の軍隊の地位に関する協定の実施に伴う所得税法等の臨時特例に関する法律（抄）（昭和29年　法律第149号）

（所得税法等の特例）

第３条　国際連合の軍隊の構成員、軍属若しくはこれらの者の家族、軍人用販売機関等、国際連合の軍隊又はその公認調達機関に対する所得税法、（中略）印紙税法、（中略）の適用については、日本国とアメリカ合衆国との間の相互協力及び安全保障条約第６条に基づく施設及び区域並びに日本国における合衆国軍隊の地位に関する協定の実施に伴う所得税法等の臨時特例に関する法律（昭和27年法律第111号）の規定を準用する。

2　（省略）

○農業保険法（抄）（昭和22年　法律第185号）

（印紙税の非課税）

第９条　農業保険に関する書類には、印紙税を課さない。

（農業保険に関する書類の意義等）

注　農業保険法（昭和22年法律第185号）第９条《印紙税の非課税》に規定する「農業保険に関する書類」とは、農業共済組合若しくは農業共済組合連合会又は市町村（特別区を含む。）の行う農業共済事業若しくは農業共済責任保険事業又は農業経営収入保険事業及び

政府の行う再保険事業又は保険事業に直接関係する文書をいう。（基通非課税文書10）

○納税貯蓄組合法（抄）（昭和26年　法律第145号）

（印紙税の非課税）

第９条　納税貯蓄組合の業務及び納税貯蓄組合預金に関する書類については、印紙税を課さない。

（納税貯蓄組合の業務に関する書類の意義等）

注　納税貯蓄組合法（昭和26年法律第145号）第９条《印紙税の非課税》に規定する「納税貯蓄組合の業務に関する書類」とは、納税貯蓄組合又は納税貯蓄組合連合会が、租税の容易かつ確実な納付に資するために行う業務に直接関係する文書をいう。（基通非課税文書11）

○引揚者給付金等支給法（抄）（昭和32年　法律第109号）

（非課税）

第21条　１　（省略）

２　引揚者給付金を受ける権利の譲渡又は第５条若しくは第11条に規定する国債を担保とする金銭の貸借に関する書類には、印紙税を課さない。

○引揚者等に対する特別交付金の支給に関する法律（抄）（昭和42年　法律第114号）

（非課税）

第12条　１　（省略）

２　第７条第１項に規定する国債を担保とする金銭の貸借に関する書類には、印紙税を課さない。

○未帰還者に関する特別措置法（抄）（昭和34年　法律第７号）

（非課税等）

第12条　１　（省略）

２　弔慰料に関する書類には、印紙税を課さない。

○未帰還者留守家族等援護法（抄）（昭和28年　法律第161号）

（非課税）

第32条　１　（省略）

２　援護に関する書類には、印紙税を課さない。

○労働者災害補償保険法（抄）（昭和22年　法律第50号）

（印紙税の免除）

第44条　労働者災害補償保険に関する書類には、印紙税を課さない。

（編注）　印紙税法以外で印紙税を課税しない旨定めている法令の主なものを掲げた。

印紙税法基本通達

（昭52．4．7　間消1－36
官会1－31
徴管1－7
徴徴1－11
国税庁長官・国税局長）

最終改正　令4．9．28　課消4－67、課審8－11

第1章　総　則

第1節　用語の意義

（用語の意義）

第1条　この通達において、次に掲げる用語の意義は、それぞれ次に定めるところによる。

(1)　法　　印紙税法（昭和42年法律第23号）をいう。

(2)　令　　印紙税法施行令（昭和42年政令第108号）をいう。

(3)　規則　　印紙税法施行規則（昭和42年大蔵省令第19号）をいう。

(4)　通則法　　国税通則法（昭和37年法律第66号）をいう。

(5)　課税物件表　　法別表第1の課税物件表をいう。

(6)　非課税法人の表　　法別表第2の非課税法人の表をいう。

(7)　非課税文書の表　　法別表第3の非課税文書の表をいう。

(8)　通則　　課税物件表における課税物件表の適用に関する通則をいう。

(9)　第1号文書　　課税物件表の第1号に掲げる文書をいう（以下課税物件表の第20号に掲げる文書まで同じ。）。

(10)　第1号の1文書　　課税物件表の第1号の物件名欄1に掲げる文書をいう（以下課税物件表の物件名欄に1、2、3、4と区分して掲げる文書について同じ。）。

第2節　文書の意義等

（課税文書の意義）

第2条　法に規定する「課税文書」とは、課税物件表の課税物件欄に掲げる文書により証されるべき事項（以下「課税事項」という。）が記載され、かつ、当事者の間において課税事項を証明する目的で作成された文書のうち、法第5条《非課税文書》の規定により印紙税を課さないこととされる文書以外の文書をいう。

（課税文書に該当するかどうかの判断）

第3条　文書が課税文書に該当するかどうかは、文書の全体を一つとして判断するのみでなく、その文書に記載されている個々の内容についても判断するものとし、また、単に文書の名称又は呼称及び形式的な記載文言によることなく、その記載文言の実質的な意義に基づいて判断するものとする。

2　前項における記載文言の実質的な意義の判断は、その文書に記載又は表示されている文言、符号等を基として、その文言、符号等を用いることについての関係法律の規定、当事者間における了解、基本契約又は慣習等を加味し、総合的に行うものとする。

（他の文書を引用している文書の判断）

第４条 一の文書で、その内容に原契約書、約款、見積書その他当該文書以外の文書を引用する旨の文言の記載があるものについては、当該文書に引用されているその他の文書の内容は、当該文書に記載されているものとして当該文書の内容を判断する。

２ 前項の場合において、記載金額及び契約期間については、当該文書に記載されている記載金額及び契約期間のみに基づいて判断する。

（注） 第１号文書若しくは第２号文書又は第17号の１文書について、通則４のホの㈡又は㈢の規定が適用される場合には、当該規定に定めるところによるのであるから留意する。

（一の文書の意義）

第５条 法に規定する「一の文書」とは、その形態からみて１個の文書と認められるものをいい、文書の記載証明の形式、紙数の単複は問わない。したがって、１枚の用紙に２以上の課税事項が各別に記載証明されているもの又は２枚以上の用紙が契印等により結合されているものは、一の文書となる。ただし、文書の形態、内容等から当該文書を作成した後切り離して行使又は保存することを予定していることが明らかなものについては、それぞれ各別の一の文書となる。

（注） 一の文書に日時を異にして各別の課税事項を記載証明する場合には、後から記載証明する部分は、法第４条《課税文書の作成とみなす場合等》第３項の規定により、新たに課税文書を作成したものとみなされることに留意する。

（証書及び通帳の意義）

第６条 課税物件表の第１号から第17号までに掲げる文書（以下「証書」という。）と第18号から第20号までに掲げる文書（以下「通帳等」という。）とは、課税事項を１回限り記載証明する目的で作成されるか、継続的又は連続的に記載証明する目的で作成されるかによって区別する。したがって、証書として作成されたものであれば、作成後、更に課税事項が追加して記載証明されても、それは法第４条《課税文書の作成とみなす場合等》第３項の規定により新たな課税文書の作成とみなされることはあっても、当該証書自体は通帳等とはならず、また、通帳等として作成されたものであれば、２回目以後の記載証明がなく、結果的に１回限りの記載証明に終わることとなっても、当該通帳等は証書にはならない。

なお、継続的又は連続的に課税事項を記載証明する目的で作成される文書であっても、課税物件表の第18号から第20号までに掲げる文書に該当しない文書は、課税文書に該当しないのであるから留意する。

（証書兼用通帳の取扱い）

第７条 証書と通帳等が一の文書となっているいわゆる証書兼用通帳の取扱いは、次による。

⑴ 証書の作成時に通帳等の最初の付け込みがなされる文書は、一の文書が証書と通帳等に該当することとなり、通則３のニ又はホの規定によって証書又は通帳等となる。

なお、通則３のホの規定により証書となった当該一の文書は、後日、法第４条《課税文書の作成とみなす場合等》第４項の規定に該当しない最初の付け込みを行ったときに、同条第３項の規定により通帳等が作成されたものとみなされる。

⑵ 証書の作成時に通帳等の最初の付け込みがなされない文書は証書となる。

なお、当該文書は、後日、法第４条第４項の規定に該当しない最初の付け込みを行ったときに、同条第３項の規定により通帳等が作成されたものとみなされる。

（１通又は１冊の意義）

第８条 法に規定する「１通」又は「１冊」とは、一の文書ごとにいう。ただし、法第４条《課税文書の作成とみなす場合等》第２項から第４項までの規定により新たな課税文書を作成したとみなされるものについては、その作成したとみなされる課税文書ごとに１通又は１冊となる。

第３節　文書の所属の決定等

（２以上の号の課税事項が記載されている文書の取扱い）

第９条 一の文書で課税物件表の２以上の号の課税事項が記載されているものは、通則２の規定によりそれぞれの号に掲げる文書に該当し、更に通則３の規定により一の号にその所属を決定する。

（通則２の適用範囲）

第10条 通則２の規定は、一の文書で次に該当するものについて適用されるのであるから留意する。

⑴ 当該文書に課税物件表の２以上の号の課税事項が併記され、又は混合して記載されているもの

（例）

不動産及び債権売買契約書（第１号文書と第15号文書）

⑵ 当該文書に課税物件表の１又は２以上の号の課税事項とその他の事項が併記され、又は混合して記載されているもの

（例）

１　土地売買及び建物移転補償契約書（第１号文書）

２　保証契約のある消費貸借契約書（第１号文書）

⑶ 当該文書に記載されている一の内容を有する事項が、課税物件表の２以上の号の課税事項に同時に該当するもの

（例）

継続する請負についての基本的な事項を定めた契約書（第２号文書と第７号文書）

（２以上の号に掲げる文書に該当する場合の所属の決定）

第11条 一の文書が、課税物件表の２以上の号に掲げる文書に該当する場合の当該文書の所属の決定は、通則３の規定により、次の区分に応じ、それぞれ次に掲げるところによる。

⑴ 課税物件表の第１号に掲げる文書と同表第３号から第17号までに掲げる文書とに該当する文書（ただし、⑶又は⑷に該当する文書を除く。）　第１号文書

（例）

不動産及び債権売買契約書（第１号文書と第15号文書）　第１号文書

⑵ 課税物件表の第２号に掲げる文書と同表第３号から第17号までに掲げる文書とに該当する文書（ただし、⑶又は⑷に該当する文書を除く。）　第２号文書

（例）

工事請負及びその工事の手付金の受取事実を記載した契約書（第２号文書と第17号文書）　第２号文書

(3)　課税物件表の第１号又は第２号に掲げる文書で契約金額の記載のないものと同表第７号に掲げる文書とに該当する文書　　第７号文書

（例）

1　継続する物品運送についての基本的な事項を定めた記載金額のない契約書（第１号文書と第７号文書）　　第７号文書

2　継続する請負についての基本的な事項を定めた記載金額のない契約書（第２号文書と第７号文書）　　第７号文書

(4)　課税物件表の第１号又は第２号に掲げる文書と同表第17号に掲げる文書とに該当する文書のうち、売上代金に係る受取金額（100万円を超えるものに限る。）の記載があるものでその金額が同表第１号若しくは第２号に掲げる文書に係る契約金額（当該金額が２以上ある場合には、その合計額）を超えるもの又は同表第１号若しくは第２号に掲げる文書に係る契約金額の記載のないもの　　第17号の１文書

（例）

1　売掛金800万円のうち600万円を領収し、残額200万円を消費貸借の目的とすると記載された文書（第１号文書と第17号の１文書）　　第17号の１文書

2　工事請負単価を定めるとともに180万円の手付金の受取事実を記載した文書（第２号文書と第17号の１文書）　　第17号の１文書

(5)　課税物件表の第１号に掲げる文書と同表第２号に掲げる文書とに該当する文書（ただし、(6)に該当する文書を除く。）　　第１号文書

（例）

1　機械製作及びその機械の運送契約書（第１号文書と第２号文書）　　第１号文書

2　請負及びその代金の消費貸借契約書（第１号文書と第２号文書）　　第１号文書

(6)　課税物件表の第１号に掲げる文書と同表第２号に掲げる文書とに該当する文書で、それぞれの課税事項ごとの契約金額を区分することができ、かつ、同表第２号に掲げる文書についての契約金額が第１号に掲げる文書についての契約金額を超えるもの　　第２号文書

（例）

1　機械の製作費20万円及びその機械の運送料10万円と記載された契約書（第１号文書と第２号文書）　　第２号文書

2　請負代金100万円、うち80万円を消費貸借の目的とすると記載された契約書（第１号文書と第２号文書）　　第２号文書

(7)　課税物件表の第３号から第17号までの２以上の号に該当する文書（ただし、(8)に該当する文書を除く。）　　最も号数の少ない号の文書

（例）

継続する債権売買についての基本的な事項を定めた契約書（第７号文書と第15号文書）　　第７号文書

(8)　課税物件表の第３号から第16号までに掲げる文書と同表第17号に掲げる文書とに該当する文書のうち、売上代金に係る受取金額（100万円を超えるものに限る。）が記載されているもの　　第17号の１文書

（例）

債権の売買代金200万円の受取事実を記載した債権売買契約書（第15号文書と第17号の１文書）　第17号の１文書

⑼　証書と通帳等とに該当する文書（ただし、⑽、⑾又は⑿に該当する文書を除く。）　通帳等

（例）

１　生命保険証券兼保険料受取通帳（第10号文書と第18号文書）　第18号文書

２　債権売買契約書とその代金の受取通帳（第15号文書と第19号文書）　第19号文書

⑽　契約金額が10万円を超える課税物件表の第１号に掲げる文書と同表第19号又は第20号に掲げる文書とに該当する文書　第１号文書

（例）

１　契約金額が100万円の不動産売買契約書とその代金の受取通帳（第１号文書と第19号文書）　第１号文書

２　契約金額が50万円の消費貸借契約書とその消費貸借に係る金銭の返還金及び利息の受取通帳（第１号文書と第19号文書）　第１号文書

⑾　契約金額が100万円を超える課税物件表の第２号に掲げる文書と同表第19号又は第20号に掲げる文書とに該当する文書　第２号文書

（例）

契約金額が150万円の請負契約書とその代金の受取通帳（第２号文書と第19号文書）　第２号文書

⑿　売上代金の受取金額が100万円を超える課税物件表の第17号に掲げる文書と同表第19号又は第20号に掲げる文書とに該当する文書　第17号の１文書

（例）

下請前払金200万円の受取事実を記載した請負通帳（第17号の１文書と第19号文書）　第17号の１文書

２　課税物件表の第18号に掲げる文書と同表第19号に掲げる文書とに該当する文書は、第19号文書として取り扱う。

第４節　契約書の取扱い

（契約書の意義）

第12条　法に規定する「契約書」とは、契約当事者の間において、契約（その予約を含む。）の成立、更改又は内容の変更若しくは補充の事実（以下「契約の成立等」という。）を証明する目的で作成される文書をいい、契約の消滅の事実を証明する目的で作成される文書は含まない。

なお、課税事項のうちの一の重要な事項を証明する目的で作成される文書であっても、当該契約書に該当するのであるから留意する。

おって、その重要な事項は別表第２に定める。

（注）　文書中に契約の成立等に関する事項が記載されていて、契約の成立等を証明することができるとしても、例えば社債券のようにその文書の作成目的が契約に基づく権利を表彰することにあるものは、契約書に該当しない。

（譲渡に関する契約書の意義）

第13条　課税物件表の第１号及び第15号に規定する「譲渡に関する契約書」とは、権利又は財産等をその同一性を保持させつつ他人に移転させることを内容とする契約書をいい、売買契約書、交換契約書、贈与契約書、代物弁済契約書及び法人等に対する現物出資契約書等がこれに該当する。

（契約の意義）

第14条　通則５に規定する「契約」とは、互いに対立する２個以上の意思表示の合致、すなわち一方の申込みと他方の承諾によって成立する法律行為をいう。

（予約の意義等）

第15条　通則５に規定する「予約」とは、本契約を将来成立させることを約する契約をいい、当該契約を証するための文書は、その成立させようとする本契約の内容に従って、課税物件表における所属を決定する。

（契約の更改の意義等）

第16条　通則５に規定する「契約の更改」とは、契約によって既存の債務を消滅させて新たな債務を成立させることをいい、当該契約を証するための文書は、新たに成立する債務の内容に従って、課税物件表における所属を決定する。

（例）

請負代金支払債務を消滅させ、土地を給付する債務を成立させる契約書　　第１号文書

（注）　更改における新旧両債務は同一性がなく、旧債務に伴った担保、保証、抗弁権等は原則として消滅する。したがって、既存の債務の同一性を失わせないで契約の内容を変更する契約とは異なることに留意する。

（契約の内容の変更の意義等）

第17条　通則５に規定する「契約の内容の変更」とは、既に存在している契約（以下「原契約」という。）の同一性を失わせないで、その内容を変更することをいう。

２　契約の内容の変更を証するための文書（以下「変更契約書」という。）の課税物件表における所属の決定は、次の区分に応じ、それぞれ次に掲げるところによる。

⑴　原契約が課税物件表の一の号のみの課税事項を含む場合において、当該課税事項のうちの重要な事項を変更する契約書については、原契約と同一の号に所属を決定する。

（例）

消費貸借契約書（第１号文書）の消費貸借金額50万円を100万円に変更する契約書　　第１号文書

⑵　原契約が課税物件表の２以上の号の課税事項を含む場合において、当該課税事項の内容のうちの重要な事項を変更する契約書については、当該２以上の号のいずれか一方の号のみの重要な事項を変更するものは、当該一方の号に所属を決定し、当該２以上の号のうちの２以上の号の重要な事項を変更するものは、それぞれの号に該当し、通則３の規定によりその所属を決定する。

（例）

１　報酬月額及び契約期間の記載がある清掃請負契約書（第２号文書と第７号文書に該当し、所属は第２号文書）の報酬月額を変更するもので、契約期間又は報酬総額の記

載のない契約書　　第７号文書

２　報酬月額及び契約期間の記載がある清掃請負契約書（第２号文書と第７号文書に該当し、所属は第２号文書）の報酬月額を変更するもので、契約期間又は報酬総額の記載のある契約書　　第２号文書

(3)　原契約の内容のうちの課税事項に該当しない事項を変更する契約書で、その変更に係る事項が原契約書の該当する課税物件表の号以外の号の重要な事項に該当するものは、当該原契約書の該当する号以外の号に所属を決定する。

（例）

消費貸借に関する契約書（第１号文書）の連帯保証人を変更する契約書　　第13号文書

(4)　(1)から(3)までに掲げる契約書で重要な事項以外の事項を変更するものは、課税文書に該当しない。

３　前項の重要な事項は、別表第２に定める。

（契約の内容の補充の意義等）

第18条　通則５に規定する「契約の内容の補充」とは、原契約の内容として欠けている事項を補充することをいう。

２　契約の内容の補充を証するための文書（以下「補充契約書」という。）の課税物件表における所属の決定は、次の区分に応じ、それぞれ次に掲げるところによる。

(1)　原契約が課税物件表の一の号のみの課税事項を含む場合において、当該課税事項の内容のうちの重要な事項を補充する契約書は、原契約と同一の号に所属を決定する。

（例）

売買の目的物のみを特定した不動産売買契約書について、後日、売買価額を決定する契約書　　第１号文書

(2)　原契約が２以上の号の課税事項を含む場合において、当該課税事項の内容のうちの重要な事項を補充する契約書については、当該２以上の号のいずれか一方の号のみの重要な事項を補充するものは、当該一方の号に所属を決定し、当該２以上の号のうちの２以上の号の重要な事項を補充するものは、それぞれの号に該当し、通則３の規定によりその所属を決定する。

（例）

契約金額の記載のない清掃請負契約書（第２号文書と第７号文書に該当し、所属は第７号文書）の報酬月額及び契約期間を決定する契約書　　第２号文書

(3)　原契約の内容のうちの課税事項に該当しない事項を補充する契約書で、その補充に係る事項が原契約書の該当する課税物件表の号以外の号の重要な事項に該当するものは、当該原契約書の該当する号以外の号に所属を決定する。

（例）

消費貸借契約書（第１号文書）に新たに連帯保証人の保証を付す契約書　　第13号文書

(4)　(1)から(3)までに掲げる契約書で重要な事項以外の事項を補充するものは、課税文書に該当しない。

３　前項の重要な事項は、別表第２に定める。

（同一の内容の文書を２通以上作成した場合）

第19条　契約当事者間において、同一の内容の文書を２通以上作成した場合において、それぞれの文書が課税事項を証明する目的で作成されたものであるときは、それぞれの文書が課税文書に該当する。

２　写、副本、謄本等と表示された文書で次に掲げるものは、課税文書に該当するものとする。

⑴　契約当事者の双方又は一方の署名又は押印があるもの（ただし、文書の所持者のみが署名又は押印しているものを除く。）

⑵　正本等と相違ないこと、又は写し、副本、謄本等であることの契約当事者の証明（正本等との割印を含む。）のあるもの（ただし、文書の所持者のみが証明しているものを除く。）

（契約当事者以外の者に提出する文書）

第20条　契約当事者以外の者（例えば、監督官庁、融資銀行等当該契約に直接関与しない者をいい、消費貸借契約における保証人、不動産売買契約における仲介人等当該契約に参加する者を含まない。）に提出又は交付する文書であって、当該文書に提出若しくは交付先が記載されているもの又は文書の記載文言からみて当該契約当事者以外の者に提出若しくは交付することが明らかなものについては、課税文書に該当しないものとする。

（注）　消費貸借契約における保証人、不動産売買契約における仲介人等は、課税事項の契約当事者ではないから、当該契約の成立等を証すべき文書の作成者とはならない。

（申込書等と表示された文書の取扱い）

第21条　契約は、申込みと当該申込みに対する承諾によって成立するのであるから、契約の申込みの事実を証明する目的で作成される単なる申込文書は契約書には該当しないが、申込書、注文書、依頼書等（次項において「申込書等」という。）と表示された文書であっても、相手方の申込みに対する承諾事実を証明する目的で作成されるものは、契約書に該当する。

２　申込書等と表示された文書のうち、次に掲げるものは、原則として契約書に該当するものとする。

⑴　契約当事者の間の基本契約書、規約又は約款等に基づく申込みであることが記載されていて、一方の申込みにより自動的に契約が成立することとなっている場合における当該申込書等。ただし、契約の相手方当事者が別に請書等契約の成立を証明する文書を作成することが記載されているものを除く。

⑵　見積書その他の契約の相手方当事者の作成した文書等に基づく申込みであることが記載されている当該申込書等。ただし、契約の相手方当事者が別に請書等契約の成立を証明する文書を作成することが記載されているものを除く。

⑶　契約当事者双方の署名又は押印があるもの

（公正証書の正本）

第22条　公証人が公証人法（明治41年法律第53号）第47条の規定により嘱託人又はその承継人の請求によって交付する公正証書の正本は、課税文書に該当しないことに留意する。

第5節　記　載　金　額

（契約金額の意義）

第23条　課税物件表の第1号、第2号及び第15号に規定する「契約金額」とは、次に掲げる文書の区分に応じ、それぞれ次に掲げる金額で、当該文書において契約の成立等に関し直接証明の目的となっているものをいう。

(1)　第1号の1文書及び第15号文書のうちの債権譲渡に関する契約書　　譲渡の形態に応じ、次に掲げる金額

イ　売買　　売買金額

（例）

土地売買契約書において、時価60万円の土地を50万円で売買すると記載したもの　（第1号文書）50万円

（注）　60万円は評価額であって売買金額ではない。

ロ　交換　　交換金額

なお、交換契約書に交換対象物の双方の価額が記載されているときはいずれか高い方（等価交換のときは、いずれか一方）の金額を、交換差金のみが記載されているときは当該交換差金をそれぞれ交換金額とする。

（例）

土地交換契約書において

1　甲の所有する土地（価額100万円）と乙の所有する土地（価額110万円）とを交換し、甲は乙に10万円支払うと記載したもの　　（第1号文書）110万円

2　甲の所有する土地と乙の所有する土地とを交換し、甲は乙に10万円支払うと記載したもの　　（第1号文書）10万円

ハ　代物弁済　　代物弁済により消滅する債務の金額

なお、代物弁済の目的物の価額が消滅する債務の金額を上回ることにより、債権者がその差額を債務者に支払うこととしている場合は、その差額を加えた金額とする。

（例）

代物弁済契約書において

1　借用金100万円の支払に代えて土地を譲渡するとしたもの　　（第1号文書）100万円

2　借用金100万円の支払に代えて150万円相当の土地を譲渡するとともに、債権者は50万円を債務者に支払うとしたもの　　（第1号文書）150万円

ニ　法人等に対する現物出資　　出資金額

ホ　その他　　譲渡の対価たる金額

（注）　贈与契約においては、譲渡の対価たる金額はないから、契約金額はないものとして取り扱う。

(2)　第1号の2文書　　設定又は譲渡の対価たる金額

なお、「設定又は譲渡の対価たる金額」とは、賃貸料を除き、権利金その他名称のいかんを問わず、契約に際して相手方当事者に交付し、後日返還されることが予定されていない金額をいう。したがって、後日返還されることが予定されている保証金、敷金等は、

契約金額には該当しない。

(3)　第1号の3文書　　消費貸借金額

なお、消費貸借金額には利息金額を含まない。

(4)　第1号の4文書　　運送料又は傭船料

(5)　第2号文書　　請負金額

(6)　第15号文書のうちの債務引受けに関する契約書　　引き受ける債務の金額

（記載金額の計算）

第24条　通則4に規定する記載金額の計算は、次の区分に応じ、それぞれ次に掲げるところによる。

(1)　一の文書に、課税物件表の同一の号の課税事項の記載金額が2以上ある場合　　当該記載金額の合計額

（例）

1　請負契約書

Ａ工事200万円、Ｂ工事300万円　　（第2号文書）500万円

2　不動産及び鉱業権売買契約書

不動産1,200万円、鉱業権400万円　　（第1号文書）1,600万円

(2)　一の文書に、課税物件表の2以上の号の課税事項が記載されているものについて、その記載金額をそれぞれの課税事項ごとに区分することができる場合　　当該文書の所属することとなる号の課税事項に係る記載金額

（例）

1　不動産及び債権売買契約書

不動産700万円、債権200万円　　（第1号文書）700万円

2　不動産売買及び請負契約書

（不動産売買）
土地300万円、家屋100万円
（請　負）
Ａ工事400万円、Ｂ工事200万円　　（第2号文書）600万円

(3)　一の文書に、課税物件表の2以上の号の課税事項が記載されているものについて、その記載金額をそれぞれの課税事項ごとに区分することができない場合　　当該記載金額

（例）

不動産及び債権の売買契約書

不動産及び債権500万円　　（第1号文書）500万円

(4)　第17号の1文書であって、その記載金額を売上代金に係る金額とその他の金額とに区分することができる場合　　当該売上代金に係る金額

（例）

貸付金元本と利息の受取書

貸付金元本200万円、貸付金利息20万円　　（第17号の1文書）20万円

(5)　第17号の1文書であって、その記載金額を売上代金に係る金額とその他の金額とに区分することができない場合　　当該記載金額

（例）

貸付金元本及び利息の受取書

貸付金元本及び利息210万円　　（第17号の１文書）210万円

(6)　記載された単価及び数量、記号その他により記載金額を計算することができる場合　その計算により算出した金額

（例）

物品加工契約書

A物品　単価500円、数量10,000個　　（第２号文書）500万円

(7)　第１号文書又は第２号文書であって、当該文書に係る契約についての契約金額若しくは単価、数量、記号その他の記載のある見積書、注文書その他これらに類する文書（課税物件表の課税物件欄に掲げる文書を除く。）の名称、発行の日、記号、番号その他の記載があることにより、当事者間において当該契約金額が明らかである場合又は当該契約金額の計算をすることができる場合　その明らかである金額又はその計算により算出した金額

（例）

1　契約金額が明らかである場合

工事請負注文請書

「請負金額は貴注文書第××号のとおりとする。」と記載されている工事請負に関する注文請書で、注文書に記載されている請負金額が500万円　　（第２号文書）500万円

2　契約金額の計算をすることができる場合

物品の委託加工注文請書

(1)　「加工数量及び加工料単価は貴注文書第××号のとおりとする。」と記載されている物品の委託加工に関する注文請書で、注文書に記載されている数量が１万個、単価が500円　　（第２号文書）500万円

(2)　「加工料は１個につき500円、加工数量は貴注文書第××号のとおりとする。」と記載されている物品の委託加工に関する注文請書で、注文書に記載されている加工数量が１万個　　（第２号文書）500万円

3　通則４のホの㈡の規定の適用がない場合

物品の委託加工注文請書

「加工数量は１万個、加工料は委託加工基本契約書のとおりとする。」と記載されている物品の委託加工に関する注文請書　　（第２号文書）記載金額なし

(8)　第17号の１文書であって、受け取る有価証券の発行者の名称、発行の日、記号、番号その他の記載があることにより、当事者間において売上代金に係る受取金額が明らかである場合　その明らかである受取金額

（例）

物品売買代金の受取書

○○㈱発行の№××の小切手と記載した受取書　　（第17号の１文書）当該小切手の券面金額

(9)　第17号の１文書であって、受け取る金額の記載のある支払通知書、請求書その他これ

らに類する文書の名称、発行の日、記号、番号その他の記載があることにより、当事者間において売上代金に係る受取金額が明らかである場合　　その明らかである受取金額

（例）

請負代金の受取書

○○㈱発行の支払通知書№.××と記載した受取書　　（第17号の１文書）当該支払通知書の記載金額

⑽　記載金額が外国通貨により表示されている場合　　文書作成時の本邦通貨に換算した金額

（例）

債権売買契約書

Ａ債権　米貨10,000ドル　　（第15号文書）130万円

（注）　米貨（ドル）は基準外国為替相場により、その他の外国通貨は裁定外国為替相場により、それぞれ本邦通貨に換算する。

（契約金額等の計算をすることができるとき等）

第25条　通則４のホの㈠に規定する「単価及び数量、記号その他によりその契約金額等の計算をすることができるとき」とは、当該文書に記載されている単価及び数量、記号等により、その契約金額等の計算をすることができる場合をいう。

２　通則４のホの㈡に規定する「契約金額が明らかであるとき」とは、第１号文書又は第２号文書に当該文書に係る契約についての契約金額の記載のある見積書、注文書その他これらに類する文書を特定できる記載事項があることにより、当事者間において当該契約についての契約金額を明らかにできる場合をいう。また、「契約金額の計算をすることができるとき」とは、第１号文書又は第２号文書に当該文書に係る契約についての単価、数量、記号その他の記載のある見積書、注文書その他これらに類する文書(以下この項において「見積書等」という。) を特定できる記載事項があることにより、当該見積書等の記載事項又は当該見積書等と当該第１号文書又は第２号文書の記載事項とに基づき、当事者間において当該契約についての契約金額の計算をすることができる場合をいう。

なお、通則４のホの㈡のかっこ書の規定により当該第１号文書又は第２号文書に引用されている文書が課税物件表の課税物件欄に掲げられている文書に該当するものであるときは、通則４のホの㈡の規定の適用はないのであるから留意する。

３　通則４のホの㈢に規定する「当該有価証券の発行者の名称、発行の日、記号、番号その他の記載があることにより、当事者間において当該売上代金に係る受取金額が明らかであるとき」とは、売上代金として受け取る有価証券の受取書に受け取る有価証券を特定できる事項の記載があることにより、当事者間において当該有価証券の券面金額が明らかである場合をいい、「当該売上代金に係る受取金額の記載のある支払通知書、請求書その他これらに類する文書の名称、発行の日、記号、番号その他の記載があることにより、当事者間において当該売上代金に係る受取金額が明らかであるとき」とは、売上代金として受け取る金銭又は有価証券の受取書に受取金額の記載がある文書を特定できる事項の記載があることにより、当事者間において授受した金額が明らかである場合をいう。

（予定金額等が記載されている文書の記載金額）

第26条　予定金額等が記載されている文書の記載金額の計算は、次の区分に応じ、それぞれ

次に掲げるところによる。

(1) 記載された契約金額等が予定金額又は概算金額である場合　　予定金額又は概算金額

（例）

予定金額250万円	250万円
概算金額250万円	250万円
約250万円	250万円

(2) 記載された契約金額等が最低金額又は最高金額である場合　　最低金額又は最高金額

（例）

最低金額50万円	50万円
50万円以上	50万円
50万円超	50万１円
最高金額100万円	100万円
100万円以下	100万円
100万円未満	99万9,999円

(3) 記載された契約金額等が最低金額と最高金額である場合　　最低金額

（例）

50万円から100万円まで	50万円
50万円を超え100万円以下	50万１円

(4) 記載されている単価及び数量、記号その他によりその記載金額が計算できる場合において、その単価及び数量等が、予定単価又は予定数量等となっているとき　　(1)から(3)までの規定を準用して算出した金額

（例）

予定単価１万円、予定数量100個	100万円
概算単価１万円、概算数量100個	100万円
予定単価１万円、最低数量100個	100万円
最高単価１万円、最高数量100個	100万円
単価１万円で50個から100個まで	50万円

（契約の一部についての契約金額が記載されている契約書の記載金額）

第27条　契約書に、その契約の一部についての契約金額のみが記載されている場合には、当該金額を記載金額とする。

（例）

請負契約書に、「Ａ工事100万円。ただし、附帯工事については実費による。」と記載したもの　　（第２号文書）100万円

（手付金額又は内入金額が記載されている契約書の記載金額）

第28条　契約書に記載された金額であっても、契約金額とは認められない金額、例えば手付金額又は内入金額は、記載金額に該当しないものとして取り扱う。

なお、契約書に100万円を超える手付金額又は内入金額の受領事実が記載されている場合には、当該文書は、通則３のイ又はハのただし書の規定によって第17号の１文書（売上代金に係る金銭又は有価証券の受取書）に該当するものがあることに留意する。

（月単位等で契約金額を定めている契約書の記載金額）

第29条　月単位等で金額を定めている契約書で、契約期間の記載があるものは当該金額に契約期間の月数等を乗じて算出した金額を記載金額とし、契約期間の記載のないものは記載金額がないものとして取り扱う。

なお、契約期間の更新の定めがあるものについては、更新前の期間のみを算出の根基とし、更新後の期間は含まないものとする。

（例）

ビル清掃請負契約書において、「清掃料は月10万円、契約期間は１年とするが、当事者異議なきときは更に１年延長する。」と記載したもの　　記載金額120万円（10万円×12月）の第２号文書

（契約金額を変更する契約書の記載金額）

第30条　契約金額を変更する契約書（次項に該当するものを除く。）については、変更後の金額が記載されている場合（当初の契約金額と変更金額の双方が記載されていること等により、変更後の金額が算出できる場合を含む。）は当該変更後の金額を、変更金額のみが記載されている場合は当該変更金額をそれぞれ記載金額とする。

（例）

土地売買契約変更契約書において

１　当初の売買金額100万円を10万円増額（又は減額）すると記載したもの　　（第１号文書）110万円（又は90万円）

２　当初の売買金額を10万円増額（又は減額）すると記載したもの　　（第１号文書）10万円

２　契約金額を変更する契約書のうち、通則４のニの規定が適用される文書の記載金額は、それぞれ次のようになるのであるから留意する。

なお、通則４のニに規定する「当該文書に係る契約についての変更前の契約金額等の記載のある文書が作成されていることが明らかであり」とは、契約金額等の変更の事実を証すべき文書（以下「変更契約書」という。）に変更前の契約金額等を証明した文書（以下「変更前契約書」という。）の名称、文書番号又は契約年月日等変更前契約書を特定できる事項の記載があること又は変更前契約書と変更契約書とが一体として保管されていること等により、変更前契約書が作成されていることが明らかな場合をいう。

⑴　契約金額を増加させるものは、当該契約書により増加する金額が記載金額となる。

（例）

土地の売買契約の変更契約書において、当初の売買金額1,000万円を100万円増額すると記載したもの又は当初の売買金額1,000万円を1,100万円に増額すると記載したもの（第１号文書）100万円

⑵　契約金額を減少させるものは、記載金額のないものとなる。

（例）

土地の売買契約の変更契約書において、当初の売買金額1,000万円を100万円減額すると記載したもの又は当初の売買金額1,100万円を1,000万円に減額すると記載したもの（第１号文書）記載金額なし

（注）　変更前契約書の名称等が記載されている文書であっても、変更前契約書が現実に

作成されていない場合は、第１項の規定が適用されるのであるから留意する。

（内訳金額を変更又は補充する場合の記載金額）

第31条 契約金額の内訳を変更又は補充する契約書のうち、原契約書の契約金額と総金額が同一であり、かつ、単に同一号中の内訳金額を変更又は補充するにすぎない場合の当該内訳金額は、記載金額に該当しないものとする。

なお、この場合であっても、当該変更又は補充契約書は、記載金額のない契約書として課税になるのであるから留意する。

（例）

工事請負変更契約書において、当初の請負金額Ａ工事200万円、Ｂ工事100万円をＡ工事100万円、Ｂ工事200万円に変更すると記載したもの　　記載金額のない第２号文書

（税金額が記載されている文書の記載金額）

第32条 源泉徴収義務者又は特別徴収義務者が作成する受取書等の記載金額のうちに、源泉徴収又は特別徴収に係る税金額を含む場合において、当該税金額が記載されているときは、全体の記載金額から当該税金額を控除したのちの金額を記載金額とする。

（記載金額１万円未満の第１号又は第２号文書についての取扱い）

第33条 第１号文書又は第２号文書と第15号文書又は第17号文書とに該当する文書で、通則３のイの規定により第１号文書又は第２号文書として当該文書の所属が決定されたものが次の一に該当するときは、非課税文書とする。

(1) 課税物件表の第１号又は第２号の課税事項と所属しないこととなった号の課税事項とのそれぞれについて記載金額があり、かつ、当該記載金額のそれぞれが１万円未満（当該所属しないこととなった号が同表第17号であるときは、同号の記載金額については５万円未満）であるとき。

（例）

９千円の請負契約と８千円の債権売買契約とを記載している文書（第２号文書）　非課税

(2) 課税物件表の第１号又は第２号の課税事項と所属しないこととなった号の課税事項についての合計記載金額があり、かつ、当該合計金額が１万円未満のとき。

（例）

請負契約と債権売買契約との合計金額が９千円と記載されている文書（第２号文書）　非課税

（記載金額５万円未満の第17号文書の取扱い）

第34条 課税物件表第17号の非課税物件欄１に該当するかどうかを判断する場合には、通則４のイの規定により売上代金に係る金額とその他の金額との合計額によるのであるから留意する。

（例）

貸付金元金４万円と貸付金利息１万円の受取書（第17号の１文書）　　記載金額は５万円となり非課税文書には該当しない。

（無償等と記載されたものの取扱い）

第35条 契約書等に「無償」又は「０円」と記載されている場合の当該「無償」又は「０円」は、当該契約書等の記載金額に該当しないものとする。

第6節　追記又は付け込みに係るみなし作成

（法第４条第２項の適用関係）

第36条　法第４条《課税文書の作成とみなす場合等》第２項に規定する「課税文書を１年以上にわたり継続して使用する場合」とは、当該課税文書の作成日の翌年の応当日以後にわたって継続して使用する場合をいい、「当該課税文書を作成した日から１年を経過した日」とは、当該課税文書に最初の付け込みをした日の翌年の応当日をいう。

〔編者補正〕

（例）

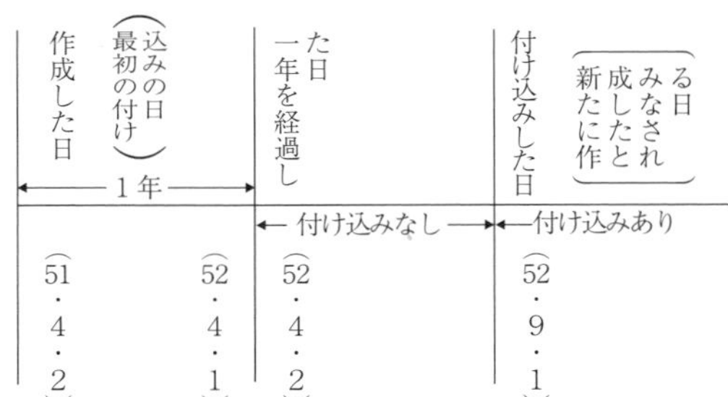

（追記と併記又は混合記載の区分）

第37条　法第４条《課税文書の作成とみなす場合等》第３項に規定する「追記」とは、既に作成されている一の文書にその後更に一定事項を追加して記載することをいい、通則２に規定する「併記又は混合記載」とは、一の文書に同時に２以上の事項を記載することをいう。

（追記又は付け込みの範囲）

第38条　法第４条《課税文書の作成とみなす場合等》第３項に規定する「一の文書」には、課税文書だけでなくその他の文書も含むのであるから留意する。

２　課税物件表の第１号、第２号、第７号及び第12号から第15号までの課税事項により証されるべき事項を追記した場合で、当該追記が原契約の内容の変更又は補充についてのものであり、かつ、当該追記した事項が別表第２に掲げる重要な事項に該当するときは、法第４条第３項の規定を適用する。

（新たに作成したものとみなされる課税文書の所属の決定）

第39条　一の文書への課税事項の追記又は付け込みにより新たに作成したものとみなされる課税文書は、当該追記又は付け込みをした課税事項の内容により、第３節《文書の所属の決定等》の規定を適用して、その所属を決定する。

（第一回目の付け込みについて法第４条第４項の規定の適用がある場合）

第40条　第19号文書又は第20号文書に第一回目の付け込みをした場合において、当該付け込みに係る記載事項及び記載金額が法第４条《課税文書の作成とみなす場合等》第４項の規定に該当するときには、第19号文書又は第20号文書の作成があったものとはならず、同項各号に規定する課税文書の作成があったものとみなされるのであるから留意する。

〔編者補正〕

（例）

請　負　通　帳

契約年月日	注文内容	数量	単価	価格	納期	請印	
51. 4. 1	金属メッキ加工	1,200	1,100	1,320,000	51. 4. 5	㊞	請負に関する契約書の作成とみなされ、請負通帳の作成とはならない。
							請負通帳の作成となる。
51. 4. 3	〃	300	240	72,000	51. 4.10	㊞	
51. 4. 1	〃	200	260	52,000	51. 4.15	㊞	
51. 5. 2	〃	300	520	156,000	51. 5.10	㊞	
51. 5. 5	〃	1,000	240	240,000	51. 5.16	㊞	請負に関する契約書の作成とみなされ、請負通帳の付け込みとはならない。
51. 5. 10	〃	1,200	1,100	1,320,000	51. 5.30	㊞	
51. 5. 15	〃	500	520	260,000	51. 5.20	㊞	
52. 4. 2	〃	1,000	240	240,000	51. 4.10	㊞	
52. 4. 3	〃	1,100	1,100	1,210,000	51. 4.13	㊞	請負に関する契約書の作成とみなされ、請負通帳の付け込みとはならない。
52. 4. 6	〃	300	520	156,000	51. 4.15	㊞	法第４条第２項の規定により、新たな請負通帳の作成とみなされる。

（通帳等への受取事実の付け込みが受取書の作成とみなされる場合）

第41条　法第４条《課税文書の作成とみなす場合等》第４項第３号に規定する「別表第１第17号の課税文書（物件名欄１に掲げる受取書に限る。）により証されるべき事項」とは、売上代金に係る金銭又は有価証券の受取事実を証するもので、かつ、営業に関するものをいうのであるから留意する。

第７節　作　成　者　等

（作成者の意義）

第42条　法に規定する「作成者」とは、次に掲げる区分に応じ、それぞれ次に掲げる者をいう。

(1)　法人、人格のない社団若しくは財団（以下この号において「法人等」という。）の役員（人格のない社団又は財団にあっては、代表者又は管理人をいう。）又は法人等若しくは人の従業者がその法人等又は人の業務又は財産に関し、役員又は従業者の名義で作成する課税文書　　当該法人等又は人

(2)　(1)以外の課税文書　　当該課税文書に記載された作成名義人

（代理人が作成する課税文書の作成者）

第43条　委任に基づく代理人が、当該委任事務の処理に当たり、代理人名義で作成する課税文書については、当該文書に委任者の名義が表示されているものであっても、当該代理人を作成者とする。

2　代理人が作成する課税文書であっても、委任者名のみを表示する文書については、当該委任者を作成者とする。

（作成等の意義）

第44条　法に規定する課税文書の「作成」とは、単なる課税文書の調製行為をいうのでなく、課税文書となるべき用紙等に課税事項を記載し、これを当該文書の目的に従って行使することをいう。

2　課税文書の「作成の時」とは、次の区分に応じ、それぞれ次に掲げるところによる。

(1)　相手方に交付する目的で作成される課税文書　　当該交付の時

(2)　契約当事者の意思の合致を証明する目的で作成される課税文書　　当該証明の時

(3)　一定事項の付け込みを証明することを目的として作成される課税文書　　当該最初の付け込みの時

(4)　認証を受けることにより効力が生ずることとなる課税文書　　当該認証の時

(5)　第５号文書のうち新設分割計画書　　本店に備え置く時

（一の文書に同一の号の課税事項が２以上記載されている場合の作成者）

第45条　一の文書に、課税物件表の同一の号の課税事項が２以上記載されている場合においては、当該２以上の課税事項の当事者がそれぞれ異なるものであっても、当該文書は、これらの当事者の全員が共同して作成したものとする。

（例）

一の文書に甲と乙、甲と丙及び甲と丁との間のそれぞれ200万円、300万円及び500万円の不動産売買契約の成立を証明する事項を区分して記載しているものは、記載金額1,000万円の第１号文書（不動産の譲渡に関する契約書）に該当し、甲、乙、丙及び丁は共同作成者となる。

（一の文書が２以上の号に掲げる文書に該当する場合の作成者）

第46条　一の文書が、課税物件表の２以上の号に掲げる文書に該当し、通則３の規定により所属が決定された場合における当該文書の作成者は、当該所属することとなった号の課税事項の当事者とする。

（例）

一の文書で、甲と乙との間の不動産売買契約と甲と丙との間の債権売買契約の成立を証明する事項が記載されているものは、第１号文書（不動産の譲渡に関する契約書）に所属し、この場合には、甲と乙が共同作成者となり、丙は作成者とはならない。

（共同作成者の連帯納税義務の成立等）

第47条　一の課税文書を２以上の者が共同作成した場合における印紙税の納税義務は、当該文書の印紙税の全額について共同作成者全員に対してそれぞれ各別に成立するのであるが、そのうちの１人が納税義務を履行すれば当該２以上の者全員の納税義務が消滅するのであるから留意する。

第48条　削除

第８節　納　　税　　地

（作成場所が法施行地外となっている場合）

第49条　文書の作成場所が法施行地外である場合の当該文書については、たとえ当該文書に基づく権利の行使又は当該文書の保存が法施行地内で行われるものであっても、法は適用されない。ただし、その文書に法施行地外の作成場所が記載されていても、現実に法施行地内で作成されたものについては、法が適用されるのであるから留意する。

（課税文書にその作成場所が明らかにされているものの意義）

第50条　法第６条《納税地》第４号に規定する「課税文書にその作成場所が明らかにされているもの」とは、課税文書の作成地として、いずれの税務署の管轄区域内であるかが判明しうる程度の場所の記載があるものをいう。

例えば、「作成地　東京都千代田区霞が関」と記載されているもの又は「本店にて作成」として「本店所在地　東京都千代田区霞が関」と記載されているものは、作成場所が明らかなものに該当するが、「作成地　東京都」と記載されたもの又は「本店にて作成」として「本店所在地　東京都」と記載されたものは、これに該当しない。

（その作成者の事業に係る事務所、事業所その他これらに準ずるものの所在地が記載されている課税文書の意義）

第51条　令第４条《納税地》第１項第１号に規定する「その作成者の事業に係る事務所、事業所その他これらに準ずるものの所在地が記載されている課税文書」とは、課税文書に作成者の本店、支店、工場、出張所、連絡所等の名称が記載された上、いずれの税務署の管轄区域内であるかが判明しうる程度の所在地の記載があるものをいう。

例えば、「東京都千代田区霞が関　大蔵工業株式会社」と記載されているもの又は「大阪市東区大手前之町　大蔵工業株式会社大阪支店」と記載されているものは、所在地が記載されているものに該当するが、「東京都　大蔵工業株式会社」と記載されたもの又は「大阪市　大蔵工業株式会社大阪支店」と記載されたものは、これに該当しない。

２　課税文書にその作成者の事業に係る事務所、事業所その他これらに準ずるものの所在地が２以上記載されている場合（例えば、本店と支店の所在地が記載されている場合）において、そのいずれかの所在地を作成場所として推定することができるときは当該所在地を、推定することができないときは主たるもの（例えば本店）の所在地を、それぞれ当該課税文書の納税地とする。

（作成者のうち当該課税文書に最も先に記載されている者の意義）

第52条　令第４条《納税地》第２項第２号に規定する「作成者のうち当該課税文書に最も先に記載されている者」とは、例えば、課税文書の最後尾に「甲○○○○、乙○○○○」又は「甲○○○○
乙○○○○」と記載されている場合の「甲○○○○」をいう。ただし、「甲○○○○」が国、地方公共団体若しくは非課税法人の表に掲げる者（以下「国等」という。）又は当該課税文書が非課税文書の表の上欄に掲げるものである場合の同表の下欄に掲げる者に該当するときは、「乙○○○○」をいうものとする。

第９節　非　課　税　文　書

（非課税文書を作成した者の範囲）

第53条　法第５条《非課税文書》の規定の適用に当たっては、国等及び非課税文書の表の下欄に掲げる者には、当該者の業務の委託を受けた者は含まれないのであるから留意する。

（外国大使館等の作成した文書）

第54条　在本邦外国大使館、公使館、領事館（名誉領事館を除く。）、外国代表部又は外国代表部の出張所が作成した文書については、国が作成した文書に準じて印紙税を課さないことに取り扱う。

（地方公共団体の意義）

第55条　法第５条《非課税文書》第２号に規定する「地方公共団体」とは、地方自治法「(昭和22年法律第67号)」第１条の３《地方公共団体の種類》に規定する地方公共団体をいう。

（国等が作成した文書の範囲）

第56条　法第５条《非課税文書》第２号に規定する「国、地方公共団体又は別表第２に掲げる者が作成した文書」及び第54条《外国大使館等の作成した文書》に規定する文書には、これらの者の職員がその職務上作成した文書を含むのであるから留意する。

（国等と国等以外の者とが共同して作成した文書の範囲）

第57条　法第４条《課税文書の作成とみなす場合等》第５項に規定する「国等と国等以外の者とが共同して作成した文書」とは、国等が共同作成者の一員となっているすべての文書をいうのであるから留意する。

（例）

国等㈲と国等以外の者㈡の共有地の売買契約書

売主　甲及び乙

買主　丙

売買契約書を３通作成し、甲、乙、丙がそれぞれ１通ずつ所持する場合

甲が所持する文書	課税
乙が所持する文書	非課税
丙が所持する文書	丙が国等以外の者であるときは非課税 丙が国等であるときは課税

第10節　その他の共通事項

（後日、正式文書を作成することとなる場合の仮文書）

第58条　後日、正式文書を作成することとなる場合において、一時的に作成する仮文書であっても、当該文書が課税事項を証明する目的で作成するものであるときは、課税文書に該当する。

（同一法人内で作成する文書）

第59条　同一法人等の内部の取扱者間又は本店、支店及び出張所間等で、当該法人等の事務の整理上作成する文書は、課税文書に該当しないものとして取り扱う。ただし、当該文書が第３号文書又は第９号文書に該当する場合は、単なる事務整理上作成する文書とは認められないから、課税文書に該当する。

（有価証券の意義）

第60条 法に規定する「有価証券」とは、財産的価値ある権利を表彰する証券であって、その権利の移転、行使が証券をもってなされることを要するものをいい、金融商品取引法（昭和23年法律第25号）に定める有価証券に限らない。

（例）

株券、国債証券、地方債証券、社債券、出資証券、投資信託の受益証券、貸付信託の受益証券、特定目的信託の受益証券、受益証券発行信託の受益証券、約束手形、為替手形、小切手、倉荷証券、船荷証券、商品券、プリペイドカード、社債利札等

（注） 次のようなものは有価証券に該当しない。

(1) 権利の移転や行使が必ずしも証券をもってなされることを要しない単なる証拠証券

（例）

借用証書、受取証書、送り状

(2) 債務者が証券の所持人に弁済すれば、その所持人が真の権利者であるかどうかを問わず、債務を免れる単なる免責証券

（例）

小荷物預り証、下足札、預金証書

(3) 証券自体が特定の金銭的価値を有する金券

（例）

郵便切手、収入印紙

第２章　課税物件、課税標準及び税率

（課税物件、課税標準及び税率の取扱い）

第61条 課税物件、課税標準及び税率の取扱いについては、第１章で定めるところによるほか、別表第１に定めるところによる。

（印紙税額等の端数計算）

第62条 印紙税の課税標準及び税額については、通則法第118条《国税の課税標準の端数計算等》及び第119条《国税の確定金額の端数計算等》の規定は適用されないのであるから留意する。

第３章　納付、申告及び還付等

第１節　印紙による納付

（印紙の範囲）

第63条 法第８条《印紙による納付等》第１項に規定する「印紙税に相当する金額の印紙」には、既に彩紋が汚染等した印紙又は消印された印紙若しくは消印されていない使用済みの印紙は含まない。

2　課税文書となるべき用紙等又は各種の登録申請書等にはり付けた印紙で、当該課税文書の作成又は当該申請等がなされる前のものは、使用済みの印紙とはならない。

（共同作成の場合の印紙の消印方法）

第64条　２以上の者が共同して作成した課税文書にはり付けた印紙を法第８条《印紙による納付等》第２項の規定により消す場合には、作成者のうちの一の者が消すこととしても差し支えない。

（印章の範囲）

第65条　令第５条《印紙を消す方法》に規定する「印章」には、通常印判といわれるもののほか、氏名、名称等を表示した日付印、役職名、名称等を表示した印を含むものとする。

第２節　税印による納付の特例

（納付方法の併用禁止）

第66条　法第９条《税印による納付の特例》の規定による納付の特例は、課税文書に相当印紙をはり付けることに代えて税印を押すのであるから、印紙をはり付けた課税文書又は印紙税納付計器により当該課税文書に課されるべき印紙税額に相当する金額（以下「相当金額」という。）を表示して納付印を押した課税文書等他の納付方法により納付したものについては、税印を押すことができない（他の納付方法により納付した印紙税について過誤納の処理をしたものはこの限りでない。）ことに留意する。

（請求の棄却）

第67条　次に掲げる場合には、原則として、法第９条《税印による納付の特例》第３項の規定により税印を押すことの請求を棄却する。

(1)　請求に係る課税文書に課されるべき印紙税額が当該課税文書の記載金額によって異なり、かつ、当該記載金額が明らかでない場合

(2)　請求に係る課税文書が、当該請求の時点においては課税物件表のいずれの号の文書に該当するものであるかが明らかでない場合

(3)　請求に係る課税文書が、税印を明確に押すことのできない紙質、形式等である場合

(4)　その他印紙税の保全上不適当であると認められる場合

（印紙税の納付）

第68条　法第９条《税印による納付の特例》第２項に規定する印紙税は、税印を押すことを請求した税務署長の所属する税務署の管轄区域内の場所を納税地として納付するのであるから留意する。

第３節　印紙税納付計器の使用による納付の特例

（納付方法の併用禁止）

第69条　法第10条《印紙税納付計器の使用による納付の特例》の規定による納付の特例は、課税文書に相当印紙をはり付けることに代えて、相当金額を表示して納付印を押すのであるから、税印を押した課税文書等他の納付方法により納付したものについては、相当金額を表示して納付印を押すことができない（他の納付方法により納付した印紙税について過誤納の処理をしたものはこの限りでない。）ことに留意する。ただし、一の課税文書に納付印を２以上押すこと、及び納付印を押すことと印紙のはり付けとを併用することは差し支えないものとして取り扱う。

（印紙税納付計器設置の不承認）

第70条　次に掲げる場合には、原則として、法第10条《印紙税納付計器の使用による納付の特例》第１項の規定による承認は与えない。

(1)　承認を受けようとする者が過去２年以内において同条第５項の規定により承認を取り消された者である場合

(2)　承認を受けようとする者が過去２年以内において法に違反して告発された者である場合

(3)　その他印紙税の保全上不適当と認められる場合

（印紙税納付計器設置承認に付す条件）

第71条　法第10条《印紙税納付計器の使用による納付の特例》第１項の規定により印紙税納付計器の設置の承認を与える場合には、次に掲げる条件を付する。

(1)　かぎを付することとなっている印紙税納付計器を設置したときは、その使用前に当該印紙税納付計器のかぎを承認した税務署長に預けておくこと。

(2)　印紙税納付計器に故障その他の事故が生じたときは、その旨を直ちに承認した税務署長に届け出て、その指示に従うこと。

(3)　印紙税納付計器の設置を廃止したとき、又は納付印を取り替えたときは、承認した税務署長の指示するところにより、不要となった納付印の印面を廃棄すること。

（納付印の記号、番号）

第72条　規則第３条《納付印の印影の形式等》第１項に規定する納付印の印影の形式中の記号及び番号は、印紙税納付計器を設置しようとする場所の所在地の所轄税務署長が指定するところによる。

（印紙税納付計器により納付印を押すことができる課税文書の範囲）

第73条　法第10条《印紙税納付計器の使用による納付の特例》第１項の規定は、同項の規定により印紙税納付計器の設置の承認を受けた者が作成する課税文書（当該印紙税納付計器の設置の承認を受けた者とその他の者とが共同して作成するものを含む。）について適用されるのであるから留意する。

２　法第10条第２項の規定は、同条第１項の規定により印紙税納付計器の設置の承認を受けた者が、更に、同条第２項の規定による承認を受けた場合に限り、その交付を受ける課税文書について適用されるのであるから留意する。

（交付を受ける課税文書の意義）

第74条　法第10条《印紙税納付計器の使用による納付の特例》第２項に規定する「交付を受ける課税文書」とは、印紙税納付計器の設置者を相手方として交付する目的で作成され、当該交付の時において納税義務の成立する課税文書をいう。したがって、当該設置者以外の者に対して交付する目的で作成された課税文書には納付印を押すことはできないのであるから留意する。

（交付を受ける課税文書に納付印を押す場合の納税義務者）

第75条　法第10条《印紙税納付計器の使用による納付の特例》第２項の規定は、印紙税納付計器の設置者が交付を受ける課税文書について、当該納付計器を使用して印紙税を納付することができることとしたものであり、当該課税文書の納税義務者は、当該文書の作成者であるから留意する。したがって、当該文書について印紙税の不納付があった場合には、当該作成者から過怠税を徴収することとなる。

（印紙税納付計器その他同項の措置を受けるため必要な物件）

第76条　令第８条《印紙税納付計器の設置の承認の申請等》第４項に規定する「印紙税納付計器その他同項の措置を受けるため必要な物件」は、始動票札を使用しない印紙税納付計器にあっては当該印紙税納付計器、始動票札を使用する印紙税納付計器にあっては当該印紙税納付計器及び始動票札とする。ただし、始動票札を使用する印紙税納付計器について同項の規定による請求書を提出することが２回目以降である場合は、当該始動票札のみとする。

（印紙税納付計器の設置の承認の取消し）

第77条　次に掲げる場合には、法第10条《印紙税納付計器の使用による納付の特例》第５項の規定により印紙税納付計器の設置の承認を取り消す。

(1)　承認を受けた者が法に違反して告発された場合

(2)　偽りその他不正の行為により印紙税納付計器の設置の承認を受けた場合

(3)　承認を受けた者が承認の条件に違反した場合

(4)　その他印紙税の取締り上不適当と認められる場合

第４節　書式表示による申告及び納付の特例

（様式又は形式が同一かどうかの判定）

第78条　法第11条《書式表示による申告及び納付の特例》第１項に規定する「様式又は形式が同一」に該当するかどうかは、おおむね当該文書の名称、記載内容、大きさ、彩紋を基準として判定する。

（後日においても明らかにされているものの意義）

第79条　法第11条《書式表示による申告及び納付の特例》第１項に規定する「後日においても明らかにされているもの」とは、法第18条《記帳義務》第１項の規定に基づいて課税文書の作成に関する事実を帳簿に記載することにより結果的に作成事実が明らかにされるだけでなく、他の法律の規定、課税文書の性質、作成の状況等から判断して、当該課税文書を作成した後においても、その作成事実が明らかにされているものをいう。

（課税文書を作成しようとする場所の意義）

第80条　法第11条《書式表示による申告及び納付の特例》第１項に規定する「課税文書を作成しようとする場所」とは、次に掲げる課税文書の区分に応じ、それぞれ次に掲げる場所をいうものとする。

(1)　課税文書に作成しようとする場所が明らかにされているもの　　当該作成しようとする場所

(2)　(1)以外の課税文書で、証券代行会社等が、当該文書を作成しようとする者から委託を受けて事務を代行している場合における当該代行事務に係るもの　　当該証券代行会社等の所在地

(3)　前２号以外の課税文書で、当該文書に作成しようとする者の事業に係る事務所、事業所その他これらに準ずるものの所在地が記載されているもの　　当該所在地（当該所在地が２以上ある場合は、作成しようとする場所として推定することができるいずれか一の所在地）

(4)　前各号以外の課税文書　　当該課税文書を作成しようとする者の住所

（毎月継続して作成されることとされているものの意義等）

第81条　法第11条《書式表示による申告及び納付の特例》第１項第１号に規定する「毎月継続して作成されることとされているもの」とは、通常毎月継続して作成することとされているものをいうが、１か月以内において継続して作成することとされているものも、これに含めて取り扱う。

なお、この場合において、当該課税文書に発行年月日等の通常作成した日と認められる日が記載されているものについては、当該日を作成日として取り扱って差し支えない。

（特定の日に多量に作成されることとされているものの意義等）

第82条　法第11条《書式表示による申告及び納付の特例》第１項第２号に規定する「特定の日に多量に作成されることとされているもの」とは、通常特定の日に多量に作成することとされているものをいい、毎月継続して特定の日に多量に作成されることとされているものは、同項第１号に該当するものとして取り扱う。

なお、この場合において、当該課税文書に発行年月日等の通常作成した日と認められる日が記載されているものについては、当該日を特定の日として取り扱って差し支えない。

（書式表示の承認区分）

第83条　法第11条《書式表示による申告及び納付の特例》第１項に規定する書式表示の承認について、同項第１号の承認は、毎月継続的に作成することが予定されているものに対する包括承認であり、同項第２号の承認は、特定の日に多量に作成することが予定されているものに対する都度承認である。

２　課税事項の追記が予定されている文書については、当初に作成される文書に法第11条第１項に規定する承認を与えるほか、当初に作成される文書及び追記により作成したとみなされる文書に併せて同項の承認を与えることができるものとする。

なお、この場合においては、当該承認の効果の及ぶ範囲を明らかにしておく必要があることに留意する。

（書式表示の不承認）

第84条　次に掲げる場合には、原則として、法第11条《書式表示による申告及び納付の特例》第１項の規定による承認は与えない。

(1)　申請者が法第15条《保全担保》の規定により命ぜられた担保の提供をしない場合

(2)　申請に係る課税文書の様式又は形式が同一でない場合

(3)　申請に係る課税文書について、法第11条第１項の規定による納付方法と他の納付方法とを併用するおそれがあると認められる場合

(4)　申請に係る課税文書の作成数量がきん少であると認められる場合

(5)　申請に係る課税文書の作成日、作成数量及び税率区分が容易に確認できないと認められる場合

(6)　申請者が過去１年以内において同項の規定による承認を取り消された者である場合

(7)　申請者が過去１年以内において法の規定に違反して告発された者である場合

(8)　その他印紙税の保全上不適当と認められる場合

（納付方法の併用禁止）

第85条　法第11条《書式表示による申告及び納付の特例》第１項の規定による納付の特例は、

相当印紙のはり付けに代えて、金銭をもつて課税文書についての印紙税を納付するのであるから、当該課税文書と様式又は形式が同一の課税文書については、同項の規定による納付方法と相当印紙のはり付け等他の納付方法とを併用することができないことに留意する。

（承認に係る課税文書に相当印紙をはり付ける等の方法により印紙税を納付した場合）

第86条　法第11条《書式表示による申告及び納付の特例》第１項の規定により承認を受けた課税文書については、すべて同条の規定による申告及び納付をしなければならないのであるから留意する。

したがって、当該文書について相当印紙をはり付ける方法等他の納付方法により納付した印紙税があるときは、申請に基づき当該印紙税の還付又は充当の処理をする。

（書式表示の承認に付す条件）

第87条　法第11条《書式表示による申告及び納付の特例》第１項の規定により書式表示の承認を与える場合には、次に掲げる条件を付する。

(1)　承認を受けた課税文書の受払い等に関する帳簿等の提示を求められたときは、速やかにこれに応ずること。

(2)　法第15条《保全担保》の規定により担保の提供を命ぜられたときは、速やかにこれに応ずること。

（申告書の記載事項）

第88条　法第11条《書式表示による申告及び納付の特例》第４項の規定による申告書の記載事項については、次による。

(1)　同項第１号に規定する「種類」とは、課税物件表に掲げる課税物件名及び当該課税物件名ごとの名称とする。

（例）

売上代金に係る金銭の受取書　　領収証

(2)　同号に規定する「税率区分の異なるごと」とは、課税物件表の課税標準及び税率欄に掲げる税率の区分の異なるごとをいう。

2　第83条《書式表示の承認区分》第２項に規定する当初に作成された文書及び追記により作成したとみなされる文書につき併せて法第11条第１項に規定する承認を与えた場合には、同条第４項の規定による申告書には、それぞれ区分して記載させるものとする。

（非課税文書への書式表示）

第89条　規則第４条《書式表示等の書式》の規定による書式の表示は、印紙税が納付済みであることを表すものではなく、単に申告納税方式により納付するものであることを表すにすぎないから、法第11条《書式表示による申告及び納付の特例》第１項の規定による承認を受けた課税文書に、後日、金額等を記載したことによりそれが課税文書に該当しないこととなったとしても、当該表示を抹消する必要はない。

（書式表示の承認の取消し）

第90条　次に掲げる場合には、原則として、法第11条《書式表示による申告及び納付の特例》第１項の規定による承認を取り消す。

(1)　承認に係る課税文書の作成日、作成数量及び税率区分が容易に確認できなくなった場合

(2)　承認に係る課税文書の作成数量がきん少となった場合

(3)　承認を受けた者が法に違反して告発された場合
(4)　承認を受けた者が承認の条件に違反した場合
(5)　その他印紙税の取締り上不適当と認められる場合

第５節　預貯金通帳等に係る申告及び納付の特例

（預貯金通帳等を作成しようとする場所が同一の税務署管内に２以上ある場合）

第91条　同一の者について、預貯金通帳等を作成しようとする場所が同一の税務署管内に２以上ある場合（例えば同一の税務署管内に同一金融機関の支店、出張所等の店舗が２以上ある場合）には、当該作成しようとする場所の所在地ごとに承認を与える。この場合において、法第12条《預貯金通帳等に係る申告及び納付等の特例》第５項の規定による申告書は、当該預貯金通帳等の作成場所の所在地ごとに提出するものとする。

（預貯金通帳等に係る本店一括納付の取扱い）

第91条の２　金融機関等が、各支店分の預貯金通帳等を本店で電子計算組織により集中的に管理し、かつ、当該預貯金通帳等に本店の所在地を記載している場合は、各支店で当該預貯金通帳等を発行する場合であっても、当該本店を「預貯金通帳等を作成しようとする場所」として取り扱い、本店において全支店分をまとめて法第12条《預貯金通帳等に係る申告及び納付等の特例》第１項の規定の適用を受けることとしても差し支えない。

（一括納付の不承認）

第92条　次に掲げる場合には、原則として、法第12条《預貯金通帳等に係る申告及び納付等の特例》第１項の規定による承認は与えない。
(1)　申請者が法第15条《保全担保》の規定により命ぜられた担保の提供をしない場合
(2)　申請に係る預貯金通帳等の種類ごとの当該預貯金通帳等に係る口座の数が明らかでない場合
(3)　申請者が過去１年以内において、法第12条第１項の規定による承認を取り消された者である場合
(4)　申請者が過去１年以内において法に違反して告発された者である場合
(5)　その他印紙税の保全上不適当と認められる場合

（納付方法の併用禁止）

第93条　法第12条《預貯金通帳等に係る申告及び納付等の特例》第１項の規定による納付の特例は、相当印紙のはり付けに代えて、金銭をもって預貯金通帳等についての印紙税を納付するのであるから、当該預貯金通帳等については、同項の規定による納付方法と相当印紙のはり付け等他の納付方法とを併用することができないことに留意する。

（承認に係る預貯金通帳等に相当印紙をはり付ける方法等により印紙税を納付した場合）

第94条　法第12条《預貯金通帳等に係る申告及び納付等の特例》第１項の規定により承認を受けた預貯金通帳等については、すべて同条の規定による申告及び納付をしなければならないのであるから留意する。

なお、当該預貯金通帳等について、相当印紙をはり付ける方法等他の納付方法により納付した印紙税があるときは、申請に基づき当該印紙税の還付又は充当の処理をする。

（預貯金通帳等の範囲）

第95条　令第11条《書式表示をすることができる預貯金通帳等の範囲》第１号に規定する「普

通預金通帳」には、現金自動預金機専用通帳を含むものとする。

2 令第11条第3号に規定する「定期預金通帳」には、積立定期預金通帳を含むものとする。

3 令第11条第4号に規定する「当座預金通帳」には、当座預金への入金の事実のみを付け込んで証明する目的をもって作成する、いわゆる当座勘定入金帳（付け込み時に当座預金勘定への入金となる旨が明らかにされている集金用の当座勘定入金帳を含む。）を含むものとする。

4 令11条第7号に規定する「複合預金通帳」とは、性格の異なる二以上の預貯金に関する事項を併せて付け込んで証明する目的をもって作成する通帳をいい、現実に二以上の預貯金に関する事項が付け込まれているかどうかは問わない。したがって、普通預金及び定期預金に関する事項を併せて付け込んで証明する目的をもって作成される、いわゆる総合口座通帳は、普通預金に関する事項のみが付け込まれている場合であっても、複合預金通帳に該当する。

5 令第11条第8号に規定する「複合寄託通帳」とは、預貯金に関する事項及び有価証券の寄託に関する事項を併せて付け込んで証明する目的をもって作成する通帳をいい、具体的には、信託銀行において、普通預金に関する事項及び貸付信託の受益証券の保護預りに関する事項を併せて付け込んで証明する目的をもって作成する、いわゆる信託総合口座通帳等がこれに該当する。

なお、信託総合口座通帳等は、普通預金に関する事項のみが付け込まれている場合であっても、前項の複合預金通帳の場合と同様、複合寄託通帳に該当する。

（注） 法第12条《預貯金通帳等に係る申告及び納付等の特例》第1項の規定による承認は、令第11条に掲げる預貯金通帳等の区分ごとに行う。したがって、例えば、普通預金通帳又は定期預金通帳についてのみ法第12条第1項の規定による承認を受け、複合預金通帳又は複合寄託通帳については、法第8条《印紙による納付等》第1項の規定による相当印紙のはり付けによる納付方法によることとしても差し支えない。

しかし、同一区分の預貯金通帳等のうち一部（例えば、普通定期預金通帳と積立定期預金通帳がある場合の積立定期預金通帳）だけについて、法第12条第1項の規定による承認を受けることはできないのであるから留意する。

（一括納付の承認に付す条件）

第96条 法第12条《預貯金通帳等に係る申告及び納付等の特例》第1項の規定により、預貯金通帳等について一括納付の承認を与える場合には、次に掲げる条件を付する。

(1) 承認を受けた預貯金通帳等の受払い等に関する帳簿等の提示を求められたときは、速やかにこれに応ずること。

(2) 法第15条《保全担保》の規定により担保の提供を命ぜられたときは、速やかにこれに応ずること。

（金融機関等の本支店、出張所等が移転した場合）

第97条 法第12条《預貯金通帳等に係る申告及び納付等の特例》第1項の規定により承認を受けた金融機関等の本支店、出張所等が、当該承認を受けた日以後に移転した場合における当該移転の日から当該移転の日の属する課税期間（4月1日から翌年3月31日までの期間をいう。以下同じ。）の末日までに作成する預貯金通帳等については、同条第4項の規定により当該課税期間の開始の時に作成されたものとみなされるのであるから、改めて印紙税を納付する必要がないことに留意する。

（注） 法第12条第１項の承認は、預貯金通帳等を作成しようとする場所の所在地ごとに与えるものであるから、同項の規定により承認を受けた金融機関等の本支店、出張所等が移転した場合には、当該移転の日の属する課税期間の翌課税期間以後に当該移転後の場所の所在地において作成しようとする預貯金通帳等について改めて同項の承認を受けなければ、同条の規定は適用されないことに留意する。

（金融機関等の支店、出張所等が新設された場合）

第98条 新設された金融機関等の支店、出張所等が、当該金融機関等の他の支店、出張所等において法第12条《預貯金通帳等に係る申告及び納付等の特例》第１項の規定による承認を受けた預貯金通帳等をそのまま当該新設の日の属する課税期間内において引き続き使用する場合における当該預貯金通帳等については、当該課税期間の開始の時に作成されたものとみなされるのであるから、改めて印紙税を納付する必要はないことに留意する。

（注） １ 新設された金融機関等の支店、出張所等が当該新設の日の属する課税期間内に新たに作成する預貯金通帳等（新規の預貯金者に交付する新預貯金通帳等及び既預貯金者に改帳により交付する新預貯金通帳等）については、相当印紙を貼り付ける方法等他の納付方法により印紙税を納付しなければならないのであるから留意する。

２ 法第12条第１項の承認は、預貯金通帳等を作成しようとする場所の所在地ごとに与えるものであるから、金融機関等の支店、出張所等が新設された場合には、当該新設された日の属する課税期間の翌課税期間以後に当該新設された金融機関等の支店、出張所等において作成しようとする預貯金通帳等について新たに同項の承認を受けなければ、同条の規定は適用されないことに留意する。

（金融機関等の支店、出張所等が統合された場合）

第99条 同一種類の預貯金通帳等につき、法第12条《預貯金通帳等に係る申告及び納付等の特例》第１項の承認を受けている支店、出張所等と当該承認を受けていない支店、出張所等とが、当該承認を受けた日以後に統合された場合において、当該統合の日から当該統合の日の属する課税期間の末日までに作成する預貯金通帳等については、次により取り扱う。

(1) 統合により存続する支店、出張所等が、同一種類の預貯金通帳等につき、法第12条第１項の承認を受けている場合で、廃止する支店、出張所等が当該承認を受けていないとき

イ 新規の預貯金者に交付する預貯金通帳等及び存続する支店、出張所等に統合前から口座を有している既預貯金者に改帳により交付する預貯金通帳等については、法第12条の規定を適用する。

ロ 統合により廃止した支店、出張所等に口座を有していた既預貯金者に改帳により交付する預貯金通帳等については、法第12条の規定は適用しない。

(2) 統合により存続する支店、出張所等が、同一種類の預貯金通帳等につき、法第12条第１項の承認を受けていない場合で、廃止する支店、出張所等が当該承認を受けているとき

イ 新規の預貯金者に交付する預貯金通帳等及び存続する支店、出張所等に統合前から口座を有している既預貯金者に改帳により交付する預貯金通帳等については、法第12条の規定は適用しない。

ロ　統合により廃止した支店、出張所等に口座を有していた既預貯金者に改帳により交付する預貯金通帳等については、法第12条の規定を適用する。

（注）　1　(1)のロ及び(2)のイの場合における預貯金通帳等については、相当印紙を貼り付ける方法等他の納付方法により印紙税を納付させることとなるのであるから留意する。

2　法第12条第１項の承認は、令第11条に掲げる預貯金通帳等の区分ごとに与えるものであるから、統合により存続する支店、出張所等が、同一種類の預貯金通帳等につき、法第12条第１項の承認を受けていない場合には、当該統合の日の属する課税期間の翌課税期間以後に当該統合により存続する支店、出張所等において作成しようとする預貯金通帳等について新たに同項の承認を受けなければ、同条の規定は適用されないことに留意する。

（金融機関等が合併した場合）

第100条　法第12条《預貯金通等に係る申告及び納付等の特例》第１項の規定による承認を受けている金融機関等が、当該承認を受けた日以後に他の金融機関等と合併した場合において、合併後存続する金融機関等又は合併により設立された金融機関等が合併により消滅する金融機関等の当該承認に係る預貯金通帳等を当該合併の日の属する課税期間内において引き続き使用するときにおける当該預貯金通帳等については、合併後存続する金融機関等又は合併により設立された金融機関等が同条の規定による承認を受けている預貯金通帳等として取り扱う。

なお、同項の規定による承認を受けている金融機関等と当該承認を受けていない金融機関等とが合併した場合において当該合併の日から当該合併の日の属する課税期間の末日までに作成する預貯金通帳等については、次により取り扱う。

(1)　新設合併の場合

イ　合併により設立された金融機関等が新規の預貯金者に交付する預貯金通帳等については、法第12条第１項の規定は適用しない。

ロ　合併により消滅する金融機関等に口座を有していた既預貯金者に改帳により交付する預貯金通帳等については、消滅する金融機関等が法第12条第１項の規定による承認を受けている場合には、同条の規定を適用し、消滅する金融機関等が同項の規定による承認を受けていない場合には、同条の規定を適用しない。

(2)　吸収合併の場合

イ　同一種類の預貯金通帳等につき、合併により存続する金融機関等が、法第12条第１項の承認を受けている場合で、消滅する金融機関等が当該承認を受けていないとき

(イ)　新規の預貯金者に交付する預貯金通帳等及び存続する金融機関等に合併前から口座を有している既預貯金者に改帳により交付する預貯金通帳等については、法第12条の規定を適用する。

(ロ)　合併により消滅する金融機関等に口座を有していた既預貯金者に改帳により交付する預貯金通帳等については、法第12条の規定は適用しない。

ロ　同一種類の預貯金通帳等につき、合併により存続する金融機関等が、法第12条第１項の承認を受けていない場合で、消滅する金融機関等が当該承認を受けているとき

(イ)　新規の預貯金者に交付する預貯金通帳等及び存続する金融機関等に合併前から口

座を有している既預貯金者に改帳により交付する預貯金通帳等については、法第12条の規定は適用しない。

(ロ) 合併により消滅する金融機関等に口座を有していた既預貯金者に改帳により交付する預貯金通帳等については、法第12条の規定を適用する。

(注) 1 法第12条の規定が適用されないこととなる預貯金通帳等については、相当印紙を貼り付ける方法等他の納付方法により印紙税を納付しなければならないのであるから留意する。

2 法第12条第１項の承認は、預貯金通帳等の作成者ごとに与えるものであるから、合併により設立された金融機関等は、当該合併の日の属する課税期間の翌課税期間以後に作成しようとする預貯金通帳等について新たに同項に承認を受けなければ、同条の規定は適用されないことに留意する。

3 法第12条第１項の承認は、令第11条に掲げる預貯金通帳等の区分ごとに与えるものであるから、吸収合併により存続する金融機関等が、同一種類の預貯金通帳等につき、法第12条第１項の承認を受けていない場合には、当該吸収合併の日の属する課税期間の翌課税期間以後に当該吸収合併により存続する金融機関等が作成しようとする預貯金通帳等について新たに同項の承認を受けなければ、同条の規定は適用されないことに留意する。

（金融機関等が事業を譲渡した場合）

第100条の２ 法第12条《預貯金通帳等に係る申告及び納付等の特例》第１項の規定による承認を受けている金融機関等が、当該承認を受けた日以後に他の金融機関等に事業を譲渡した場合において、事業を譲り受けた金融機関等が事業を譲渡した金融機関等の当該承認に係る預貯金通帳等を当該事業の譲受けの日の属する課税期間内において引き続き使用するときにおける当該預貯金通帳等については、事業を譲り受けた金融機関等が同条の規定による承認を受けている預貯金通帳等として取り扱う。

(注) 1 当該事業を譲り受けた金融機関等が同項の規定による承認を受けていない場合には、事業を譲り受けた金融機関等が当該事業の譲受けの日から当該事業の譲受けの日の属する課税期間の末日までに作成する預貯金通帳等（新規の預貯金者に交付する新預貯金通帳等及び既預貯金者に改帳により交付する新預貯金通帳等）については、相当印紙を貼り付ける方法等他の方法により印紙税を納付しなければならないのであるから留意する。

2 法第12条第１項の承認は、預貯金通帳等の作成者ごとに与えるものであるから、事業を譲り受けた金融機関等が同項の規定による承認を受けていない場合には、当該事業を譲り受けた金融機関等は、当該事業の譲受けの日の属する課税期間の翌課税期間以後に作成しようとする預貯金通帳等について新たに承認を受けなければ、同条の規定は適用されないことに留意する。

（金融機関等が会社分割した場合）

第100条の３ 法第12条《預貯金通帳等に係る申告及び納付等の特例》第１項の規定による承認を受けている金融機関等が、当該承認を受けた日以後に会社分割により金融機関等の業務の一部又は全部を承継させた場合において、会社分割により金融機関等の業務を承継した金融機関等（この条において「分割承継金融機関等」という。）が会社分割前の金融機関等（この条において「分割金融機関等」という。）の当該承認に係る預貯金通帳等を当該会社分割の日の属する課税期間内において引き続き使用するときにおける当該預貯金通帳等については、分割承継金融機関等が同条の規定による承認を受けている預貯金通帳等として取り扱う。

なお、分割承継金融機関等が当該会社分割の日から当該会社分割の日の属する課税期間の末日までに作成する預貯金通帳等については、次により取り扱う。

(1)　新設分割の場合

イ　分割承継金融機関等が新規の預貯金者に交付する預貯金通帳等については、法第12条第１項の規定は適用しない。

ロ　分割金融機関等に口座を有していた既預貯金者に改帳により交付する預貯金通帳等については、分割金融機関等が法第12条第１項の規定による承認を受けている場合には、同条の規定を適用し、分割金融機関等が同項の規定による承認を受けていない場合には、同条の規定を適用しない。

(2)　吸収分割の場合

イ　同一種類の預貯金通帳等について、分割金融機関等が法第12条第１項の規定による承認を受けていて、分割承継金融機関等が同項の規定による承認を受けていない場合

(イ)　新規の預貯金者に交付する預貯金通帳等及び分割承継金融機関等に分割前から口座を有している既預貯金者に改帳により交付する預貯金通帳等については、法第12条の規定は適用しない。

(ロ)　分割金融機関等に口座を有していた既預貯金者に改帳により交付する預貯金通帳等については、法第12条の規定を適用する。

ロ　同一種類の預貯金通帳等について、分割金融機関等が法第12条第１項の規定による承認を受けておらず、分割承継金融機関等が同項の規定による承認を受けている場合

(イ)　新規の預貯金者に交付する預貯金通帳等及び分割承継金融機関等に分割前から口座を有している既預貯金者に改帳により交付する預貯金通帳等については、法第12条の規定を適用する。

(ロ)　分割金融機関等に口座を有していた既預貯金者に改帳により交付する預貯金通帳等については、法第12条の規定は適用しない。

（注）　1　法第12条の規定が適用されないこととなる預貯金通帳等については、相当印紙を貼り付ける方法等他の納付方法により印紙税を納付しなければならないのであるから留意する。

2　法第12条第１項の承認は、預貯金通帳等の作成者ごとに与えるものであるから、分割承継金融機関等は、当該分割の日の属する課税期間の翌課税期間以後に作成しようとする預貯金通帳等について新たに同項の承認を受けなければ、同条の規定は適用されないことに留意する。

3　法第12条第１項の承認は、令第11条に掲げる預貯金通帳等の区分ごとに与えるものであるから、分割承継金融機関等が、同一種類の預貯金通帳等につき、法第12条第１項の承認を受けていない場合には、当該分割の日の属する課税期間の翌課税期間以後に分割承継金融機関等が作成しようとする預貯金通帳等について新たに同項の承認を受けなければ、同条の規定は適用されないことに留意する。

（申告書の記載事項）

第101条　法第12条《預貯金通帳等に係る申告及び納付等の特例》第５項第１号に規定する「当該預貯金通帳等の種類」とは、令第11条《書式表示をすることができる預貯金通帳等の範囲》に掲げる預貯金通帳等の区分とする。

第102条　削除

（預貯金通帳等に係る口座の数）

第103条　法第12条《預貯金通帳等に係る申告及び納付等の特例》第４項に規定する預貯金通帳等に係る口座の数の計算に当たっては、次の点に留意すること。

(1)　法第12条第４項に規定する預貯金通帳等に係る口座の数の計算の基礎となる口座の数は、当該預貯金通帳等に係る口座の数によるのであるから、当該預貯金通帳等の預貯金と同一種類の預貯金に係る口座であっても、預貯金契約により預貯金通帳を発行しないこととされている、いわゆる無通帳預金に係る口座の数はこれに含まれない。

なお、現金自動預金機専用通帳と普通預金通帳又は総合口座通帳とを併用する場合は、それぞれの口座の数がこれに含まれるのであるから留意する。

(2)　令第12条《預貯金通帳等に係る申告及び納付の承認の申請等》第２項に規定する「統括して管理されている一の預貯金通帳等に係る二以上の口座」とは、例えば、一の総合口座通帳について、当該総合口座通帳に併せて付け込まれる普通預金及び定期預金の受払いに関する事項を各別の口座で管理している場合に、これらの各別の口座を統合する口座により統括して管理しているとき又は口座番号、顧客番号等により結合して管理しているときにおける、当該各別の口座をいう。

具体的には、次のような管理がされている一の預貯金通帳等に係る当該各別の口座がこれに該当する。

（例）１　統合する口座により統括して管理しているもの

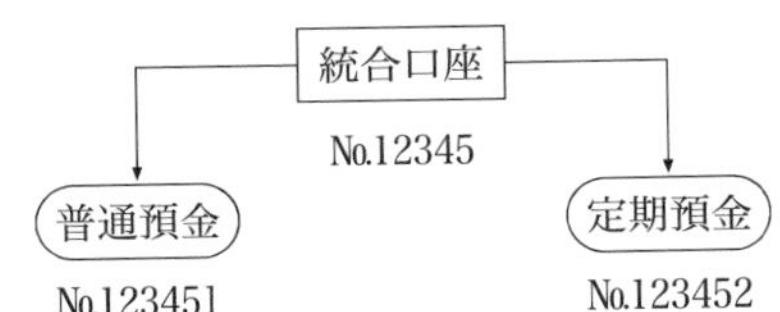

２　同一口座番号で統括して管理しているもの

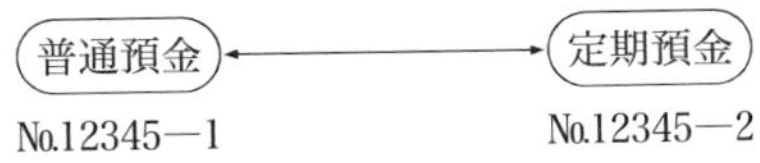

３　基本口座により関連口座を索引する方法で統合しているもの

4　顧客コードで統括管理しているもの

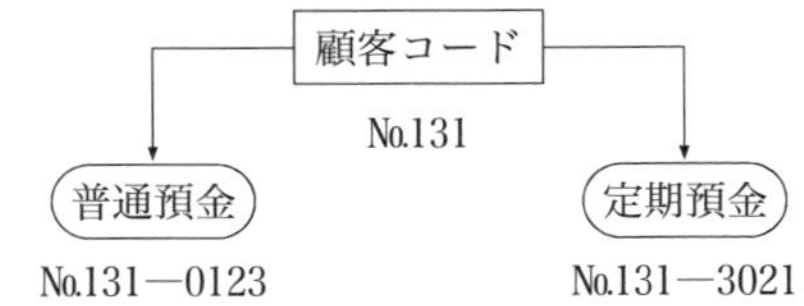

(3)　令第12条第２項に規定する「睡眠口座」とは、同条第３項に規定する口座をいうのであるが、複合預金通帳及び複合寄託通帳に係る口座にあっては、当該預貯金通帳等に付け込まれる二以上の口座に係る預貯金の残高及び寄託がされている有価証券の券面金額の残高の合計額が1,000円未満であり、かつ、それぞれの口座における最後の取引の日からいずれも３年を経過したものがこれに該当する。

なお、普通預金通帳に係る口座のうち、最終取引の日から５年以上経過し、商事時効の対象となった預金口座を預金勘定から損益勘定に振り替えて、当該口座を抹消したものについては、法第12条第４項に規定する預貯金通帳等に係る口座の数の計算の基礎となる口座の数に含まれないのであるから留意する。

（非課税預貯金通帳に係る口座の数の計算）

第104条　令第12条《預貯金通帳等に係る申告及び納付の承認の申請等》第２項に規定する「非課税預貯金通帳に係る口座」の数の計算は、次による。

(1)　所得税法（昭和40年法律第33号）第９条《非課税所得》第１項第２号に規定する預貯金の預貯金通帳に係る口座の数　　当該預貯金通帳に係る口座数

(2)　令第30条《非課税となる普通預金通帳の範囲》に規定する普通預金の通帳に係る口座の数　　法第12条《預貯金通帳等に係る申告及び納付等の特例》第１項の承認に係る各課税期間の開始の日の１年前（年の途中から預貯金取引が開始されたものについては当該取引の開始の日）から引き続き所得税法第10条《障害者等の少額預金の利子所得等の非課税》の規定により、所得税が課されないこととなっている普通預金の通帳に係る口座数

(注)　複合預金通帳又は複合寄託通帳に付け込んで証明される所得税法第10条の規定によりその利子につき所得税が課されないこととなる普通預金に係る口座については、「非課税預貯金通帳に係る口座」に該当しないのであるから留意する。

（取引の意義）

第105条　令第12条《預貯金通帳等に係る申告及び納付の承認の申請等》第３項における「取引」とは、預貯金の預入れ又は払出しをいい、利息又は源泉所得税額の記入は含まないのであるから留意する。

（一括納付の承認の取消し）

第106条　次に掲げる場合には、原則として、法第12条《預貯金通帳等に係る申告及び納付等の特例》第１項の規定による承認を取り消す。

(1)　承認を受けた者が法に違反して告発された場合

(2)　承認を受けた者が承認の条件に違反した場合

(3)　その他印紙税の取締り上不適当と認められる場合

第６節　削除

第107条～第114条　削除

第７節　過誤納の確認等

（確認及び充当の請求ができる過誤納金の範囲等）

第115条　法第14条《過誤納の確認等》の規定により、過誤納の事実の確認及び過誤納金の充当の請求をすることができる場合は、次に掲げる場合とする。

(1)　印紙税の納付の必要がない文書に誤って印紙をはり付け（印紙により納付することとされている印紙税以外の租税又は国の歳入金を納付するために文書に印紙をはり付けた場合を除く。）、又は納付印を押した場合（法第10条《印紙税納付計器の使用による納付の特例》第２項の規定による承認を受けた印紙税納付計器の設置者が、交付を受けた文書に納付印を押した場合を含む。(3)において同じ。）

(2)　印紙をはり付け、税印を押し、又は納付印を押した課税文書の用紙で、損傷、汚染、書損その他の理由により使用する見込みのなくなった場合

(3)　印紙をはり付け、税印を押し、又は納付印を押した課税文書で、納付した金額が相当金額を超える場合

(4)　法第９条《税印による納付の特例》第１項、第10条第１項、第11条《書式表示による申告及び納付の特例》第１項又は第12条《預貯金通帳等に係る申告及び納付等の特例》第１項の規定の適用を受けた課税文書について、当該各項に規定する納付方法以外の方法によって相当金額の印紙税を納付した場合

(5)　法第９条第２項の規定により印紙税を納付し、同条第１項の規定により税印を押すことの請求をしなかった場合（同条第３項の規定により当該請求が棄却された場合を含む。）

(6)　印紙税納付計器の設置者が法第10条第２項の規定による承認を受けることなく、交付を受けた課税文書に納付印を押した場合

(7)　法第10条第４項の規定により印紙税を納付し、印紙税納付計器の設置の廃止その他の理由により当該印紙税納付計器を使用しなくなった場合

（交付を受けた課税文書に過誤納があった場合の還付等）

第115条の２　印紙税納付計器の設置者が、交付を受けた文書に納付印を押した場合において、当該文書に過誤納があるときは、当該設置者に還付等の請求を行わせる。

（過誤納となった事実を証するため必要な文書その他の物件の意義等）

第116条　令第14条《過誤納の確認等》第２項に規定する「過誤納となった事実を証するため必要な文書その他の物件」とは、下表の左欄に掲げる過誤納の事実の区分に応じ、同表の右欄に掲げる物件をいう。

過　誤　納　の　事　実	提示又は提出する物件
第115条《確認及び充当の請求ができる過誤納金の範囲等》の(1)、(2)、(3)、(4)又は	印紙をはり付け、税印を押し、又は納付印を押した過誤納に係る文書

(6)に該当する場合	
第115条の(5)に該当する場合	過誤納に係る印紙税を納付したことを証する領収証書
第115条の(7)に該当する場合	過誤納に係る印紙税を納付したことを証する領収証書及び印紙税納付計器

（過誤納金の充当）

第117条　法第14条《過誤納の確認等》第２項の規定による過誤納金の充当は、通則法第56条《還付》及び同法第57条《充当》の規定に対する特則であって、他に未納の国税があっても同項の充当ができることに留意する。

（過誤納金の還付等の請求）

第118条　法第14条《過誤納の確認等》第３項の規定は、同条第１項に規定する過誤納の確認又は同条第２項に規定する過誤納金の充当があった時に過誤納があったものとみなして通則法の規定により還付又は充当し、若しくは還付加算金を計算することを規定したものであって、過誤納金に係る国に対する請求権の起算日を規定したものではない。したがって、過誤納金に係る国に対する請求権は、その請求することができる日から５年を経過することによって、時効により消滅するのであるから留意する。

２　前項における消滅時効の起算日は、次に掲げる区分に応じ、それぞれ次に定める日の翌日とする。

(1)　第115条《確認及び充当の請求ができる過誤納金の範囲等》の(1)に掲げる場合　　印紙をはり付け、又は納付印を押した日

(2)　同条の(2)に掲げる場合　　使用する見込みのなくなった日

(3)　同条の(3)、(4)又は(6)に掲げる場合　　印紙をはり付け、税印を押し、又は納付印を押した日

(4)　同条の(5)に掲げる場合　　印紙税を納付した日（請求が棄却された場合には、当該棄却の日）

(5)　同条の(7)に規定する場合　　印紙税納付計器を使用しなくなった日

（過誤納の確認等の時）

第119条　法第14条《過誤納の確認等》第３項に規定する「確認又は充当の時」とは、令第14条《過誤納の確認等》第１項に規定する申請書及び同条第２項に規定する過誤納の事実を証するため必要な文書その他の物件が、納税地を所轄する税務署長に提出及び提示された時とする。

第４章　雑　　　則

第１節　保　全　担　保

（保全担保の提供命令）

第120条　次に掲げる者には、原則として、法第15条《保全担保》第１項の規定による担保の

提供を命ずる。

(1)　過去１年以内において印紙税を滞納したことがある者

(2)　資力が十分でないため、特に担保の提供を命ずる必要があると認められる者

(3)　その他特に担保の提供を命ずる必要があると認められる者

第２節　納付印等の製造等

（納付印等の製造等の承認）

第121条　法第16条《納付印等の製造等の禁止》の規定による印紙税納付計器、納付印（指定計器以外の計器その他の器具に取り付けられたものを含む。以下同じ。）又は納付印の印影に紛らわしい外観を有する印影を生ずべき印（以下これを「類似印」といい、印紙税納付計器、納付印及び類似印を「納付印等」という。）の製造、販売又は所持の承認は、当該製造、販売及び所持の区分ごとに与える。

（納付印等の製造等の承認を与える場合）

第122条　法第16条《納付印等の製造等の禁止》の規定による納付印等の製造、販売又は所持（以下本条において「製造等」という。）の承認は、次の場合について与える。

なお、(1)及び(2)に該当する場合には、納付印等の１個ごとに当該承認を与えることに取り扱う。

(1)　法第10条《印紙税納付計器の使用による納付の特例》第１項の規定による設置承認を受けた印紙税納付計器に用いる納付印を製造等しようとする場合

(2)　摩滅等による取替用の納付印を製造等しようとする場合

(3)　類似印を納付印の製造又は販売のための予備とし、又は印紙税納付計器の販売のための見本用（その旨の表示があるものに限る。）として製造等しようとする場合

(4)　(3)に掲げるもの以外の類似印で正当な使用目的を定めたものを製造等しようとする場合

（類似印の範囲）

第123条　類似印であるかどうかの判定については、おおむね次の一に該当するものを類似印として取り扱う。

(1)　規格がおおむね横10ミリメートル以上30ミリメートル以下、縦15ミリメートル以上35ミリメートル以下のもので、規則第３条《納付印の印影の形式等》に定める納付印の印影と一見して紛らわしい外観を有する印影を生ずべきもの

(2)　印影に日本政府、印紙税の文字が生ずべきもの

（納付印等の製造等の承認を行う税務署長）

第124条　法第16条《納付印等の製造等の禁止》の規定による納付印等の製造等の承認は、製造し、販売し又は所持しようとする場所の異なるごとに、それぞれの場所の所在地の所轄税務署長が行う。ただし、次に掲げる場合には、それぞれ次に掲げる税務署長が行っても差し支えない。

(1)　同一の者が類似印を２以上の場所で所持しようとする場合　　主な所持をしようとする場所の所在地の所轄税務署長

(2)　同一の者が納付印の製造のための承認と当該納付印の販売のための承認とを同時に受けようとする場合　　当該納付印を製造しようとする場所の所在地の所轄税務署長

（納付印等の製造等の承認に付す条件）

第125条 法第16条《納付印等の製造等の禁止》の規定により納付印等の製造、販売又は所持の承認を与える場合には、納付印及び類似印は、課税文書又は課税文書となるべき用紙に押さない旨の条件を付する。

（印紙税納付計器の製造の範囲）

第126条 国税庁長官の指定を受けた計器に、当該計器の製造者以外の者が納付印を付することは、法第16条《納付印等の製造等の禁止》に規定する印紙税納付計器の製造にはならないことに取り扱う。

（印紙税納付計器の設置場所の変更）

第127条 印紙税納付計器の設置場所を変更しようとする者は、法第17条《印紙税納付計器販売業等の申告書》第２項の規定により印紙税納付計器の設置の廃止をする旨の届出をするとともに、新たに法第10条《印紙税納付計器の使用による納付の特例》第１項の規定により変更後の設置しようとする場所の所在地の所轄税務署長の承認を受けなければならないことに留意する。ただし、変更前の場所の所在地の所轄税務署長と変更後の場所の所在地の所轄税務署長が同一である場合には、設置場所を変更する旨の届出をすることにより、設置を廃止する届出及び設置の承認の手続きを省略しても差し支えない。

第３節　模　造　印　紙

（模造印紙の範囲）

第128条 印紙等模造取締法第１条《印紙の模造等禁止》第１項に規定する政府の発行する印紙と紛らわしい外観を有するもの（以下「模造印紙」という。）であるかどうかの判定については、おおむね次の一に該当するものを模造印紙として取り扱う。

⑴ 規格がおおむね横10ミリメートル以上35ミリメートル以下、縦15ミリメートル以上50ミリメートル以下のもので、着色及び地紋模様が政府の発行する印紙と一見して紛らわしい外観を有するもの

⑵ 政府の発行する印紙の着色及び地紋模様と類似するもの

⑶ 紙面に収入印紙、証紙又は税の文字を表示するもの

2 地方公共団体が条例に基づいて発行する「収入証紙」等と称するもののうち、次のいずれにも該当するものは、前項の規定にかかわらず模造印紙としないことに取り扱う。

⑴ 紙面に地方公共団体の名称が邦字で表示されているもの

⑵ 紙面に収入印紙又は印紙の表示のないもの

⑶ 着色及び地紋模様が政府の発行する印紙に紛らわしい外観を有しないもの

別表第１

課税物件、課税標準及び税率の取扱い

第１号の１文書

不動産、鉱業権、無体財産権、船舶若しくは航空機又は営業の譲渡に関する契約書

（不動産の意義）

1　「不動産」とは、おおむね次に掲げるものをいう。

(1)　民法（明治29年法律第89号）第86条《不動産及び動産》に規定する不動産

(2)　工場抵当法（明治38年法律第54号）第９条の規定により登記された工場財団

(3)　鉱業抵当法（明治38年法律第55号）第３条の規定により登記された鉱業財団

(4)　漁業財団抵当法（大正14年法律第９号）第６条の規定により登記された漁業財団

(5)　港湾運送事業法（昭和26年法律第161号）第26条《工業抵当法の準用》の規定により登記された港湾運送事業財団

(6)　道路交通事業抵当法（昭和27年法律第204号）第６条《所有権保存の登記》の規定により登記された道路交通事業財団

(7)　観光施設財団抵当法（昭和43年法律第91号）第７条《所有権の保存の登記》の規定により登記された観光施設財団

(8)　立木ニ関スル法律（明治42年法律第22号）の規定により登記された立木

ただし、登記されていない立木であっても明認方法を施したものは、不動産として取り扱う。

なお、いずれの場合においても、立木を立木としてではなく、伐採して木材等とするものとして譲渡することが明らかであるときは、不動産として取り扱わず、物品として取り扱う。

(9)　鉄道抵当法（明治38年法律第53号）第28条の２の規定により登録された鉄道財団

(10)　軌道ノ抵当ニ関スル法律（明治42年法律第28号）第１条の規定により登録された軌道財団

(11)　自動車交通事業法（昭和６年法律第52号）第38条の規定により登録された自動車交通事業財団

＊　自動車交通事業法は廃止されているが、道路運送法（昭和26年法律第183号）において、従前に存在した自動車交通事業財団については、なおその存続が認められている。〔編者〕

（不動産の従物）

2　不動産とその附属物の譲渡契約書で、当該不動産と当該附属物の価額をそれぞれ区分して記載しているものの記載金額の取扱いは、次による。

(1)　当該附属物が当該不動産に対して従物（民法第87条《主物及び従物》の規定によるものをいう。以下この項において同じ。）の関係にある場合は、区分されている金額の合計額を第１号の１文書（不動産の譲渡に関する契約書）の記載金額とする。

(2)　当該附属物が当該不動産に対して従物の関係にない場合は、当該不動産に係る金額のみを第１号の１文書（不動産の譲渡に関する契約書）の記載金額とし、当該附属物に係る金額は第１号の１文書の記載金額としない。

（解体撤去を条件とする不動産の売買契約書）

3　老朽建物等の不動産を解体撤去することを条件として売買する場合に作成する契約書で、その売買価額が当該不動産の解体により生ずる素材価額相当額又はそれ以下の価額である等その不動産の構成素材の売買を内容とすることが明らかなものについては、課税文書に該当しないことに取り扱う。

（不動産の売渡証書）

4　不動産の売買について、当事者双方が売買契約書を作成し、その後更に登記の際作成する不動産の売渡証書は、第1号の1文書（不動産の譲渡に関する契約書）に該当する。

なお、この場合の不動産の売渡証書に記載される登録免許税の課税標準たる評価額は、当該文書の記載金額には該当しない。

（不動産と動産との交換契約書の記載金額）

5　不動産と動産との交換を約する契約書は、第1号の1文書（不動産の譲渡に関する契約書）に所属し、その記載金額の取扱いは、次による。

(1)　交換に係る不動産の価額が記載されている場合（動産の価額と交換差金とが記載されている等当該不動産の価額が計算できる場合を含む。）は、当該不動産の価額を記載金額とする。

(2)　交換差金のみが記載されていて、当該交換差金が動産提供者によって支払われる場合は、当該交換差金を記載金額とする。

(3)　(1)又は(2)以外の場合は、記載金額がないものとする。

（不動産の買戻し約款付売買契約書）

6　買戻し約款のある不動産の売買契約書の記載金額の取扱いは、次による。

(1)　買戻しが再売買の予約の方法によるものである場合は、当該不動産の売買に係る契約金額と再売買の予約に係る契約金額との合計金額を記載金額とする。

(2)　買戻しが民法第579条《買戻しの特約》に規定する売買の解除の方法によるものである場合は、当該不動産の売買に係る契約金額のみを記載金額とする。

（共有不動産の持分の譲渡契約書）

7　共有不動産の持分の譲渡契約書は、第1号の1文書（不動産の譲渡に関する契約書）に該当するものとして取り扱う。

（遺産分割協議書）

8　相続不動産等を各相続人に分割することについて協議する場合に作成する遺産分割協議書は、単に共有遺産を各相続人に分割することを約すだけであって、不動産の譲渡を約すものでないから、第1号の1文書（不動産の譲渡に関する契約書）に該当しない。

（鉱業権の意義）

9　「鉱業権」とは、鉱業法（昭和25年法律第289号）第5条《鉱業権》に規定する鉱業権をいい、同法第59条《登録》の規定により登録されたものに限る。

（特許権の意義）

10　「特許権」とは、特許法（昭和34年法律第121号）第66条《特許権の設定の登録》の規定により登録された特許権をいう。

（特許出願権譲渡証書）

11　発明に関する特許を受ける権利（出願権）の譲渡を約することを内容とする文書は、特許権そのものの譲渡を約することを内容とするものではないから、課税文書に該当しない。

（実用新案権の意義）

12　「実用新案権」とは、実用新案法（昭和34年法律第123号）第14条《実用新案権の設定の登録》の規定により登録された実用新案権をいう。

（商標権の意義）

13　「商標権」とは、商標法（昭和34年法律第127号）第18条《商標権の設定の登録》の規定により登録された商標権をいう。

（意匠権の意義）

14　「意匠権」とは、意匠法（昭和34年法律第125号）第20条《意匠権の設定の登録》の規定により登録された意匠権をいう。

（回路配置利用権の意義）

15　「回路配置利用権」とは、半導体集積回路の回路配置に関する法律（昭和60年法律第43号）第３条《回路配置利用権の設定の登録》の規定により登録された回路配置利用権をいう。

（育成者権の意義）

16　「育成者権」とは、種苗法（平成10年法律第83号）第19条《育成者権の発生及び存続期間》の規定により登録された育成者権をいう。

（商号の意義）

17　「商号」とは、商法（明治32年法律第48号）第11条《商号の選定》及び会社法（平成17年法律第86号）第６条《商号》に規定する商号をいう。

（著作権の意義）

18　「著作権」とは、著作権法（昭和45年法律第48号）の規定に基づき著作者が著作物に対して有する権利をいう。

（船舶の意義）

19　「船舶」とは、船舶法（明治32年法律第46号）第５条に規定する船舶原簿に登録を要する総トン数20トン以上の船舶及びこれに類する外国籍の船舶をいい、その他の船舶は物品として取り扱う。

なお、小型船舶の登録等に関する法律（平成13年法律第102号）第３条に規定する小型船舶登録原簿に登録を要する総トン数20トン未満の小型船舶も物品として取り扱うのであるから留意する。

（船舶委付証）

20　沈没した船舶に海上保険が付されている場合に船主が保険の目的物である船舶を保険会社に委付する際作成する船舶委付証は、契約の成立等を証明するものではないから、課税文書に該当しない。

（航空機の意義）

21　「航空機」とは、航空法（昭和27年法律第231号）第２条《定義》に規定する航空機をいい、同法第３条《登録》の規定による登録の有無を問わない。

（営業の譲渡の意義）

22　「営業の譲渡」とは、営業活動を構成している動産、不動産、債権、債務等を包括した一体的な権利、財産としてとらえられる営業の譲渡をいい、その一部の譲渡を含む。

（注）　営業譲渡契約書の記載金額は、その営業活動を構成している動産及び不動産等の金額をいうのではなく、その営業を譲渡することについて対価として支払われるべき金額をいう。

第１号の２文書

地上権又は土地の賃借権の設定又は譲渡に関する契約書

（地上権の意義）

1　「地上権」とは、民法第265条《地上権の内容》に規定する地上権をいい、同法第269条の２《地下又は空間を目的とする地上権》に規定する地下又は空間の地上権を含む。

（土地の賃借権の意義）

2　「土地の賃借権」とは、民法第601条《賃貸借》に規定する賃貸借契約に基づき賃借人が土地（地下又は空間を含む。）を使用収益できる権利をいい、借地借家法（平成３年法律第90号）第２条《定義》に規定する借地権に限らない。

（地上権、賃借権、使用貸借権の区分）

3　地上権であるか土地の賃借権又は使用貸借権であるかが判明しないものは、土地の賃借権又は使用貸借権として取り扱う。

なお、土地の賃借権と使用貸借権との区分は、土地を使用収益することについてその対価を支払わないこととしている場合が土地の使用貸借権となり、土地の使用貸借権の設定に関する契約書は、第１号の２文書（土地の賃借権の設定に関する契約書）には該当せず、使用貸借に関する契約書に該当するのであるから課税文書に当たらないことに留意する。

（賃貸借承諾書）

4　借地上の建物を担保に供する場合で、将来担保権実行により建物の所有者が変更になったときは、当該建物の新所有者に引き続き土地を賃貸する旨の意思表示をした土地所有者が作成する承諾書は、第１号の２文書（土地の賃借権の設定に関する契約書）に該当する。

第１号の３文書

消費貸借に関する契約書

（消費貸借の意義）

1　「消費貸借」とは、民法第587条《消費貸借》又は同法第587条の２《書面でする消費貸借等》に規定する消費貸借をいい、民法第588条《準消費貸借》に規定する準消費貸借を含む。

なお、消費貸借の目的物は、金銭に限らないことに留意する。

（限度（極度）貸付契約書）

2　あらかじめ一定の限度（極度）までの金銭の貸付けをすることを約する限度（極度）貸付契約書は、第１号の３文書（消費貸借に関する契約書）に該当し、記載金額の取扱いは、次による。

(1)　当該契約書が貸付累計額が一定の金額に達するまで貸し付けることを約するものである場合は、当該一定の金額は当該契約書による貸付けの予約金額の最高額を定めるものであるから、当該一定の金額を記載金額とする。

(2)　当該契約書が一定の金額の範囲内で貸付けを反復して行うことを約するものである場合は、当該契約書は直接貸付金額を予約したものではないから、当該一定の金額を記載金額としない。

（消費貸借に基づく債務承認及び弁済契約書）

3 いわゆる債務承認弁済契約書で、消費貸借に基づく既存の債務金額を承認し、併せてその返還期日又は返還方法（代物弁済によることとするものを含む。）等を約するものは、第1号の3文書（消費貸借に関する契約書）に該当する。

なお、この場合の返還を約する債務金額については、当該文書に当該債務金額を確定させた契約書が他に存在することを明らかにしているものに限り、記載金額に該当しないものとして取り扱う。

（借受金受領書）

4 借受金受領書で単に当該借受金の受領事実を証明するものは、第17号文書（金銭の受取書）とし、当該借受金の受領事実とともにその返還期日又は返還方法若しくは利率等を記載証明するものは、第1号の3文書（消費貸借に関する契約書）として取り扱う。

（出張旅費前借金領収証等）

5 会社等の従業員が、会社等の業務執行に関して給付される給料、出張旅費等の前渡しを受けた場合に作成する前借金領収証等で、当該領収証等が社内規則等によって会社の事務整理上作成することとされているものは、当該前借金等を後日支給されるべき給料、旅費等によって相殺することとしている等消費貸借に関する契約書の性質を有するものであっても、第1号の3文書（消費貸借に関する契約書）としては取り扱わない。

なお、例えば会社等がその従業員に住宅資金の貸付けを行う場合における当該住宅資金は、会社等の業務執行に関して給付されるものに当たらないことに留意する。

（総合口座取引約定書）

6 普通預金残額のない場合に、一定金額を限度として預金者の払戻し請求に応ずることを約した総合口座取引約定書は、第1号の3文書（消費貸借に関する契約書）に該当する。

なお、各種料金等の支払を預金口座振替の方法により行うことを委託している場合に、当該各種料金等の支払についてのみ預金残額を超えて支払うことを約するものは、委任に関する契約書に該当するのであるから、課税文書に当たらないことに留意する。

（建設協力金、保証金の取扱い）

7 貸ビル業者等がビル等の賃貸借契約又は使用貸借契約（その予約を含む。）をする際等に、当該ビル等の借受人等から建設協力金、保証金等として一定の金銭を受領し、当該ビル等の賃貸借又は使用貸借契約期間に関係なく、一定期間据置き後一括返還又は分割返還することを約する契約書は、第1号の3文書（消費貸借に関する契約書）として取り扱う。

（ゴルフクラブの会員証等）

8 ゴルフクラブ等のレジャー施設がその会員になろうとする者から入会保証金等を受け入れた場合に作成する入会保証金預り証又は会員証等と称する文書で、有価証券に該当しないもののうち、一定期間据置き後一括返還又は分割返還することを約するもの（退会時にのみ返還することとしているものを除く。）は、第1号の3文書（消費貸借に関する契約書）として取り扱う。

(注) 入会保証金等を退会時にのみ返還することとしているものであっても、入会保証金等の受領事実が記載されているものは、第17号の2文書（売上代金以外の金銭又は有価証券の受取書）に該当する。

（学校債券）

9　学校が校舎、図書館、プール等の新設のための建築資金に充てる目的で当該建築資金を受け入れた場合に作成する学校債券又は借款証券等で有価証券に該当するものは、課税文書に該当しないのであるから留意する。

（貸付決定通知書等）

10　金銭の借入申込みに対して貸し付けることを決定し、その旨を記載して当該申込者へ交付する貸付決定通知書等と称する文書は、第１号の３文書（消費貸借に関する契約書）に該当する。

（物品売買に基づく債務承認及び弁済契約書）

11　いわゆる債務承認弁済契約書で、物品売買に基づく既存の代金支払債務を承認し、併せて支払期日又は支払方法を約するものは、物品の譲渡に関する契約書に該当するから課税文書に当たらないのであるが、債務承認弁済契約書と称するものであっても、代金支払債務を消費貸借の目的とすることを約するものは、第１号の３文書（消費貸借に関する契約書）に該当し、この場合の債務承認金額は、当該契約書の記載金額となるのであるから留意する。

第１号の４文書

運送に関する契約書（傭船契約書を含む。）

（運送の意義）

1　「運送」とは、委託により物品又は人を所定の場所へ運ぶことをいう。

（送り状の意義）

2　「送り状」とは、荷送人が運送人の請求に応じて交付する書面で、運送品とともに到達地に送付され、荷受人が運送品の同一性を検査し、また、着払運賃等その負担する義務の範囲を知るために利用するものをいう。したがって、標題が送り状又は運送状となっている文書であっても、運送業者が貨物の運送を引き受けたことを証明するため荷送人に交付するものは、これに該当せず、第１号の４文書（運送に関する契約書）に該当するのであるから留意する。

（貨物受取書）

3　運送業者が貨物運送の依頼を受けた場合に依頼人に交付する貨物受取書のうち、貨物の品名、数量、運賃、積み地、揚げ地等具体的な運送契約の成立を記載証明したものは、第１号の４文書（運送に関する契約書）とし、単に物品の受領の事実を記載証明しているにすぎないものは、第１号の４文書に該当しないものとして取り扱う。

（傭船契約の意義）

4　「傭船契約」とは、船舶又は航空機の全部又は一部を貸し切り、これにより人又は物品を運送することを約する契約で、次のいずれかに該当するものをいう。

(1)　船舶又は航空機の占有がその所有者等に属し、所有者等自ら当該船舶又は航空機を運送の用に使用するもの

(2)　船長又は機長その他の乗組員等の選任又は航海等の費用の負担が所有者等に属するもの

（定期傭船契約書）

5　定期傭船契約書は、傭船契約書として取り扱う。したがって、その内容により第１号の４文書（運送に関する契約書）又は第７号文書（継続的取引の基本となる契約書）に該当する。

（裸傭船契約書）

6　傭船契約書の名称を用いるものであっても、その内容が単に船舶又は航空機を使用収益させることを目的とするいわゆる裸傭船契約書は、船舶又は航空機の賃貸借契約の成立を証すべきものであって、第１号の４文書（運送に関する契約書）に該当せず、賃貸借に関する契約書に該当するから、課税文書に当たらないことに留意する。

第２号文書

請負に関する契約書

（請負の意義）

1　「請負」とは、民法第632条《請負》に規定する請負をいい、完成すべき仕事の結果の有形、無形を問わない。

なお、同法第648条の２《成果等に対する報酬》に規定する委任事務の履行により得られる成果に対して報酬を支払うことを約する契約は「請負」には該当しないことに留意する。

（請負に関する契約書と物品又は不動産の譲渡に関する契約書との判別）

2　いわゆる製作物供給契約書のように、請負に関する契約書と物品の譲渡に関する契約書又は不動産の譲渡に関する契約書との判別が明確にできないものについては、契約当事者の意思が仕事の完成に重きをおいているか、物品又は不動産の譲渡に重きをおいているかによって、そのいずれであるかを判別するものとする。

なお、その具体的な取扱いは、おおむね次に掲げるところによる。

(1)　注文者の指示に基づき一定の仕様又は規格等に従い、製作者の労務により工作物を建設することを内容とするもの　　請負に関する契約書

（例）

家屋の建築、道路の建設、橋りょうの架設

(2)　製作者が工作物をあらかじめ一定の規格で統一し、これにそれぞれの価額を付して注文を受け、当該規格に従い工作物を建設し、供給することを内容とするもの　　不動産又は物品の譲渡に関する契約書

（例）

建売り住宅の供給（不動産の譲渡に関する契約書）

(3)　注文者が材料の全部又は主要部分を提供（有償であると無償であるとを問わない。）し、製作者がこれによって一定物品を製作することを内容とするもの　　請負に関する契約書

（例）

生地提供の洋服仕立て、材料支給による物品の製作

(4)　製作者の材料を用いて注文者の設計又は指示した規格等に従い一定物品を製作することを内容とするもの　　請負に関する契約書

（例）

船舶、車両、機械、家具等の製作、洋服等の仕立て

(5) あらかじめ一定の規格で統一された物品を、注文に応じ製作者の材料を用いて製作し、供給することを内容とするもの　物品の譲渡に関する契約書

（例）

カタログ又は見本による機械、家具等の製作

(6) 一定の物品を一定の場所に取り付けることにより所有権を移転することを内容とするもの　請負に関する契約書

（例）

大型機械の取付け

ただし取付行為が簡単であって、特別の技術を要しないもの　物品の譲渡に関する契約書

（例）

家庭用電気器具の取付け

(7) 修理又は加工することを内容とするもの　請負に関する契約書

（例）

建物、機械の修繕、塗装、物品の加工

（職業野球の選手の意義）

3　「職業野球の選手」とは、いわゆる一軍、二軍の別を問わず、監督、コーチ及びトレーナーを含めた職業野球の選手をいう。

（映画の俳優及び演劇の俳優の意義）

4　「映画の俳優」及び令第21条《その役務の提供を約することを内容とする契約が請負となる者の範囲》第１項に規定する「演劇の俳優」とは、映画、舞台等に出演し、演技を行う芸能者をいう。

（音楽家の意義）

5　令第21条第１項に規定する「音楽家」とは、広く洋楽、邦楽、民謡、歌謡、雅楽、歌劇等の音楽を作曲、演奏、謡歌する者をいい、具体的には、作曲家、演奏家（指揮者を含む。）、声楽家（歌手を含む。）等をいい、浪曲師、漫才師を含まない。

（舞踊家の意義）

6　令第21条第１項に規定する「舞踊家」とは、洋舞（ダンスを含む。）、邦舞、民族舞踊、宗教舞踊等をする者をいい、能役者を含み、歌舞伎役者を含まない。

（映画又は演劇の監督、演出家又はプロジューサーの意義）

7　令第21条第１項に規定する「映画又は演劇の監督、演出家又はプロジューサー」とは、広く映画、演劇上の指導又は監督を行う者、映画又は演劇の俳優の演技、衣装、ふん装、装置、照明プラン、音楽等を組織する者又は映画、演劇の企画、製作をする者をいう。

（テレビジョン放送の演技者の意義）

8　令第21条第１項に規定する「テレビジョン放送の演技者」とは、いわゆるテレビタレント等テレビジョン放送に出演することを主たる業とする者のみでなく、広くテレビジョン放送を通じて演技を行う者をいう。

したがって、映画又は演劇の俳優、落語家、歌手、舞踊家、楽士、講談師、浪曲師等の

通常演技を行う者がテレビジョン放送を通じて演技を行う場合も、これに含む。

（テレビジョン放送の演出家又はプロジューサーの意義）

9　令第21条第１項に規定する「テレビジョン放送の演出家又はプロジューサー」とは、広くテレビジョン放送の俳優の演技、衣装、ふん装、装置、照明プラン、音楽等を組織するテレビデレクター又はテレビジョン放送の企画、製作をする者をいう。

（映画俳優専属契約書等）

10　映画会社等と俳優等との間において作成される映画の専属契約書又は出演契約書は、第２号文書（請負に関する契約書）として取り扱う。

（役務の提供を内容とする契約）

11　課税物件表第２号の定義の欄に規定する者等が、これらの者としての役務の提供を約することを内容とする契約は、たとえ委任等の契約であっても請負に該当するのであるが、それ以外の役務の提供を約することを内容とするものであっても、例えば、職業野球の選手が映画出演契約を結ぶ場合のようにその内容により請負に該当するものがあることに留意する。

（広告契約書）

12　一定の金額で一定の期間、広告スライド映写、新聞広告又はコマーシャル放送等をすることを約する広告契約書は、その内容により第２号文書（請負に関する契約書）又は第７号文書（継続的取引の基本となる契約書）に該当する。

（エレベーター保守契約書等）

13　ビルディング等のエレベーターを常に安全に運転できるような状態に保ち、これに対して一定の金額を支払うことを約するエレベーター保守契約書又はビルディングの清掃を行い、これに対して一定の金額を支払うことを約する清掃請負契約書等は、その内容により第２号文書（請負に関する契約書）又は第７号文書（継続的取引の基本となる契約書）に該当する。

（会社監査契約書）

14　公認会計士（監査法人を含む。）と被監査法人との間において作成する監査契約書は、第２号文書（請負に関する契約書）として取り扱う。

なお、株式会社の会計監査人に就任することを承諾する場合に作成する会計監査人就任承諾書等監査報告書の作成までも約するものではない契約書は、委任に関する契約書に該当するのであるから、課税文書に当たらないことに留意する。

（仮工事請負契約書）

15　地方公共団体が工事請負契約を締結するに当たっては、地方公共団体の議会の議決を経なければならないとされているため、その議決前に仮工事請負契約書を作成することとしている場合における当該契約書は、当該議会の議決によって成立すべきこととされているものであっても、第２号文書（請負に関する契約書）に該当する。

（宿泊申込請書）

16　旅館業者等が顧客から宿泊の申込みを受けた場合に、宿泊年月日、人員、宿泊料金等を記載し、当該申込みを引き受けた旨を記載して顧客に交付する宿泊申込請書等は、第２号文書（請負に関する契約書）として取り扱う。ただし、御案内状等と称し、単なる案内を目的とするものについては、課税文書として取り扱わない。

（税理士委嘱契約書）

17　税理士委嘱契約書は、委任に関する契約書に該当するから課税文書に当たらないのであるが、税務書類等の作成を目的とし、これに対して一定の金額を支払うことを約した契約書は、第２号文書（請負に関する契約書）に該当するのであるから留意する。

第３号文書

約束手形又は為替手形

（約束手形又は為替手形の意義）

1　「約束手形又は為替手形」とは、手形法（昭和７年法律第20号）の規定により約束手形又は為替手形たる効力を有する証券をいい、振出人又はその他の手形当事者が他人に補充させる意思をもって未完成のまま振出した手形（以下「白地手形」という。）も、これに含まれるのであるから留意する。

（振出人の署名を欠く白地手形の作成者）

2　振出人の署名を欠く白地手形で引受人又はその他の手形当事者の署名のあるものは、当該引受人又はその他の手形当事者が当該手形の作成者となるのであるから留意する。

（白地手形の作成の時期）

3　白地手形の作成の時期は、手形の所持人が記載要件を補充した時ではなく、その作成者が他人に交付した時であるから留意する。

（手形金額の記載のない手形）

4　手形金額の記載のない手形は、課税物件表第３号の非課税物件欄の規定により、課税文書に該当しないのであるが、当該手形に手形金額を補充した場合には、法第４条《課税文書の作成とみなす場合等》第１項の規定の適用があることに留意する。

（一覧払の手形の意義）

5　「一覧払の手形」とは、手形法第34条第１項（同法第77条第１項第２号において準用する場合を含む。）に規定する支払のための呈示をした日を満期とする約束手形又は為替手形（同法第34条第２項（同法第77条第１項第２号において準用する場合を含む。）の定めをするものを除く。）をいい、満期の記載がないため同法第２条第２項及び同法第76条第２項の規定により一覧払のものとみなされる約束手形及び為替手形を含む。

（満期の記載がないかどうかの判定）

6　５に規定する「満期の記載がない」とは、その手形に手形期日の記載が全くない場合又はこれと同視すべき場合をいい、手形用紙面の支払期日、満期等の文字を抹消することなく、単に当該欄を空白のままにしてあるものについては、一覧払の手形に該当しないものとして取り扱う。

（参着払手形）

7　荷為替手形の満期日欄に「参着払」の表示がなされているいわゆる参着払手形と称するものについては、一覧払の手形として取り扱う。

（手形法第34条第２項の定めをするものの意義）

8　「手形法（昭和７年法律第20号）第34条第２項（一覧払の為替手形の呈示開始期日の定め）（同法第77条第１項第２号（約束手形への準用）において準用する場合を含む。）の定めをするもの」とは、いわゆる確定日後一覧払及び一定期間経過後一覧払の手形をいう。

（金融機関を振出人及び受取人とする手形の意義）

9　「日本銀行又は銀行その他政令で定める金融機関を振出人及び受取人とする手形」とは、その手形の振出人及び受取人の双方が、いずれも日本銀行又は銀行その他令第22条《相互間の手形の税率が軽減される金融機関の範囲》に定める金融機関である手形をいう。

（銀行の意義）

10　「銀行」とは、次に掲げるものをいう。

(1)　銀行法（昭和56年法律第59号）第２条《定義等》第１項に規定する銀行

(2)　長期信用銀行法（昭和27年法律第187号）第２条《定義》規定する長期信用銀行

（貯金又は定期積金の受入れを行うものの意義）

11　令第22条《相互間の手形の税率が軽減される金融機関の範囲》に規定する「貯金又は定期積金の受入れを行うもの」とは、現に貯金又は定期積金の受入れを行っているものをいう。

（外国通貨により手形金額が表示される手形についての非課税規定の適用）

12　外国通貨により手形金額が表示される手形で、通則４のへの規定により本邦通貨に換算した金額が10万円未満のものは、課税文書に該当しないのであるから留意する。

（外国為替手形の複本）

13　同一内容の外国為替手形を２通以上作成する場合で、当該手形に「First」及び「Second」等の表示をするときは、そのうちの「First」と表示したものを課税文書とし、その他のものは手形の複本として取り扱う。

（銀行等の意義）

14　法別表第一第３号の課税標準及び税率の欄２ニ及び令第23条に規定する「銀行等」は、次に掲げるものが該当するのであるから留意する。

(1)　銀行、長期信用銀行、信用金庫、信用金庫連合会、労働金庫、労働金庫連合会、信用協同組合及び信用協同組合連合会

(2)　事業として貯金又は定期積金の受入れをすることができる農業協同組合、農業協同組合連合会、漁業協同組合、漁業協同組合連合会、水産加工業協同組合及び水産加工業協同組合連合会

(3)　日本銀行、農林中央金庫、株式会社日本政策金融公庫、株式会社商工組合中央金庫及び株式会社日本政策投資銀行

（税率が軽減される居住者振出しの手形の範囲）

15　令第23条の２《税率が軽減される居住者振出しの手形の範囲及び表示》各号に規定する為替手形の範囲等は、次のとおりである。

(1)　令第23条の２第１号に規定する「輸出に係る荷為替手形」とは、本邦の輸出者が信用状に基づき輸出代金の決済のために本邦所在の銀行等（14に規定する「銀行等」をいう。17までにおいて同じ。）を支払人として振り出す、いわゆる信用状付円建貿易手形と称する円建期限付荷為替手形で銀行等により規則第６条《円建銀行引受手形の表示の書式》に規定する表示を受けたものをいう。

(2)　令第23条の２第２号に規定する「為替手形」とは、本邦の輸出者が輸出代金の決済のために本邦所在の銀行等以外の者を支払人として振り出し、本邦所在の銀行等の割引きを受けた円建期限付荷為替手形を見合いとして、当該銀行等の当該割引きのために要し

た資金の円建銀行引受手形市場（以下「円建BA市場」という。）における調達に供するため、当該輸出者が当該銀行等を支払人として振り出す、いわゆるアコモデーション手形と称する円建期限付為替手形で、銀行等により規則第６条に規定する表示を受けたものをいう。

(3)　令第23条の２第３号に規定する「為替手形」とは、本邦の輸入者に対して輸入代金の支払いのための円資金を融資した本邦所在の銀行等の当該融資に要した資金の円建BA市場における調達に供するため、当該円資金融資金額を見合いとして、当該融資を受けた輸入者が当該銀行等を支払人として振り出す、いわゆる直ハネ手形と称する円建期限付為替手形で、銀行等により規則第６条に規定する表示を受けたものをいう。

（税率が軽減される手形の担保となる外国の銀行が振り出す手形の範囲）

16　令第23条の３《税率が軽減される手形の担保となる外国の銀行が振り出す手形の範囲》に規定する「為替手形」とは、外国において非居住者に対し、輸出代金の決済のための円建期限付荷為替手形の割引きをし、又は輸入代金の支払いのための円資金の融資をした外国の銀行が、本邦所在の銀行等を支払人として振り出す、いわゆるリファイナンス手形と称する円建期限付為替手形をいう。

なお、当該手形はそれ自体で円建BA市場において取引することができるものであるが、外国で作成されるものであることから法の適用はないことに留意する。

（税率が軽減される銀行等振出しの手形の範囲）

17　令第23条の４《税率が軽減される銀行等振出しの手形の範囲及び表示》に規定する「為替手形」とは、令第23条の２又は令第23条の３に規定する為替手形の１又は２以上を担保として、本邦所在の銀行等が円資金を供与するために要した資金を円建BA市場において調達するため、自行を支払人として振り出す、いわゆる表紙手形と称する円建期限付為替手形で、規則第６条に規定する表示を示したものをいう。

第４号文書

株券、出資証券若しくは社債券又は投資信託、貸付信託、特定目的信託若しくは受益証券発行信託の受益証券

（法人の社員又は出資者の意義）

1　「法人の社員」とは、法人の構成員としての社員、例えば、合名会社、合資会社又は合同会社の社員をいい、また「法人の出資者」とは、法人に対して事業を営むための資本として財産、労務又は信用を出資した者をいう。

（特別の法律により法人の発行する債券の範囲）

2　「特別の法律により法人の発行する債券」とは、商工債券、農林債券会社法以外の法律の規定により発行する債券をいう。

（投資信託の受益証券、貸付信託の受益証券、特定目的信託の受益証券及び受益証券発行信託の受益証券の意義）

3　「投資信託の受益証券」、「貸付信託の受益証券」、「特定目的信託の受益証券」及び「受益証券発行信託の受益証券」は、それぞれ次に掲げるものをいう。

(1)　「投資信託の受益証券」　投資信託及び投資法人に関する法律（昭和26年法律第198号）

第２条第７項《定義》に規定する受益証券

(2)　「貸付信託の受益証券」　貸付信託法（昭和27年法律第195号）第２条第２項《定義》に規定する受益証券

(3)　「特定目的信託の受益証券」　資産の流動化に関する法律（平成10年法律第105号）第２条第15項《定義》に規定する受益証券

(4)　「受益証券発行信託の受益証券」　信託法（平成18年法律第108号）第185条第１項《受益証券の発行に関する信託行為の定め》に規定する受益証券

（社債券の範囲）

4　「社債券」とは、会社法の規定による社債券、特別の法律により法人の発行する債券及び相互会社（保険業法（平成７年法律第105号）第２条第５項《定義》の相互会社をいう。以下同じ。）の社債券に限られるのであって、学校法人又はその他の法人が資金調達の方法として発行するいわゆる学校債券等を含まない。

（基金証券の意義）

5　「基金証券」とは、相互会社が、その基金きょ出者に対して、その権利を証明するために交付する証券をいう。

（合併存続会社等が訂正して発行する株券）

6　合併があった場合において、合併後存続する株式会社又は合併によって設立された株式会社が、合併によって消滅した株式会社の既発行株券を訂正し、合併後存続する株式会社又は合併によって設立された株式会社の発行する株券として株主に交付する場合には、当該訂正後の株券を株主に交付する時に、新たな株券を作成したものとして取り扱う。

（譲渡制限の旨を記載する株券）

7　株式会社がその発行する全部又は一部の株式の内容として譲渡による当該株式の取得について当該株式会社の承認を要する旨の定めを設けたときに、株主に対して既に交付している株券を提出させ、これに会社法第216条第３号《株券の記載事項》による当該承認を要する旨を記載して交付する場合の当該株券については、同法第219条第１項《株券の提出に関する公告等》に規定する行為の効力が生ずる日の前後を問わず、新たな株券を作成したものとして取り扱う。

（払込金額の意義）

8　令第24条第１項《株券等に係る一株又は一口の金額》に規定する「払込金額」とは、次に掲げる株券の区分に応じ、それぞれ次に掲げる金額が該当する。

(1)　発起人が引き受ける設立時発行株式に係る株券　会社法第34条第１項《出資の履行》の規定により払い込まなければならないこととされている金銭の金額と給付しなければならないこととされている金銭以外の財産の給付があった日における当該財産の価額との合計額を発起人が引き受ける設立時発行株式の数で除して得た金額

(2)　会社法第58条第１項《設立時募集株式に関する事項の決定》に規定する設立時募集株式（株式を発行するものに限る。）に係る株券　同項第２号に規定する当該設立時募集株式の払込金額

(3)　会社法第199条第１項《募集事項の決定》に規定する募集株式（株式を発行するものに限る。）に係る株券　同項第２号《募集事項の決定》に規定する募集株式の払込金額

(4)　新株予約権の行使により発行される株式に係る株券　イ及びロに掲げる金額の合計額

を当該新株予約権の目的である株式の数で除して得た金額

イ　当該行使時における当該新株予約権の帳簿価額

ロ　会社法第281条第１項《新株予約権の行使に際しての払込み》又は第２項後段の規定により払い込まなければならないこととされている金銭の金額と同項前段の規定により給付しなければならないこととされている金銭以外の財産の行使時の価額との合計額

（払込金額がない場合の意義）

9　令第24条第１号に規定する「払込金額がない場合」に該当する株券は、例えば次のものが該当する。

⑴　株式の併合をしたときに発行する株券

⑵　株式の分割をしたときに発行する株券

⑶　株式の無償割当てをしたときに発行する株券

⑷　取得請求権付株式の取得と引換えに交付するために発行する株券

⑸　取得条項付株式の取得と引換えに交付するために発行する株券

⑹　全部取得条項付種類株式の取得と引換えに交付するために発行する株券

⑺　株券の所持を希望していなかった株主の請求により発行する株券

⑻　株券喪失登録がされた後に再発行する株券

⑼　取得条件付新株予約権の取得と引換えに交付するために発行する株券

⑽　持分会社が組織変更して株式会社になる際に発行する株券

⑾　合併、吸収分割、新設分割、株式交換又は株式移転に際して発行する株券

（資本金の額及び資本準備金の額の合計額の意義）

10　令第24条第１号に規定する「資本金の額及び資本準備金の額の合計額」は、最終事業年度に係る貸借対照表に記載された資本金の額及び資本準備金の額の合計額（払込金額のない株券を発行する日の属する事業年度中に合併、吸収分割、新設分割、株式交換又は株式移転（この項において「合併等」という。）があった場合には、当該合併等の効力発生日における資本金の額及び資本準備金の額の合計額）によることとして差し支えない。

（出資総額の意義）

11　10の規定は令第24条第２号に規定する「出資総額」について、これを準用する。

第５号文書

合併契約書又は吸収分割契約書若しくは新設分割計画書

（合併契約書の範囲）

1　「合併契約書」は、株式会社、合名会社、合資会社、合同会社及び相互会社が締結する合併契約を証する文書に限り課税文書に該当するのであるから留意する。

（吸収分割契約書及び新設分割計画書の範囲）

2　「吸収分割契約書」及び「新設分割計画書」は、株式会社及び合同会社が吸収分割又は新設分割を行う場合の吸収分割契約を証する文書又は新設分割計画を証する文書に限り課

税文書に該当するのであるから留意する。

（注）「新設分割計画書」は、本店に備え置く文書に限り課税文書に該当する。

（不動産を承継財産とする吸収分割契約書）

3　吸収分割契約書に記載されている吸収分割承継会社が吸収分割会社から承継する財産のうちに、例えば不動産に関する事項が含まれている場合であっても、当該吸収分割契約書は第１号の１文書（不動産の譲渡に関する契約書又は営業の譲渡に関する契約書）には該当しないことに留意する。

（合併契約等の変更又は補充の事実を証するものの範囲）

4　合併契約又は吸収分割契約若しくは新設分割計画（以下、この項において「合併契約等」という。）の内容を変更する文書又は欠けていた事項を補充する文書のうち、会社法又は保険業法において合併契約等で定めることとして規定されていない事項、例えば、労働契約の承継に関する事項、就任する役員に関する事項等についてのみ変更する文書又は補充する文書は、「合併契約の変更又は補充の事実を証するもの」、「吸収分割契約の変更又は補充の事実を証するもの」及び「新設分割計画の変更又は補充の事実を証するもの」には該当しない。

第６号文書

定　　款

（定款の範囲）

1　「定款」は、株式会社、合名会社、合資会社、合同会社又は相互会社の設立のときに作成する定款の原本に限り第６号文書に該当するのであるから留意する。

（変更定款）

2　株式会社又は相互会社の設立に当たり、公証人の認証を受けた定款の内容を発起人等において変更する場合の当該変更の旨を記載した公証人の認証を要する書面は、たとえ「変更定款等」と称するものであっても、第６号文書（定款）には該当しないものとして取り扱う。

なお、変更後の定款の規定の全文を記載した書面によって認証を受けるときは、新たな定款を作成したこととなり、その原本は、第６号文書に該当するのであるから留意する。

第７号文書

継続的取引の基本となる契約書（契約期間の記載のあるもののうち、当該契約期間が３月以内であり、かつ、更新に関する定めのないものを除く。）

（契約期間の記載のあるもののうち、当該契約期間が３月以内であるものの意義）

1　「契約期間の記載のあるもののうち、当該契約期間が３月以内であるもの」とは、当該文書に契約期間が具体的に記載されていて、かつ、当該期間が３か月以内であるものをいう。

（継続的取引の基本となる契約書で除外されるもの）

2　令第26条《継続的取引の基本となる契約書の範囲》の規定に該当する文書であっても、

当該文書に記載された契約期間が３か月以内で、かつ、更新に関する定めのないもの（更新に関する定めがあっても、当初の契約期間に更新後の期間を加えてもなお３か月以内である場合を含むこととして取り扱う。）は、継続的取引の基本となる契約書から除外されるが、当該文書については、その内容によりその他の号に該当するかどうかを判断する。

（営業者の間の意義）

3　令第26条第１号に規定する「営業者の間」とは、契約の当事者の双方が営業者である場合をいい、営業者の代理人として非営業者が契約の当事者となる場合を含む。

なお、他の者から取引の委託を受けた営業者が当該他の者のために第三者と行う取引も営業者の間における取引に含まれるのであるから留意する。

（２以上の取引の意義）

4　令第26条第１号に規定する「２以上の取引」とは、契約の目的となる取引が２回以上継続して行われることをいう。

（目的物の種類、取扱数量、単価、対価の支払方法、債務不履行の場合の損害賠償の方法又は再販売価格を定めるものの意義）

5　令第26条第１号に規定する「目的物の種類、取扱数量、単価、対価の支払方法、債務不履行の場合の損害賠償の方法又は再販売価格を定めるもの」とは、これらのすべてを定めるもののみをいうのではなく、これらのうちの１又は２以上を定めるものをいう。

（売買、売買の委託、運送、運送取扱い又は請負に関する２以上の取引を継続して行うため作成される契約書の意義）

6　令第26条第１号に規定する「売買、売買の委託、運送、運送取扱い又は請負に関する２以上の取引を継続して行うため作成される契約書」とは、例えば売買に関する取引を引き続き２回以上行うため作成される契約書をいい、売買の目的物の引渡し等が数回に分割して行われるものであっても、当該取引が１取引である場合の契約書は、これに該当しない。

なお、エレベーター保守契約、ビル清掃請負契約等、通常、月等の期間を単位として役務の提供等の債務の履行が行われる契約については、料金等の計算の基礎となる期間１単位ごと又は支払の都度ごとに１取引として取り扱う。

（売買の委託及び売買に関する業務の委託の意義）

7　令第26条第１号に規定する「売買の委託」とは、特定の物品等を販売し又は購入することを委託することをいい、同条第２号に規定する「売買に関する業務の委託」とは、売買に関する業務の一部又は全部を委託することをいう。

（目的物の種類の意義）

8　令第26条第１号に規定する「目的物の種類」とは、取引の対象の種類をいい、その取引が売買である場合には売買の目的物の種類が、請負である場合には仕事の種類・内容等がこれに該当する。また、当該目的物の種類には、例えばテレビ、ステレオ、ピアノというような物品等の品名だけでなく、電気製品、楽器というように共通の性質を有する多数の物品等を包括する名称も含まれる。

（取扱数量を定めるものの意義）

9　令第26条第１号に規定する「取扱数量を定めるもの」とは、取扱量として具体性を有するものをいい、一定期間における最高又は最低取扱（目標）数量を定めるもの及び金額により取扱目標を定める場合の取扱目標金額を定めるものを含む。したがって、例えば「1か月の最低取扱数量は50トンとする。」、「1か月の取扱目標金額は100万円とする。」とするものはこれに該当するが、「毎月の取扱数量は当該月の注文数量とする。」とするものは該当しない。

(注) 取扱目標金額を記載した契約書は、記載金額のある契約書にも該当するのであるから留意する。

(単価の意義)

10 令第26条第1号に規定する「単価」とは、数値として具体性を有するものに限る。したがって、例えば「市価」、「時価」等とするものはこれに該当しない。

(対価の支払方法の意義)

11 令第26条第1号、第2号及び第4号に規定する「対価の支払方法を定めるもの」とは、「毎月分を翌月10日に支払う。」、「60日手形で支払う。」、「借入金と相殺する。」等のように、対価の支払に関する手段方法を具体的に定めるものをいう。

(債務不履行の場合の損害賠償の方法の意義)

12 令第26条第1号及び第4号に規定する「債務不履行の場合の損害賠償の方法」とは、債務不履行の結果生ずべき損害の賠償として給付されるものの金額、数量等の計算、給付の方法等をいい、当該不履行となった債務の弁済方法をいうものではない。

(ガスの供給の意義)

13 令第26条第1号に規定する「ガスの供給」とは、ガス事業者等が都市ガス、プロパンガス等の燃料用ガスを導管、ボンベ、タンクローリー等により消費者に継続して供給することをいう。

(金融機関の範囲)

14 令第26条第2号に規定する「金融機関」には、銀行業、信託業、金融商品取引業、保険業を営むもの等通常金融機関と称されるもののほか、貸金業者、クレジットカード業者、割賦金融業者等金融業務を営むすべてのものを含む。

(金融機関の業務の委託の意義)

15 令第26条第2号に規定する「金融機関の業務を継続して委託する」とは、金融機関が、預金業務、貸出業務、出納業務、為替業務、振込業務その他の金融業務を他の者に継続して委託することをいう。

(委託される業務又は事務の範囲又は対価の支払方法を定めるものの意義)

16 令第26条第2号に規定する「委託される業務又は事務の範囲又は対価の支払方法を定めるもの」とは、これらのすべてを定めるもののみをいうのではなく、これらのうちの1又は2以上を定めるものをいう。

(金融機関に対する販売代金等の収納事務の委託)

17 会社等が販売代金等の収納事務を金融機関に委託する場合において、その内容が当該販売代金等を積極的に集金することまで委託するものでないものは、令第26条第2号に規定する「売買に関する業務」の委託には該当しないものとして取り扱う。したがって、当該委託についての契約書は、委任に関する契約書に該当するから、課税文書に当たらないことに留意する。

（包括的に履行方法その他の基本的事項を定める契約書の意義）

18　令第26条第３号に規定する「包括的に履行方法その他の基本的事項を定める契約書」とは、貸付け（手形割引及び当座貸越を含む。）、支払承諾、外国為替等の個々の取引によって生ずる金融機関に対する債務の履行について、履行方法その他の基本的事項を定める契約書（例えば当座勘定取引約定書、当座勘定借越約定書、手形取引約定書、手形取引限度額約定書、支払承諾約定書、信用状約定書等）をいうのでなく、貸付け（手形割引及び当座貸越を含む。）、支払承諾、外国為替その他の取引によって生ずる債務のすべてについて、包括的に履行方法その他の基本的事項を定める契約書（例えば銀行における銀行取引約定書、信用金庫における信用金庫取引約定書等）をいう。

（保険契約者の範囲）

19　令第26条第５号に規定する「保険契約者」には、保険契約者が保険会社である場合の当該保険会社を含む。

（２以上の保険契約を継続して行うため作成される契約書の意義）

20　令第26条第５号に規定する「２以上の保険契約を継続して行なうため作成される契約書」とは、特約期間内に締結される保険契約に共通して適用される保険の目的の種類、保険金額又は保険料率を定めておき、後日、保険契約者からの申込みに応じて個別の保険契約を締結し、個別の保険契約ごとに保険証券又は保険引受証が発行されることになっている契約書をいう。

（株式事務代行委託契約書）

21　株式事務代行委託契約書で、株式の発行又は名義書換えの事務を３か月を超えて継続して委任するものは、第７号文書（継続的取引の基本となる契約書）に該当することに留意する。

第８号文書

預貯金証書

（預貯金証書の意義）

1　「預貯金証書」とは、銀行その他の金融機関等で法令の規定により預金又は貯金業務を行うことができる者が、預金者又は貯金者との間の消費寄託の成立を証明するために作成する免責証券たる預金証書又は貯金証書をいう。

（勤務先預金証書）

2　会社等が労働基準法（昭和22年法律第49号）第18条《強制貯金》第４項又は船員法（昭和22年法律第100号）第34条《貯蓄金の管理等》第３項に規定する預金を受け入れた場合に作成する勤務先預金証書は、第８号文書（預貯金証書）に該当する。

（積金証書）

3　積金証書は、課税文書に該当しない。

第９号文書

倉荷証券、船荷証券又は複合運送証券

（倉荷証券の意義）

2 「倉荷証券」とは、商法第600条《倉荷証券の交付義務》の規定により、倉庫営業者が寄託者の請求により作成する倉荷証券をいう。

（船荷証券の意義）

3 「船荷証券」とは、商法第757条《船荷証券の交付義務》の規定により、運送人又は船長が荷送人又は傭船者の請求により作成する船荷証券をいう。

（複合運送証券の意義）

3の2 「複合運送証券」とは、商法第769条《複合運送証券》の規定により、運送人又は船長が陸上運送及び海上運送を一の契約で引き受けたときに荷送人の請求により作成する複合運送証券をいう。

（船荷証券を数通作成する場合）

4 同一内容の船荷証券を数通作成する場合は、いずれも船荷証券として取り扱う。ただし、当該数通のそれぞれに「Original」、「Duplicate」又は「First Original」、「Second Original」等の表示を明確にするときは、そのうち、「Original」又は「First Original」等と表示したもののみを課税文書として取り扱う。また、通関その他の用途に使用するため発行するもので「流通を禁ず」又は「Non Negotiable」等の表示を明確にするものは、課税文書に該当しないものとして取り扱う。

（倉荷証券等に類似の効用を有するものの意義）

5 「倉荷証券、船荷証券又は複合運送証券の記載事項の一部を欠く証書で、これらと類似の効用を有するもの」とは、商法第601条《倉荷証券の記載事項》又は同法第758条《船荷証券の記載事項》第１項（同法第769条《複合運送証券》第２項において準用する場合を含む。）に規定するそれぞれの記載事項の一部を欠く証書で、寄託物の返還請求権又は運送品の引渡請求権を表彰するものをいうこととし、これらは、それぞれ倉荷証券、船荷証券又は複合運送証券として取り扱う。ただし、当該証書に譲渡性のないことが明記されているものは、この限りでない。

第10号文書

保　険　証　券

（保険証券の意義）

1 「保険証券」とは、保険者が保険契約の成立を証明するため、保険法その他の法令の規定により保険契約者に交付する書面をいう。

（記載事項の一部を欠く保険証券）

2 保険証券として記載事項の一部を欠くものでもあっても保険証券としての効用を有するものは、第10号文章（保険証券）として取り扱う。

（更新の意義）

3 令第27条の２第３号に規定する「更新」には、保険期間の満了に際して既契約を継続するものを含むのであるから留意する。

第11号文書

信　用　状

（信用状の意義）

1　「信用状」とは、銀行が取引銀行に対して特定の者に一定額の金銭の支払いをすることを委託する支払委託書をいい、商業信用状に限らず、旅行信用状を含む。

（商業信用状条件変更通知書）

2　既に発行されている商業信用状について、その金額、有効期限、数量、単価、船積み期限、船積み地又は仕向け地等を変更した場合に銀行が発行する商業信用状条件変更通知書は、課税文書に該当しない。

第12号文書

信託行為に関する契約書

（信託行為に関する契約書の意義）

1　「信託行為に関する契約書」とは、信託法第３条第１号《信託の方法》に規定する信託契約を証する文書をいう。

（注）1　担保付社債信託法（明治38年法律第52号）その他の信託に関する特別の法令に基づいて締結する信託契約を証する文書は、第12号文書（信託行為に関する契約書）に該当する。

2　信託法第３条第２号の遺言信託を設定するための遺言書及び同条第３号の自己信託を設定するための公正証書その他の書面は、第12号文書には該当しない。

（財産形成信託取引証）

2　信託銀行が財産形成信託の申込者に交付する財産形成信託取引証は、第12号文書（信託行為に関する契約書）に該当する。

第13号文書

債務の保証に関する契約書（主たる債務の契約書に併記したものを除く。）

（債務の保証の意義）

1　「債務の保証」とは、主たる債務者がその債務を履行しない場合に保証人がこれを履行することを債権者に対し約することをいい、連帯保証を含む。

なお、他人の受けた不測の損害を補てんする損害担保契約は、債務の保証に関する契約に該当しない。

（債務の保証委託契約書）

2　「債務の保証に関する契約」とは、第三者が債権者との間において、債務者の債務を保証することを約するものをいい、第三者が債務者に対しその債務の保証を行うことを約するものを含まない。

なお、第三者が債務者の委託に基づいて債務者の債務を保証することについての保証委託契約書は、委任に関する契約書に該当するのであるから、課税文書に当たらないことに留意する。

（主たる債務の契約書に併記した債務の保証に関する契約書）

3　主たる債務の契約書に併記した債務の保証に関する契約書は、当該主たる債務の契約書が課税文書に該当しない場合であっても課税文書とはならない。

なお、主たる債務の契約書に併記した保証契約を変更又は補充する契約書及び契約の申込文書に併記した債務の保証契約書は、第13号文書（債務の保証に関する契約書）に該当するのであるから留意する。

（身元保証に関する契約書の範囲）

4　「身元保証に関する契約書」には、入学及び入院の際等に作成する身元保証書を含むものとして取り扱う。

（販売物品の保証書）

5　物品製造業者又は物品販売業者等が自己の製造した物品又は販売物品につき品質を保証することを約して交付する品質保証書は、課税文書に該当しない。

（取引についての保証契約書）

6　特定の第三者の取引等について事故が生じた場合には一切の責任を負担する旨を当該第三者の取引先に約することを内容とする契約書は、損害担保契約書であることが明らかであるものを除き、第13号文書（債務の保証に関する契約書）として取り扱う。

第14号文書

金銭又は有価証券の寄託に関する契約書

（寄託の意義）

1　「寄託」とは、民法第657条《寄託》に規定する寄託をいい、同法第665条の２《混合寄託》に規定する混合寄託及び同法第666条《消費寄託》に規定する消費寄託を含む。

（預り証等）

2　金融機関の外務員が、得意先から預金として金銭を受け入れた場合又は金融機関の窓口等で預金通帳の提示なしに預金を受け入れた場合に、当該受入れ事実を証するために作成する「預り証」、「入金取次票」等と称する文書で、当該金銭を保管する目的で受領するものであることが明らかなものは、第14号文書（金銭の寄託に関する契約書）として取り扱う。

なお、金銭の受領事実のみを証明目的とする「受取書」、「領収証」等と称する文書で、受領原因として単に預金の種類が記載されているものは、第17号文書（金銭の受取書）として取り扱う。

（敷金の預り証）

3　家屋等の賃貸借に当たり、家主等が受け取る敷金について作成する預り証は、第14号文書（金銭の寄託に関する契約書）としないで、第17号文書（金銭の受取書）として取り扱う。

（差押物件等の保管証）

4　金銭又は有価証券を差押え又は領置するに当たり、これをその占有者に保管させる場合において、当該保管者が作成する保管証は、課税しないことに取り扱う。

（勤務先預金明細書等）

5　勤務先預金について、預金通帳の発行に代え、一定期間中の個々の預金取引の明細を記載して預金者に交付する勤務先預金明細書等と称する文書は、第14号文書（金銭の寄託に関する契約書）に該当する。

なお、一定期間中の受入金及び払戻金の合計額並びに残額のみを記載した預金残高通知書等と称する文書は、第14号文書には該当しないのであるから留意する。

（現金自動預金機等から打ち出される紙片）

6　現金自動預金機等を利用して預金を行う場合において、預金の預入れ事実を証明するため、当該現金自動預金機等から打ち出される預入年月日、預入額、預入後の預金残額及び口座番号等の事項を記載した紙片は、第14号文書（金銭の寄託に関する契約書）に該当する。

（預金口座振替依頼書）

7　預金契約を締結している金融機関に対して、電信電話料金、電力料金、租税等を預金口座振替の方法により支払うことを依頼する場合に作成する預金口座振替依頼書は、預金の払戻し方法の変更を直接証明する目的で作成するものでないから、第14号文書（金銭の寄託に関する契約書）に該当しないものとして取り扱う。

（金融機関に対する債務などの預金口座振替依頼書）

8　預金契約を締結している金融機関に対し、当該金融機関に対する借入金、利息金額、手数料その他の債務、又は積立式の定期預貯金若しくは積金を預金口座から引き落して支払い又は振り替えることを依頼する場合に作成する預金口座振替依頼書は、第14号文書（金銭の寄託に関する契約書）に該当しないものとして取り扱う。

なお、金融機関に対する債務を預金口座から引き落して支払うことを内容とする文書であっても、原契約である消費貸借契約等の契約金額、利息金額、手数料等の支払方法又は支払期日を定めることを証明目的とするものは、その内容により、第１号の３文書（消費貸借に関する契約書）等に該当するのであるから留意する。

第15号文書

債権譲渡又は債務引受けに関する契約書

（債権譲渡の意義）

1　「債権譲渡」とは、債権をその同一性を失わせないで旧債権者から新債権者へ移転させることをいう。

（債務引受けの意義）

2　「債務引受け」とは、債務をその同一性を失わせないで債務引受人に移転することをいい、民法第470条《併存的債務引受の要件及び効果》に規定する併存的債務引受及び同法第472条《免責的債務引受要件及び効果》に規定する免責的債務引受がこれに含まれる。

（債務引受けに関する契約の意義）

3　「債務引受けに関する契約」とは、第三者が債権者との間において債務者の債務を引き受けることを約するものをいい、債権者の承諾を条件として第三者と債務者との間において債務者の債務を引き受けることを約するものを含む。

なお、第三者と債務者との間において、第三者が債務者の債務の履行を行うことを約する文書は、委任に関する契約書に該当するのであるから、課税文書に当たらないことに留意する。

（債権譲渡通知書等）

4　債権譲渡契約をした場合において、譲渡人が債務者に通知する債権譲渡通知書及び債務者が当該債権譲渡を承諾する旨の記載をした債権譲渡承諾書は、課税文書に該当しない。

（電話加入権の譲渡契約書）

5　電話加入権の譲渡契約書は、第15号文書（債権の譲渡に関する契約書）に該当するものとして取り扱う。

第16号文書

配当金領収証又は配当金振込通知書

（配当金の支払を受ける権利を表彰する証書の意義）

1　「配当金の支払を受ける権利を表彰する証書」とは、会社（株式の預託を受けている会社を含む。２及び５において同じ。）が株主（株式の預託者を含む。２及び５において同じ。）の具体化した利益配当請求権を証明した証書で、株主がこれと引換えに当該証書に記載された取扱銀行等のうち株主の選択する銀行等で配当金の支払いを受けることができるものをいう。

（配当金の受領の事実を証するための証書の意義）

2　「配当金の受領の事実を証するための証書」とは、会社が株主に配当金の支払いをするに当たり、あらかじめ当該会社が株主に送付する証書のうち、配当金の支払を受ける権利を表彰する証書以外のもので、株主が取扱銀行等から配当金の支払を受けた際その受領事実を証するために使用するものをいう。

なお、株主が会社から直接配当金の支払を受けた際に作成する受取書は、第16号文書（配当金領収証）ではなく、第17号文書（金銭の受取書）に該当することに留意する。

（配当金支払副票を添付する配当金領収証）

3　配当金領収証には、配当金支払副票を添付することによって配当金の支払いを受けることができるものを含む。

（配当金の範囲）

4　「配当金」とは、株式会社の剰余金の配当（会社法第454条第５項《剰余金の配当に関する事項の決定》に規定する中間配当を含む。）に係るものをいう。

（振込済みである旨を株主に通知する文書の範囲）

5　「振込済みである旨を株主に通知する文書」とは、会社が株主に対して株主の預貯金口座その他の勘定への配当金振込みの事実を通知する文書をいい、文書の表現が「振り込みます。」又は「振り込む予定です。」等となっているものを含むものとして取り扱う。

第17号文書

1　売上代金に係る金銭又は有価証券の受取書 2　金銭又は有価証券の受取書で１に掲げる受取書以外のもの

（金銭又は有価証券の受取書の意義）

1　「金銭又は有価証券の受取書」とは、金銭又は有価証券の引渡しを受けた者が、その受領事実を証明するため作成し、その引渡者に交付する単なる証拠証書をいう。

（注）　文書の表題、形式がどのようなものであっても、また「相済」、「了」等の簡略な文言を用いたものであっても、その作成目的が当事者間で金銭又は有価証券の受領事実を証するものであるときは、第17号文書（金銭又は有価証券の受取書）に該当するのであるから留意する。

（受取書の範囲）

2　金銭又は有価証券の受取書は、金銭又は有価証券の受領事実を証明するすべてのものをいい、債権者が作成する債務の弁済事実を証明するものに限らないのであるから留意する。

（仮受取書）

3　仮受取書等と称するものであっても、金銭又は有価証券の受領事実を証明するものは、第17号文書（金銭又は有価証券の受取書）に該当する。

（振込済みの通知書等）

4　売買代金等が預貯金の口座振替又は口座振込の方法により債権者の預貯金口座に振り込まれた場合に、当該振込みを受けた債権者が債務者に対して預貯金口座への入金があった旨を通知する「振込済みのお知らせ」等と称する文書は、第17号文書（金銭の受取書）に該当する。

（受領事実の証明以外の目的で作成される文書）

5　金銭又は有価証券の受取書は、その作成者が金銭又は有価証券の受領事実を証明するために作成するものをいうのであるから、文書の内容が間接的に金銭又は有価証券の受領事実を証明する効果を有するものであっても、作成者が受領事実の証明以外の目的で作成したもの（例えば手形割引料計算書、預金払戻請求書等）は、第17号文書（金銭又は有価証券の受取書）に該当しない。

（受取金引合通知書、入金記帳案内書）

6　従業員が得意先において金銭を受領した際に受取書を交付し、又は判取帳若しくは通帳にその受領事実を証明し、その後において事業者が受取金引合通知書又は入金記帳案内書等を発行した場合における当該通知書又は案内書等で、当該金銭の受領事実を証明するものは、第17号文書（金銭の受取書）に該当するものとして取り扱う。

（入金通知書、当座振込通知書）

7　銀行が被振込人に対し交付する入金通知書、当座振込通知書又は当座振込報告書等は、課税文書に該当しない。

なお、被振込人あてのものであっても、振込人に対して交付するものは、第17号文書（金銭の受取書）に該当することに留意する。

（銀行間で作成する手形到着報告書）

8　手形取立ての依頼をした仕向け銀行が被仕向け銀行にその手形を送付した場合に、被仕向け銀行が仕向け銀行に交付する手形到着報告書で、手形を受領した旨の記載があるものは、第17号文書（有価証券の受取書）に該当する。

（不渡手形受取書）

9　不渡手形を受け取った場合に作成する受取書は、第17号文書（有価証券の受取書）に該当する。

（現金販売の場合のお買上票等）

10　商店が現金で物品を販売した場合に買受人に交付するお買上票等と称する文書で、当該文書の記載文言により金銭の受領事実が明らかにされているもの又は金銭登録機によるもの若しくは特に当事者間において受取書としての了解があるものは、第17号文書（金銭の受取書）に該当するものとして取り扱う。

（支払通知書受領書等）

11　文書の受取書であるような形式をとる「支払通知書受領書」等と称する文書であっても、金銭又は有価証券の受領事実を証明するために作成するものは、第17号文書（金銭又は有価証券の受取書）に該当する。

また、金銭等の支払者が作成するような形式をとる「支払通知書控」等と称する文書であっても、金銭又は有価証券を受領するに際し、その受取人から支払人に交付する文書であることが明らかなものは、第17号文書（金銭又は有価証券の受取書）に該当する。

（資産を使用させることによる対価の意義）

12　「資産を使用させることによる対価」とは、例えば土地や建物の賃貸料、建設機械のリース料、貸付金の利息、著作権・特許権等の無体財産権の使用料等、不動産、動産、無体財産権その他の権利を他人に使わせることの対価をいう。

なお、債務不履行となった場合に発生する遅延利息は、これに含まれないのであるから留意する。

（資産に係る権利を設定することによる対価の意義）

13　「資産に係る権利を設定することによる対価」とは、例えば家屋の賃貸借契約に当たり支払われる権利金のように、資産を他人に使用させるに当たり、当該資産について設定される権利の対価をいう。

なお、家屋の賃貸借契約に当たり支払われる敷金、保証金等と称されるものであっても、後日返還されないこととされている部分がある場合には、当該部分は、これに含まれるのであるから留意する。

（役務を提供することによる対価の意義）

14　「役務を提供することによる対価」とは、例えば、土木工事、修繕、運送、保管、印刷、宿泊、広告、仲介、興行、技術援助、情報の提供等、労務、便益その他のサービスを提供することの対価をいう。

（対価の意義等）

15　「対価」とは、ある給付に対する反対給付の価格をいう。したがって、反対給付に該当しないもの、例えば、借入金、担保物（担保有価証券、保証金、証拠金等）、寄託物（寄託有価証券、預貯金等）、割戻金、配当金、保険金、損害賠償金（遅延利息及び違約金を含む。）、各種補償金、出資金、租税等の納付受託金、賞金、各種返還金等は、売上代金に該当しないのであるから留意する。

（債券の意義）

16　令第28条《売上代金に該当しない対価の範囲等》第２項第１号に規定する「債券」とは、起債に係る債券をいうのであって、その権利の表示方法がいわゆる現物債であると登録債又は振替債であるとを問わない。

（為替取引における送金資金の受取書の意義）

17　令第28条第３項に規定する「為替取引における送金資金の受取書」とは、例えば、電信送金の依頼を受けた銀行が送金依頼人に対し作成交付する送金資金の受取書をいう。

（有価証券の受取書の記載金額）

18　小切手等の有価証券を受け取る場合の受取書で、受取に係る金額の記載があるものについては当該金額を、また、第17号の２文書に該当する有価証券の受取書で、受取に係る金額の記載がなく当該有価証券の券面金額の記載があるものについては当該金額を、それぞれ記載金額として取り扱う。

なお、売上代金に係る有価証券の受取書について通則４のホの㈢の規定が適用される場合は、当該規定に定めるところによるのであるから留意する。

（共同企業体と構成員の間で作成する受取書）

19　共同施工方式（構成員が資金、労務、機械等を出資し、合同計算により工事等を共同施工する方式）をとる共同企業体とその構成員との間において金銭等を授受する場合に作成する受取書の取扱いは、次による。

⑴　共同企業体が作成する受取書

イ　出資金（費用分担金と称するものを含む。）を受け取る場合に作成する受取書は、営業に関しないものとして取り扱う。

ロ　構成員に金銭等の受領を委託し、構成員から当該委託に基づく金銭等を受け取る場合に作成する受取書は、金銭等を受け取る原因が売上代金であるかどうかにより、第17号の１文書（売上代金に係る金銭又は有価証券の受取書）又は第17号の２文書（売上代金以外の金銭又は有価証券の受取書）に該当する。

⑵　構成員が作成する受取書

イ　利益分配金又は出資金の返れい金を受け取る場合に作成する受取書は、第17号の２文書（売上代金以外の金銭又は有価証券の受取書）に該当する。

ロ　共同企業体から金銭等の支払の委託を受けた構成員が、当該委託に基づく金銭等を受け取る場合に作成する受取書は、金銭等を支払う原因が売上代金であるかどうかにより、第17号の１文書（売上代金に係る金銭又は有価証券の受取書）又は第17号の２文書（売上代金以外の金銭又は有価証券の受取書）に該当する。

（相殺の事実を証明する領収書）

20　売掛金等と買掛金等とを相殺する場合において作成する領収書等と表示した文書で、当該文書に相殺による旨を明示しているものについては、第17号文書（金銭の受取書）に該当しないものとして取り扱う。

また、金銭又は有価証券の受取書に相殺に係る金額を含めて記載してあるものについては、当該文書の記載事項により相殺に係るものであることが明らかにされている金額は、記載金額として取り扱わないものとする。

（利益金又は剰余金の分配をすることができる法人）

21　「会社以外の法人で、法令の規定又は定款の定めにより利益金又は剰余金の配当又は分配をすることができることとなっているもの」には、おおむね次に掲げる法人がこれに該当する。

⑴　貸家組合、貸家組合連合会

(2) 貸室組合、貸室組合連合会
(3) 事業協同組合、事業協同組合連合会
(4) 事業協同小組合、事業協同小組合連合会
(5) 火災共済協同組合、火災共済協同組合連合会
(6) 信用協同組合、信用協同組合連合会
(7) 企業組合
(8) 協業組合
(9) 塩業組合
(10) 消費生活協同組合、消費生活協同組合連合会
(11) 農林中央金庫
(12) 信用金庫、信用金庫連合会
(13) 労働金庫、金働金庫連合会
(14) 商店街振興組合、商店街振興組合連合会
(15) 船主相互保険組合
(16) 輸出水産業協同組合
(17) 漁業協同組合、漁業協同組合連合会
(18) 漁業生産組合
(19) 水産加工業協同組合、水産加工業協同組合連合会
(20) 共済水産業協同組合連合会
(21) 森林組合、森林組合連合会
(22) 蚕糸組合
(23) 農業協同組合、農業協同組合連合会
(24) 農事組合法人
(25) 貿易連合
(26) 相互会社
(27) 労働者協同組合（特定労働者協同組合を除く。）、労働者協同組合連合会（出資のあるものに限る。以下同じ。）
(28) 輸出組合（出資のあるものに限る。以下同じ。）、輸入組合
(29) 商工組合、商工組合連合会
(30) 生活衛生同業組合、生活衛生同業組合連合会

（注） ここに掲げる以外の法人については、当該法人に係る法令の規定又は定款の定めにより判断する必要がある。

（公益法人が作成する受取書）

22 公益法人が作成する受取書は、収益事業に関して作成するものであっても、営業に関しない受取書に該当する。

（人格のない社団の作成する受取書）

23 公益及び会員相互間の親睦等の非営利事業を目的とする人格のない社団が作成する受取書は、営業に関しない受取書に該当するものとし、その他の人格のない社団が収益事業に関して作成する受取書は、営業に関しない受取書に該当しないものとする。

（農業従事者等が作成する受取書）

24 店舗その他これらに類する設備を有しない農業、林業又は漁業に従事する者が、自己の生産物の販売に関して作成する受取書は、営業に関しない受取書に該当する。

（医師等の作成する受取書）

25 医師、歯科医師、歯科衛生士、歯科技工士、保健師、助産師、看護師、あん摩・マッサージ・指圧師、はり師、きゅう師、柔道整復師、獣医師等がその業務上作成する受取書は、営業に関しない受取書として取り扱う。

（弁護士等の作成する受取書）

26 弁護士、弁理士、公認会計士、計理士、司法書士、行政書士、税理士、中小企業診断士、不動産鑑定士、土地家屋調査士、建築士、設計士、海事代理士、技術士、社会保険労務士等がその業務上作成する受取書は、営業に関しない受取書として取り扱う。

（法人組織の病院等が作成する受取書）

27 営利法人組織の病院等又は営利法人の経営する病院等が作成する受取書は、営業に関しない受取書に該当しない。

なお、医療法（昭和23年法律第205号）第39条に規定する医療法人が作成する受取書は、営業に関しない受取書に該当する。

（受取金額の記載中に営業に関するものと関しないものとがある場合）

28 記載金額が５万円以上の受取書であっても、内訳等で営業に関するものと関しないものとが明確に区分できるもので、営業に関するものが５万円未満のものは、記載金額５万円未満の受取書として取り扱う。

（租税過誤納金等の受取書）

29 国税及び地方税の過誤納金とこれに伴う還付加算金を受領（納税者等の指定する金融機関から支払を受ける場合を含む。）する際に作成する受取書は、課税しないことに取り扱う。

（返還を受けた租税の担保の受取書）

30 租税の担保として提供した金銭又は有価証券の返還を受ける際に作成する受取書は、課税しないことに取り扱う。

（返還された差押物件の受取書）

31 差押物件の返還を受ける際に作成する受取書は、課税しないことに取り扱う。

（株式払込金領収証又は株式申込受付証等）

32 株式払込金（株式申込証拠金を含む。）領収証又はこれに代えて発行する株式申込受付証並びに出資金領収証で、直接会社が作成するものは営業に関しない受取書に該当するものとし、募集及び払込取扱業者が作成するものは営業に関しない受取書に該当しないものとして取り扱う。

（災害義えん金の受取書）

33 新聞社、放送局等が、災害その他の義えん金の募集に関して作成する受取書は、課税しないことに取り扱う。

（取次票等）

34 金融機関が得意先から送金又は代金の取立て等の依頼を受け、金銭又は有価証券を受領した場合に作成する「取次票」、「預り証」等は、第17号文書（金銭又は有価証券の受取書）に該当するのであるから留意する。

（担保預り証書）

35　金銭又は有価証券を担保として受け入れたことを内容とする担保品預り証書等は、第17号文書（金銭又は有価証券の受取書）に該当するのであるから留意する。

第18号文書

預貯金通帳、信託行為に関する通帳、銀行若しくは無尽会社の作成する掛金通帳、生命保険会社の作成する保険料通帳又は生命共済の掛金通帳

（預貯金通帳の意義）

1　「預貯金通帳」とは、法令の規定による預金又は貯金業務を行う銀行その他の金融機関等が、預金者又は貯金者との間における継続的な預貯金の受払い等を連続的に付け込んで証明する目的で作成する通帳をいう。

（勤務先預金通帳）

2　会社等が労働基準法第18条《強制貯金》第４項又は船員法第34条《貯蓄金の管理等》第３項に規定する預金を受け入れた場合に作成する勤務先預金通帳は、第18号文書（預貯金通帳）に該当するのであるから留意する。

（当座勘定入金帳）

3　当座預金への入金の事実のみを付け込んで証明するいわゆる当座勘定入金帳（付け込み時に当時預金勘定への入金となる旨が明らかにされている集金用の当座勘定入金帳を含む。）は、第18号文書（預貯金通帳）として取り扱う。

（現金自動預金機専用通帳）

4　現金自動預金機を設置する金融機関が、当該現金自動預金機の利用登録をした顧客にあらかじめ専用のとじ込み用表紙を交付しておき、利用の都度現金自動預金機から打ち出される預入年月日、預入額、預入後の預金残額、口座番号及びページ数その他の事項を記載した紙片を順次専用のとじ込み用表紙に編てつすることとしているものは、その全体を第18号文書（預貯金通帳）として取り扱う。

（所得税法第９条第１項第２号に規定する預貯金に係る預貯金通帳の範囲）

5　「所得税法第９条第１項第２号《非課税所得》に規定する預貯金に係る預貯金通帳」とは、いわゆるこども銀行の代表者名義で預け入れる預貯金に係る預貯金通帳をいう。

（こども銀行の作成する預貯金通帳）

6　いわゆるこども銀行の作成する預貯金通帳等と称する通帳は、課税文書に該当しないものとして取り扱う。

（非課税となる普通預金通帳の範囲）

7　令第30条《非課税となる普通預金通帳の範囲》に規定する「所得税法（昭和40年法律第33号）第10条《障害者等の少額預金の利子所得等の非課税》の規定によりその利子につき所得税が課税されないこととなる普通預金に係る預金通帳」とは、預金者が同条に規定する非課税貯蓄申告書を提出し、かつ、預け入れの際、同条に規定する非課税貯蓄申込書を提出して預け入れた普通預金に係る普通預金通帳（勤務先預金通帳のうち預金の払戻しが自由にできるものを含む。）で、当該預金の元本が同条第１項に規定する最高限度額を超えないものをいう。

なお、当該預金通帳に係る普通預金の元本が同項に規定する最高限度額を超える付け込みをした場合は、当該付け込みをした時に課税となる普通預金通帳を作成したものとして取り扱うが、当該普通預金通帳については、そのとき以降１年間は当該元本が再び同項に規定する最高限度額を超えることとなっても、これを新たに作成したものとはみなさないこととして取り扱う。

（信託行為に関する通帳の意義）

8　「信託行為に関する通帳」とは、信託会社が、信託契約者との間における継続的財産の信託関係を連続的に付け込んで証明する目的で作成する通帳をいう。

（銀行又は無尽会社の作成する掛金通帳の意義）

9　「銀行又は無尽会社の作成する掛金通帳」とは、銀行又は無尽会社が、掛金契約者又は無尽掛金契約者との間における掛金又は無尽掛金の受領事実を連続的に付け込んで証明する目的で作成する通帳をいう。

（日掛記入帳）

10　銀行が、掛金の契約者から掛金を日掛けで集金し、一定時期に掛金に振り替えることとしている場合において、当該掛金の払込み事実を証明するため作成する日掛記入帳は、掛金通帳として取り扱う。

（生命保険会社の作成する保険料通帳の意義）

11　「生命保険会社の作成する保険料通帳」とは、生命保険会社が、保険契約者との間における保険料の受領事実を連続的に付け込んで証明する目的で作成する通帳をいう。

（生命共済の掛金通帳の範囲）

12　令第29条《生命共済の掛金通帳の範囲》に規定する「死亡又は生存を共済事故とする共済」とは、人の死亡若しくは生存のみを共済事故とする共済又は人の死亡若しくは生存と人の廃疾若しくは傷害等とを共済事故とする共済（以下「生命事故共済」という。）をいい、同条に規定する者が作成するこれらの掛金通帳は、第18号文書（生命共済の掛金通帳）に該当する。

なお、生命事故共済の掛金と生命事故共済以外の共済の掛金とを併せ付け込む通帳は、第19号文書に該当するのであるから留意する。

第19号文書

第１号、第２号、第14号又は第17号に掲げる文書により証されるべき事項を付け込んで証明する目的をもって作成する通帳（前号に掲げる通帳を除く。）

（第19号文書の意義及び範囲）

1　第19号文書とは、課税物件表の第１号、第２号、第14号又は第17号の課税事項のうち１又は２以上を付け込み証明する目的で作成する通帳で、第18号文書に該当しないものをいい、これら以外の事項を付け込み証明する目的で作成する通帳は、第18号文書に該当するものを除き、課税文書に該当しないのであるから留意する。

（金銭又は有価証券の受取通帳）

2　金銭又は有価証券の受領事実を付け込み証明する目的で作成する受取通帳は、当該受領事実が営業に関しないもの又は当該付け込み金額のすべてが５万円未満のものであっても、課税文書に該当するのであるから留意する。

（入金取次帳）

3　金融機関の外務員が得意先から預金として金銭を受け入れる場合に、当該受入事実を連続的に付け込み証明する目的で作成する入金取次帳等は、第19号文書に該当する。

（クレジット代金等の支払通帳）

4　クレジット会社等から顧客に対する債権の受領業務を委託されている金融機関が、当該債権の受領事実を連続的に付け込み証明するために作成する通帳は、第19号文書に該当する。

（積金通帳）

5　積金通帳（積金に入金するための掛金を日割で集金し、一定期日に積金に振り替えることとしている場合の日掛通帳を含む。）は、課税文書に該当しないことに取り扱う。

（授業料納入袋）

6　私立学校法（昭和24年法律第270号）第２条《定義》に規定する私立学校又は各種学校若しくは学習塾等がその学生、生徒、児童又は幼児から授業料等を徴するために作成する授業料納入袋、月謝袋等又は学生証、身分証明書等で、授業料等を納入の都度その事実を裏面等に連続して付け込み証明するものは、課税しないことに取り扱う。

第20号文書

判　取　帳

（判取帳の範囲）

1　「判取帳」とは、課税物件表の第１号、第２号、第14号又は第17号の課税事項につき２以上の相手方から付け込み証明を受ける目的をもって作成する帳簿をいうのであるから、これら以外の事項につき２以上の相手方から付け込み証明を受ける目的をもって作成する帳簿は、課税文書に該当しない。

（金銭又は有価証券の判取帳）

2　金銭又は有価証券の受領事実を付け込み証明する目的で作成する判取帳は、当該受領事実が営業に関しないもの又は当該付け込み金額のすべてが５万円未満であっても、課税文書に該当するのであるから留意する。

（諸給与一覧表等）

3　事業主が従業員に対し諸給与の支払をした場合に、従業員の支給額を連記して、これに領収印を徴する諸給与一覧表等は、課税しないことに取り扱う。

（団体生命保険契約の配当金支払明細書）

4　きょ出制（加入者各自が保険料を負担するもの）の団体生命保険契約に基づいて、配当金を団体の代表者が受領し、これを加入者各人に分配する際にその配当金の受領事実を証明する目的で加入者から受領印を徴する配当金支払明細書は、課税しないことに取り扱う。

非課税文書

非課税法人の表、非課税文書の表及び特別法の非課税関係

（非課税法人の範囲）

1　非課税法人の表の非課税法人には、当該非課税法人の業務の委託を受けた者は、含まないのであるから留意する。

（国庫金の取扱いに関する文書の意義等）

2　非課税文書の表の「国庫金の取扱いに関する文書」とは、日本銀行国庫金取扱規程（昭和22年大蔵省令第93号）の規定に基づき、日本銀行（本店、支店及び代理店）が国庫金の出納に関して作成する文書をいい、国庫金とは、単に国の所有に属する現金だけではなく、保管金等政府の保管に属する現金を含む。

なお、国庫金の取扱いを行うことについての日本銀行と金融機関との間の契約書は、国庫金の取扱いに関する文書として取り扱う。

(注)　法令の規定に基づき、国税や国民年金保険料等（以下この項において「国税等」という。）の納付を受託することについて指定を受けている者（以下この項において「納付受託者」という。）が、国税等の納付を当該納付受託者に委託しようとする者（以下この項において「委託者」という。）から国税等の額に相当する金銭の交付を受けたときに、当該納付受託者が当該委託者に対して交付する金銭の受取書は、国庫金の取扱いに関する文書に含まれる。

（公金の取扱いに関する文書の意義等）

3　非課税文書の表の「公金の取扱いに関する文書」とは、地方自治法の規定に基づく指定金融機関、指定代理金融機関、収納代理金融機関等が公金の出納に関して作成する文書をいい、公金とは、単に地方公共団体の所有に属する現金だけではなく、保管金等地方公共団体の保管に属する現金を含む。

なお、公金の取扱いを行うことについての地方公共団体と金融機関等との間の契約書は、公金の取扱いに関する文書として取り扱う。

(注)　法令の規定に基づき、地方公共団体から地方税や水道料金等（以下この項において「地方税等」という。）の収納の事務の委託を受けた者（以下この項において「受託者」という。）が、地方税等を納付しようとする者（以下この項において「支払者」という。）から、地方税等の交付を受けたときに、当該受託者が当該支払者に対して交付する金銭の受取書は、公金の取扱いに関する文書に含まれる。

（独立行政法人日本学生支援機構法第13条第１項第１号に規定する学資の貸与に係る業務に関する文書の範囲）

4　非課税文書の表の「独立行政法人日本学生支援機構法（平成15年法律第94号）第13条第１項第１号《業務の範囲》に規定する学資の貸与に係る業務に関する文書」とは、独立行政法人日本学生支援機構の行う学資の貸与に関する文書に限られるのであって、都道府県、市町村等が高等学校、大学等の生徒、学生等を対象として育英資金を貸し付ける場合に作成する文書を含まない。

(注)　都道府県、市町村等が高等学校、大学等の生徒、学生に対して無利息で学資資金を貸し付ける場合に作成する第１号の３文書（消費貸借に関する契約書）に該当する文書については、租税特別措置法（昭和32年法律第26号）第91条の３《都道府県が行う高等学校の生徒に対する学資としての資金の貸付けに係る消費貸借契約書等の印紙税の非課税》の規定の適用がある場合には、当該規定に定めるところによるのであるか

ら留意する。

（婦人更生資金の貸付けに関する文書）

5　地方公共団体が、売春防止法（昭和31年法律第118号）第34条《婦人相談所》第３項に規定する要保護女子に対して、婦人更生資金を貸し付ける場合に作成する文書は、非課税文書の表の「社会福祉法」（昭和26年法律第45号）第２条第２項第７号《定義》に規定する生計困難者に対して無利子又は低利で資金を融通する事業による貸付金に関する文書」として取り扱う。

（日本私立学校振興・共済事業団等がその組合員に対して住宅貸付けを行う場合に作成する文書）

6　日本私立学校振興・共済事業団、国家公務員共済組合、国家公務員共済組合連合会、地方公務員共済組合又は全国市町村職員共済組合連合会が、当該組合等の組合員等に対して住宅貸付けを行う場合に作成する金銭消費貸借契約公正証書は、非課税文書の表の「私立学校教職員共済法（昭和28年法律第245号）第26条第１項第３号《福祉事業》、国家公務員共済組合法（昭和33年法律第128号）第98条第３号《福祉事業》又は地方公務員等共済組合法（昭和37年法律第152号）第112条第１項第２号《福祉事業》の貸付けに関する文書」として取り扱う。

（金融機関等が作成する自動車損害賠償責任保険に関する保険料受取書）

7　自動車損害賠償保障法（昭和30年法律第97号）に定める自動車損害賠償責任保険の保険者（以下「保険会社」という。）の代理店及び保険料収納取扱者として当該保険会社の指定金融機関が、自動車損害賠償責任保険に関して作成する保険料受取書は、非課税文書に該当しない。

（国民健康保険の業務運営に関する文書の範囲）

8　非課税文書の表の「国民健康保険法に定める国民健康保険の業務運営に関する文書」には、国民健康保険組合又は国民健康保険組合連合会の所有する不動産を譲渡する場合の契約書等を含まない。

（健康保険に関する書類の範囲）

9　健康保険法（大正11年法律第70号）第195条《印紙税の非課税》に規定する「健康保険に関する書類」には、保険施設事業の実施に関する文書、同法第150条に規定する事業の施設の用に供する不動産等の取得等に関する文書及び組合又は連合会の事務所等の用に供するための不動産の取得等に関する文書を含まない。

（農業保険に関する書類の意義等）

10　農業保険法（昭和22年法律第185号）第９条《印紙税の非課税》に規定する「農業保険に関する書類」とは、農業共済組合若しくは農業共済組合連合会又は市町村（特別区を含む。）の行う農業共済事業若しくは農業共済責任保険事業又は農業経営収入保険事業及び政府の行う再保険事業又は保険事業に直接関係する文書をいう。

（納税貯蓄組合の業務に関する書類の意義等）

11　納税貯蓄組合法（昭和26年法律第145号）第９条《印紙税の非課税》に規定する「納税貯蓄組合の業務に関する書類」とは、納税貯蓄組合又は納税貯蓄組合連合会が、租税の容易かつ確実な納付に資するために行う業務に直接関係する文書をいう。

（漁船損害等補償に関する書類の意義）

12 漁船損害等補償法（昭和27年法律第28号）第10条《印紙税の非課税》に規定する「漁船損害等補償に関する書類」とは、漁船保険組合が行う漁船保険事業、漁船船主責任保険事業又は漁船積荷保険事業及び政府の行う再保険事業に関する文書をいう。

（額面株式の株券の無効手続に伴い作成する株券の届出）

13 商法等の一部を改正する等の法律の施行に伴う関係法律の整備に関する法律（平成13年法律第80号。以下「商法等整備法」という。）第48条第２項《印紙税法の一部改正等に伴う経過措置》の規定の適用を受けようとする場合における額面株式の株券の無効手続に伴い作成する株券に係る印紙税の非課税に関する省令（平成13年財務省令第56号）第１項に規定する届出書の様式は、別表第３に定めるところによる。

なお、商法等整備法第48条第２項に規定する「当該株券を発行しようとする場所」の判定にあたっては、第80条の規定を準備することとして差し支えない。

別表第２

重要な事項の一覧表

第12条《契約書の意義》、第17条《契約の内容の変更の意義等》、第18条《契約の内容の補充の意義等》及び第38条《追記又は付け込みの範囲》の「重要な事項」とは、おおむね次に掲げる文書の区分に応じ、それぞれ次に掲げる事項（それぞれの事項と密接に関連する事項を含む。）をいう。

１ 第１号の１文書
第１号の２文書のうち、地上権又は土地の賃借権の譲渡に関する契約書
第15号文書のうち、債権譲渡に関する契約書

⑴ 目的物の内容
⑵ 目的物の引渡方法又は引渡期日
⑶ 契約金額
⑷ 取扱数量
⑸ 単価
⑹ 契約金額の支払方法又は支払期日
⑺ 割戻金等の計算方法又は支払方法
⑻ 契約期間
⑼ 契約に付される停止条件又は解除条件
⑽ 債務不履行の場合の損害賠償の方法

２ 第１号の２文書のうち、地上権又は土地の賃借権の設定に関する契約書

⑴ 目的物又は被担保債権の内容
⑵ 目的物の引渡方法又は引渡期日
⑶ 契約金額又は根抵当権における極度金額
⑷ 権利の使用料

(5)　契約金額又は権利の使用料の支払方法又は支払期日
(6)　権利の設定日若しくは設定期間又は根抵当権における確定期日
(7)　契約に付される停止条件又は解除条件
(8)　債務不履行の場合の損害賠償の方法

3　第1号の3文書

(1)　目的物の内容
(2)　目的物の引渡方法又は引渡期日
(3)　契約金額（数量）
(4)　利率又は利息金額
(5)　契約金額（数量）又は利息金額の返還（支払）方法又は返還（支払）期日
(6)　契約期間
(7)　契約に付される停止条件又は解除条件
(8)　債務不履行の場合の損害賠償の方法

4　第1号の4文書
第2号文書

(1)　運送又は請負の内容（方法を含む。）
(2)　運送又は請負の期日又は期限
(3)　契約金額
(4)　取扱数量
(5)　単価
(6)　契約金額の支払方法又は支払期日
(7)　割戻金等の計算方法又は支払方法
(8)　契約期間
(9)　契約に付される停止条件又は解除条件
(10)　債務不履行の場合の損害賠償の方法

5　第7号文書

(1)　令第26条《継続的取引の基本となる契約書の範囲》各号に掲げる区分に応じ、当該各号に掲げる要件
(2)　契約期間（令第26条各号に該当する文書を引用して契約期間を延長するものに限るものとし、当該延長する期間が3か月以内であり、かつ、更新に関する定めのないものを除く。）

6　第12号文書

(1)　目的物の内容
(2)　目的物の運用の方法

(3) 収益の受益者又は処分方法
(4) 元本の受益者
(5) 報酬の金額
(6) 報酬の支払方法又は支払期日
(7) 信託期間
(8) 契約に付される停止条件又は解除条件
(9) 債務不履行の場合の損害賠償の方法

7 第13号文書

(1) 保証する債務の内容
(2) 保証の種類
(3) 保証期間
(4) 保証債務の履行方法
(5) 契約に付される停止条件又は解除条件

8 第14号文書

(1) 目的物の内容
(2) 目的物の数量（金額）
(3) 目的物の引渡方法又は引渡期日
(4) 契約金額
(5) 契約金額の支払方法又は支払期日
(6) 利率又は利息金額
(7) 寄託期間
(8) 契約に付される停止条件又は解除条件
(9) 債務不履行の場合の損害賠償の方法

9 第15号文書のうち、債務引受けに関する契約書

(1) 目的物の内容
(2) 目的物の数量（金額）
(3) 目的物の引受方法又は引受期日
(4) 契約に付される停止条件又は解除条件
(5) 債務不履行の場合の損害賠償の方法

○消費税法の改正等に伴う印紙税の取扱いについて

（平元．３．10　間消３－２（例規）
最終改正令元．７．１　課消４－55）

標題のことについては、下記によることとしたから、留意されたい。

（理由）

所得税法及び消費税法の一部を改正する法律（平成６年法律第109号）及び地方税法等の一部を改正する法律（平成６年法律第111号）の施行に伴い、消費税及び地方消費税の金額が区分記載されている場合の印紙税の記載金額等の取扱いを定めるものである。

記

1　契約書等の記載金額

印紙税法（昭和42年法律第23号。以下「法」という。）別表第１の課税物件表の課税物件欄に掲げる文書のうち、次の文書に消費税及び地方消費税の金額（以下「消費税額等」という。）が区分記載されている場合又は税込価格及び税抜価格が記載されていることにより、その取引に当たって課されるべき消費税額等が明らかである場合には、消費税額等は記載金額（法別表第１の課税物件表の適用に関する通則４に規定する記載金額をいう。以下同じ。）に含めないものとする。

⑴　第１号文書（不動産の譲渡等に関する契約書）

⑵　第２号文書（請負に関する契約書）

⑶　第17号文書（金銭又は有価証券の受取書）

（注）1　「消費税額等が区分記載されている」とは、その取引に当たって課されるべき消費税額等が具体的に記載されていることをいい、次のいずれもこれに該当することに留意する。

イ　請負金額1,100万円
　　税抜価格1,000万円　消費税額等100万円

ロ　請負金額1,100万円
　　うち消費税額等100万円

ハ　請負金額1,000万円
　　消費税額等100万円　計1,100万円

2　「税込価格及び税抜価格が記載されていることにより、その取引に当たって課されるべき消費税額等が明らかである」とは、その取引に係る消費税額等を含む金額と消費税額等を含まない金額の両方を具体的に記載していることにより、その取引に当たって課されるべき消費税額等が容易に計算できることをいい、次の場合がこれに該当することに留意する。

請負金額1,100万円
　税抜価格1,000万円

2　みなし作成の適用

第19号文書（第１号、第２号、第14号又は第17号に掲げる文書により証されるべき事項を付け込んで証明する目的をもって作成する通帳）又は第20号文書（判取帳）について、法第４条第４項《課税文書の作成とみなす場合》の規定が適用されるかどうかについては、１《契約書等の記載金額》の規定が適用される場合には、消費税額等を含めない金額で判定するものとする。

なお、消費税額等だけが付け込まれた場合は、同項の規定の適用はないものとする。

3　消費税額等のみが記載された金銭又は有価証券の受取書

消費税額等のみを受領した際に交付する金銭又は有価証券の受取書については、記載金額のない第17号の２文書（売上代金以外の金銭又は有価証券の受取書）とする。

ただし、当該消費税額等が５万円未満である場合は、非課税文書に該当するものとして取り扱う。

4　地方消費税が課されない取引

１から３に規定する文書のうち、その取引に地方消費税が課されないものについては、なお従前の例による。

○租税特別措置法（間接諸税関係）の取扱いについて（法令解釈通達）〈抄〉

（平11.６.25　課消４-24・徴管３-26
最終改正令２.４.１　課消４-16、課審８-10）

第五章　印紙税の税率軽減等措置関係

第１節　租税法第91条から第91条の４共通関係

（用語の意義）

この章において、次に掲げる用語の意義は、それぞれ次に定めるところによる。（平29課消４-７追加）

(1)　課税物件表　印紙税法（昭和42年法律第23号）別表第１の課税物件表をいう。

(2)　通則　課税物件表における課税物件表の適用に関する通則をいう。

(3)　契約書　通則５に規定する契約書をいう。

(4)　不動産の譲渡に関する契約書　課税物件表の第１号の物件名の欄１に掲げる不動産の譲渡に関する契約書をいう。

(5)　消費貸借に関する契約書　課税物件表の第１号の物件名の欄３に掲げる消費貸借に関する契約書をいう。

(6)　請負に関する契約書　課税物件表の第２号に掲げる請負に関する契約書をいう。

(7)　印紙税法基本通達　昭和52年４月７日付間消１－36ほか３課共同「印紙税法基本通達の全部改正について」の別冊をいう。

(8)　自然災害　租特法第91条の２第１項に規定する自然災害をいう。

(9)　滅失等建物等　租特令第52条第１項に規定する滅失等建物等をいう。

(10)　滅失等建物　租特法第91条の２第１項第１号に規定する滅失等建物をいう。

(11)　代替建物　租特法第91条の２第１項第３号に規定する代替建物をいう。

(12)　非課税被災者　租特法第91条の２第２項に規定する非課税被災者をいう。

(13)　指定災害　租特令第52条の３第１項第２号に規定する指定災害をいう。

(14)　公的貸付機関等　租特法第91条の４第１項に規定する公的貸付機関等をいう。

(15)　預託貸付金融機関　租特令第52条の３第１項第２号に規定する預託貸付金融機関をいう。

(16)　転貸者　租特令第52条の３第１項第４号に規定する転貸者をいう。

(17)　特別貸付け　租特令第52条の３第２項各号又は同条第５項の規定に該当する金銭の貸付けをいう。

第２節　租特法第91条《不動産の譲渡に関する契約書等に係る印紙税の税率の特例》関係

（「建設業法第２条第１項に規定する建設工事」の意義）

１　租特法第91条《不動産の譲渡に関する契約書等に係る印紙税の税率の特例》に規定する「建設業法（昭和24年法律第100号）第２条第１項《定義》に規定する建設工事（以下「建設工事」という。）」とは、同法別表第１の上欄に掲げるそれぞれの工事をいうが、当該工事の内容は、昭和47年建設省告示第350号（建設業法第２条第１項の別表の上欄に掲げる建設工事の内容）に定められているので留意する。（平29課消４－７改正）

（注）　建築物等の設計は、建設工事に該当しない。

（「契約書に記載された契約金額」の意義）

２　租特法第91条に規定する「契約書に記載された契約金額」とは、通則４に規定する記載金額をいう。（平29課消４－７改正）

（税率軽減措置の対象となる契約書の範囲）

３　租特法第91条の規定による税率軽減措置の対象となる文書に該当するか否かの判定に当たっては、次の点に留意する。（平26課消３－21、平29課消４－７改正）

（注）　文書の所属の決定及び記載金額の計算は、通則の規定により行うことに留意する。

(1)　次に掲げる契約書は租特法第91条の規定が適用される。

イ　不動産の譲渡に関する契約書と当該契約書以外の課税物件表の第１号の物件名の欄１から４に掲げる契約書とに該当する一の文書で、記載金額が10万円を超えるもの

（例）

建物及び定期借地権売買契約書（不動産の譲渡に関する契約書と土地の賃借権の譲渡に関する契約書）

ロ　建設工事の請負に係る契約に基づき作成される請負に関する契約書と建設工事以外の請負に関する契約書とに該当する一の文書で、記載金額が100万円を超えるもの

（例）

建物建設及び建物設計請負契約書

(2)　不動産の譲渡又は建設工事の請負に係る契約に関して作成される文書であっても、不動産の譲渡に関する契約書又は建設工事の請負に係る契約に基づき作成される請負に関する契約書に該当しないものは、租特法第91条の規定は適用されない。

（例）

１　不動産の譲渡代金又は建設工事代金の支払のために振り出す課税物件表の第３号に掲げる約束手形

２　不動産の譲渡代金又は建設工事代金を受領した際に作成する課税物件表の第17号に掲げる売上代金に係る金銭又は有価証券の受取書

第３節　租特法第91条の２《自然災害の被災者が作成する代替建物の取得又は新築等に係る不動産譲渡契約書等の印紙税の非課税》関係

（非課税被災者と当該非課税被災者以外の者とが共同で作成した文書の範囲）

１　租特法第91条の２第２項に規定する「非課税被災者と当該非課税被災者以外の者とが共同で作成した不動産譲渡契約書等」とは、非課税被災者が共同作成者の一員となっている

すべての不動産譲渡契約書等をいうのであるから留意する。（平29課消４－７改正）

（例）　非課税被災者（甲）と非課税被災者以外の者（乙）の共有地の売買契約書

売主　甲及び乙

買主　丙

（注）　甲、乙及び丙は、印紙税法第４条第５項に規定する「国等」に該当しない者であるものとする。

売買契約書を３通作成し、甲、乙、丙がそれぞれ１通ずつ所持する場合

甲が所持する文書　非課税

乙が所持する文書　課税

丙が所持する文書　丙が非課税被災者以外の者であるときは課税、丙が非課税被災者であるときは非課税

（滅失等建物等の「所有者」の意義）

２　租特令第52条第１項に規定する「滅失等建物等の所有者」には、建物の区分所有等に関する法律（昭和37年法律第69号）第３条に規定する団体及び同法第25条第１項の規定により選任された管理者を含む。（平29課消４－７改正）

（「分割により滅失等建物等に係る事業に関して有する権利義務を承継させた場合」の意義）

３　租特令第52条第２項第３号及び第４号に規定する「分割により滅失等建物等に係る事業に関して有する権利義務を承継させた場合」とは、法人の分割により滅失等建物等に係る権利義務を当該分割に係る分割承継法人に承継させた場合をいうのであるから留意する。（平29課消４－７改正）

（非課税措置の対象となる不動産譲渡契約書等の範囲）

４　租特法第91条の２の規定による非課税措置の対象となる文書に該当するか否かの判定に当たっては、次の点に留意する。（平29課消４－７改正）

（注）　文書の所属の決定及び記載金額の計算は、通則の規定により行うことに留意する。

(1)　被災者（租特法第91条の２第１項に規定する「被災者」をいう。（２)において同じ。）が同項各号の場合に作成する不動産の譲渡に関する契約書又は請負に関する契約書で、次に掲げるものについても、同条の規定が適用される。

イ　不動産の譲渡に関する契約書と当該契約書以外の課税物件表の第１号の物件名の欄１から４に掲げる契約書とに該当する１の文書

（例）

建物及び定期借地権売買契約書（不動産の譲渡に関する契約書と土地の賃借権の譲渡に関する契約書）

ロ　建設工事の請負に係る契約に基づき作成される請負に関する契約書と建設工事以外の請負に関する契約書とに該当する１の文書

（例）

建物建設及び建物設計請負契約書

ハ　通則３の規定により文書の所属が不動産の譲渡に関する契約書又は請負に関する契約書となったもの

ニ　契約の変更又は補充等の契約書

（注）　ハの場合、通則３の規定により所属が決定されなかった号の文書としての課税関係は生じないのであるから留意する。

(2)　被災者が租特法第91条の２第１項各号の場合に作成する文書であっても、不動産の譲渡に関する契約書又は建設工事の請負に係る契約に基づき作成される請負に関する契約書に該当しないものは、同条の規定は適用されない。

（例）

１　代替建物の取得代金又は建設工事代金の支払のために振り出す課税物件表の第３号に掲げる約束手形

２　滅失等建物が所在した土地の譲渡代金を受領した際に作成する課税物件表の第17号の物件名の欄１に掲げる売上代金に係る金銭又は有価証券の受取書

（同一の用途の判定）

5　租特令第52条第４項に規定する「滅失等建物の滅失又は損壊の直前の全部又は一部の用途と同一である建物」に該当するか否かについては、おおむね、居住の用、店舗又は事務所の用、工場の用、倉庫の用、その他の用の区分により判定する。（平29課消４－７改正）

（代替建物の判定）

6　代替建物に該当するか否かについては、租特法第91条の２第１項に規定する不動産譲渡契約書等の作成時に当該不動産譲渡契約書等その他の書面により判定する。（平29課消４－７改正）

（「不動産譲渡契約書等その他の書面により明らかにされているもの」の意義）

7　租特令第52条第４項に規定する「不動産譲渡契約書等その他の書面により明らかにされているもの」とは、次のようなもので、後日においても明らかにされるものをいう。（平29課消４－７改正）

(1)　租特法第91条の２第１項に規定する不動産譲渡契約書等に代替建物に該当する旨が記載されているもの

(2)　その他の書面の記載内容等により代替建物に該当することが確認できるもの

（例）

１　滅失等建物に係る登記事項証明書（不動産登記）に記載されている建物の種類が「居宅」であり、「工事名　○○邸新築」等と記載された見積書、契約書、設計書又は仕様書等により、代替建物に該当することが確認できるもの

２　主務大臣の発行する「被災建物の代替建物であることの証明書」等により、代替建物に該当することが確認できるもの

第４節　租特法第91条の３《都道府県が行う高等学校の生徒に対する学資としての資金の貸付けに係る消費貸借契約書等の印紙税の非課税》関係

（無利息で行う学資としての資金の貸付けの範囲）

1　学資資金の貸付け（租特法第91条の３《都道府県が行う高等学校の生徒に対する学資としての資金の貸付けに係る消費貸借契約書等の印紙税の非課税》に規定する「無利息で行う学資としての資金の貸付け」をいう。以下同じ。）の債務者は、同条に規定する生徒又は学生に限られ、保護者など生徒本人以外の者が債務者である場合（連帯保証人又は保証人としての債務者である場合を除く。）は、同条の規定の適用はないことに留意する。（平17課消３-14、平28課消３-11、平29課消４－７改正）

（高等学校等の生徒に対して無利息で行う学資としての資金の貸付けに係る消費貸借契約書等の範囲）

2　租特法第91条の３に規定する「消費貸借に関する契約書」については、例えば、次に掲げる文書のように高等学校等への入学前又は卒業後に作成されるものであっても、学資資金の貸付けについて作成されるものは同条の規定の適用があることに留意する。（平17課消３-14追加、平29課消４－７改正）

(1)　学資資金の貸付けを受けることとなった高等学校等への入学予定者が、入学前に作成する消費貸借に関する契約書

(2)　高等学校等に在学中に学資資金の貸付けを受けた者が、卒業後に当該資金の借入金額を確認した上で、返済方法等を定めるために作成する消費貸借に関する契約書

(3)　高等学校等に在学中に学資資金の貸付けを受けた者が、当該資金の返済が一時困難になったこと等からその返済の猶予を受ける場合に、新たな返済方法等を定めるために作成する消費貸借に関する契約書

第５節　租特法第91条の４《特別貸付けに係る消費貸借契約書の印紙税非課税》関係

（「災害により被害を受けた者」の意義）

1　租特法第91条の４第１項に規定する「災害により被害を受けた者」には、指定災害により直接の被害を受けた者のほか、取引先が指定災害により被災したことにより売上げの減少又は売掛債権の固定化等で被害を受けた、いわゆる「間接被害者」を含む。（平29課消４－７追加）

（注）　租特法第91条の４第２項に規定する「災害の被災者」には、いわゆる間接被害者を含まないのであるから留意する。

（「他の金銭の貸付け」の意義）

2　租特令第52条の３第２項第３号イ又は同項第５号イに規定する「他の金銭の貸付け」には、預託貸付金融機関又は転貸者が独自に設けている貸付制度の下で行われる金銭の貸付けを含まない。（平29課消４－７追加）

（非課税措置の対象となる消費貸借契約書の範囲）

3　租特法第91条の４の規定による非課税措置の対象となる文書に該当するか否かの判定

に当たっては、次の点に留意する。（平29課消４－７追加）

(1)　特別貸付けに係る金銭の消費貸借に関する契約書で、次に掲げるものについても、租特法第91条の４の規定が適用される。

イ　指定災害の被害者と他の者とが共同して作成するもの又は指定災害の被害者以外の者が作成者となるもの（例えば、公的貸付機関等又は公的貸付機関等から事務の代理を受けた者が作成者となるもの）

ロ　通則３の規定により文書の所属が消費貸借に関する契約書となったもの

ハ　特別に有利な条件が適用される限度額を超えて融資を受ける場合の当該融資に係る消費貸借に関する契約書

ニ　契約の変更又は補充等の契約書

（注）　ロの場合、通則３の規定により所属が決定されなかった号の文書としての課税関係は生じないのであるから留意する。

(2)　特別貸付けに関して作成される文書であっても、次のものには租特法第91条の４の規定が適用されない。

イ　消費貸借に関する契約書に該当しないもの（例えば、手形貸付けの場合の課税物件表の第３号に掲げる約束手形、同表の第13号に掲げる債務の保証に関する契約書等）

ロ　地方公共団体（租特令第52条の３第１項第３号に規定する地方公共団体をいう。）が、支援事業者（同号に規定する支援事業者をいう。）に対して行う資金の貸付けに係る消費貸借に関する契約書

ハ　沖縄振興開発金融公庫等（租特令第52条の３第１項第４号に規定する沖縄振興開発金融公庫等をいう。）が、転貸者に対して行う金銭の貸付けに係る消費貸借に関する契約書

（注）　指定災害が発生した日前に締結された消費貸借契約については、当該指定災害に起因して返済期限等の変更を約する契約書であっても、租特法第91条の４の規定は適用されないのであるから留意する。

（非課税措置の対象となる特別貸付けの範囲）

4　指定災害により被害を受けた者以外の者も対象とした既存の貸付制度の下で、指定災害により被害を受けた者であることを理由として有利な条件で行う金銭の貸付けは、租特法第91条の４の規定による非課税措置の対象となる特別貸付けに該当しないことに留意する。（平29課消４－７追加）

【参考１】建設業法（抜粋）（昭24．５．24　法律第100号）

（定義）

第２条　この法律において「建設工事」とは、土木建築に関する工事で別表第１の上欄に掲げるものをいう。

２　この法律において「建設業」とは、元請、下請その他いかなる名義をもってするかを問わず、建設工事の完成を請け負う営業をいう。

３　この法律において「建設業者」とは、第３条第１項の許可を受けて建設業を営む者をいう。

４　この法律において「下請契約」とは、建設工事を他の者から請け負った建設業を営む者と他の建設業を営む者との間で当該建設工事の全部又は一部について締結される請負契約をいう。

５　この法律において「発注者」とは、建設工事（他の者から請け負ったものを除く。）の注文者をいい、「元請負人」とは、下請契約における注文者で建設業者であるものをいい、「下請負人」とは、下請契約における請負人をいう。

別表第１

土木一式工事	土木工事業
建築一式工事	建築工事業
大工工事	大工工事業
左官工事	左官工事業
とび・土工・コンクリート工事	とび・土工工事業
石工事	石工事業
屋根工事	屋根工事業
電気工事	電気工事業
管工事	管工事業
タイル・れんが・ブロック工事	タイル・れんが・ブロック工事業
鋼構造物工事	鋼構造物工事業
鉄筋工事	鉄筋工事業
舗装工事	舗装工事業
しゅんせつ工事	しゅんせつ工事業
板金工事	板金工事業
ガラス工事	ガラス工事業
塗装工事	塗装工事業
防水工事	防水工事業
内装仕上工事	内装仕上工事業
機械器具設置工事	機械器具設置工事業
熱絶縁工事	熱絶縁工事業
電気通信工事	電気通信工事業
造園工事	造園工事業
さく井工事	さく井工事業
建具工事	建具工事業
水道施設工事	水道施設工事業

消防施設工事	消防施設工事業
清掃施設工事	清掃施設工事業
解体工事	解体工事業

【参考２】建設業法第２条第１項の別表の上欄に掲げる建設工事の内容（昭47．３．８　建設省告示第350号）（平成26年国土交通省告示第1193号）

建設業法（昭和24年法律第100号）第２条第１項の別表の上欄に掲げる建設工事の内容を次のとおり告示する。ただし、その効力は昭和47年４月１日から生ずるものとする。

建設工事の種類	建　設　工　事　の　内　容
土木一式工事	総合的な企画、指導、調整のもとに土木工作物を建設する工事（補修、改造又は解体する工事を含む。以下同じ。）
建築一式工事	総合的な企画、指導、調整のもとに建築物を建設する工事
大工工事	木材の加工又は取付けにより工作物を築造し、又は工作物に木製設備を取付ける工事
左官工事	工作物に壁土、モルタル、漆くい、プラスター、繊維等をこて塗り、吹付け、又ははり付ける工事
とび・土工・コンクリート工事	イ　足場の組立て、機械器具・建設資材等の重量物の運搬配置、鉄骨等の組立て等を行う工事 ロ　くい打ち、くい抜き及び場所打ぐいを行う工事 ハ　土砂等の掘削、盛上げ、締固め等を行う工事 ニ　コンクリートにより工作物を築造する工事 ホ　その他基礎的ないしは準備的工事
石工事	石材（石材に類似のコンクリートブロック及び擬石を含む。）の加工又は積方により工作物を築造し、又は工作物に石材を取付ける工事
屋根工事	瓦、スレート、金属薄板等により屋根をふく工事
電気工事	発電設備、変電設備、送配電設備、構内電気設備等を設置する工事
管工事	冷暖房、冷凍冷蔵、空気調和、給排水、衛生等のための設備を設置し、又は金属製等の管を使用して水、油、ガス、水蒸気等を送配するための設備を設置する工事
タイル・れんが・ブロック工事	れんが、コンクリートブロック等により工作物を築造し、又は工作物にれんが、コンクリートブロック、タイル等を取付け、又ははり付ける工事
鋼構造物工事	形鋼、鋼板等の鋼材の加工又は組立てにより工作物を築造する工事
鉄筋工事	棒鋼等の鋼材を加工し、接合し、又は組立てる工事
舗装工事	道路等の地盤面をアスファルト、コンクリート、砂、砂利、砕石等によりほ装する工事
しゅんせつ工事	河川、港湾等の水底をしゅんせつする工事
板金工事	金属薄板等を加工して工作物を取付け、又は工作物に金属製等の付属物を取付ける工事
ガラス工事	工作物にガラスを加工して取付ける工事
塗装工事	塗料、塗材等を工作物に吹付け、塗付け、又ははり付ける工事
防水工事	アスファルト、モルタル、シーリング材等によって防水を行う工事

内装仕上工事	木材、石膏ボード、吸音板、壁紙、たたみ、ビニール床タイル、カーペット、ふすま等を用いて建築物の内装仕上げを行う工事
機械器具設置工事	機械器具の組立て等により工作物を建設し、又は工作物に機械器具を取付ける工事
熱絶縁工事	工作物又は工作物の設備を熱絶縁する工事
電気通信工事	有線電気通信設備、無線電気通信設備、放送機械設備、データ通信設備等の電気通信設備を設置する工事
造園工事	整地、樹木の植栽、景石のすえ付け等により庭園、公園、緑地等の苑地を築造し、道路、建築物の屋上等を緑化し、又は植生を復元する工事
さく井工事	さく井機械等を用いてさく孔、さく井を行う工事又はこれらの工事に伴う揚水設備設置等を行う工事
建具工事	工作物に木製又は金属製の建具を取付ける工事
水道施設工事	上水道、工業用水道等のための取水、浄水、配水等の施設を築造する工事又は公共下水道若しくは流域下水道の処理設備を設置する工事
消防施設工事	火災警報設備、消火設備、避難設備若しくは消火活動に必要な設備を設置し、又は工作物に取付ける工事
清掃施設工事	し尿処理施設又はごみ処理施設を設置する工事
解体工事	工作物の解体を行う工事

付録／基本的事項の解説

付録／基本的事項の解説

Ⅰ　契約と契約書

人と人との間の自由な意思に基づく合意が契約です。例えば、売買契約では、一方が「売る」他方が「買う」という意思の合致により成立します。契約というのは、互いに対立する意思の合致、すなわち、合意によって成立する法律行為です。

この合意によって成立した契約の内容を、当事者の間で証明するために作成された文書が契約書です。

印紙税法では、契約書について、「契約証書、協定書、約定書その他名称のいかんを問わず、契約（その予約を含む。以下同じ。）の成立若しくは更改又は契約の内容の変更若しくは補充の事実（以下「契約の成立等」という。）を証すべき文書をいい、念書、請書その他契約の当事者の一方のみが作成する文書又は当事者の一部の署名を欠く文書で、当事者間の了解又は商慣習に基づき契約の成立等を証することとされているものを含む。」と規定しています（通則５）。

したがって、普通考えられているような、契約書形態の文書（例えば、当事者全員が署名押印しているものや、標題が契約書となっているものなど）だけでなく、当事者の一方が作成して他方に交付する形式の文書（例えば、差入証、承諾書、請書、念書など）や、伝票形式の文書であっても、その文書によって契約の成立等が証明されるものは、印紙税法上、契約書として取り扱われることになります。

なお、この場合、「契約の成立等を証する文書」とは、契約の成立等を証明する目的で作成された文書を意味し、証明する目的で作成されたものであるかどうかの判断は、単に作成者の主観的なものをいうものではなく、文書の記載文言等から判断される客観的なものをいいます。

Ⅱ　契約金額

第１号文書、第２号文書及び第15号文書は、契約金額によって税率が異なり、また、非課税となります。この契約金額とは、例えば、売買契約における売買金額のように、契約の成立等に関し直接証明の目的となっている金額をいいます。

１　第１号の１文書、第15号文書（債権の譲渡に係るもの）

譲渡の形態によって次のとおりになります。

(1)　売買……………売買金額

(2)　交換……………交換金額、なお、交換契約書に交換対象物の双方の価額が記載されているときは、いずれか高い方（等価交換のときは、いずれか一方）の金額を、交換差金のみが記載されているときは、その交換差金の金額

(3)　代物弁済………代物弁済により消滅する債務の金額、なお、代物弁済の目的物の価額が消滅する債務の金額を上回ることにより、債権者がその差額を債務者に支払うこととしている場合は、その差額を加えた金額

(4)　法人等に対する現物出資…………出資金額
(5)　その他…………譲渡の対価たる金額
(注)　贈与契約は、譲渡の対価たる金額がないので、契約金額はないものとなります。

2　第1号の2文書……………………設定又は譲渡の対価たる金額
(注)　「設定又は譲渡の対価たる金額」とは、賃貸料を除き、権利金その他名称に関係なく、契約に際して相手方当事者に交付し、後日返還されることが予定されていない金額をいいます。

3　第1号の3文書……………………消費貸借金額
(注)　消費貸借金額には、利息金額は含まれません。

4　第1号の4文書……………………運送料、傭船料

5　第2号文書…………………………請負金額

6　第15号文書（債務の引受けに係るもの）……引き受ける債務の金額

Ⅲ　申込書等と表示された文書

申込書、注文書、依頼書等と表示された文書は、一般的には契約の申込み事実を証明する目的で作成されるものですから、契約書には該当しません。しかし、中には、契約の成立等を証明する目的で作成される文書でありながら、取引の慣行等から、申込書等と表示するものがあります。このような契約の成立等を証明する目的で作成される文書は契約書に該当することになりますが、申込書等と表示された文書が契約書に該当するかどうかの判断は、基本通達第21条において定められており、具体的には、次に掲げるものが、原則として契約書に該当するものとされています。

①　契約当事者の間の基本契約書、規約又は約款等に基づく申込みであることが記載されていて、一方の申込みにより自動的に契約が成立することとなっている場合における当該申込書等をいう。ただし、契約の相手方当事者が別に請書等契約の成立を証明する文書を作成することが記載されているものを除く。

②　見積書その他の契約の相手方当事者の作成した文書等に基づく申込みであることが記載されている当該申込書等をいう。ただし、契約の相手方当事者が別に請書等契約の成立を証明する文書を作成することが記載されているものを除く。

③　契約当事者双方の署名又は押印があるもの。

Ⅳ　営業の意義

通常、営業とは、利益を得る目的で、同種の行為を反復継続して行うことをいいます。利益を目的とする限り現実に利益を得られなかったとしても、また、継続して行う意思がある以上、現実に1回の行為であったとしても、それは営業に該当します（主観的意義における営業)。なお、具体的には、商法の規定による商人と商行為から判断されます。

また、一方、営業という意味には、営業の目的を実現させるための財産（有機的に結合された組織的財産）をいう場合もあります。例えば、「営業の譲渡」という場合の営業がこれに当たります（客観的意義における営業)。

このように、二つの意味のある「営業」ですが、印紙税法においても同様に、二つの意味

に使い分けています。

第７号文書（継続的取引の基本となる契約書）における「営業者間において………」及び第17号文書（金銭等の受取書）における「営業に関しない受取書」の営業が、前者の主観的意義における営業に当たり、第１号の１文書（営業の譲渡に関する契約書）における「営業の譲渡」が、後者の客観的意義における営業に当たります。

（注）作成された課税文書が、営業に関する受取書であるかどうかの判断は、作成者の営業に関しているものかどうかによって行い、その作成者が法人の場合は、法人の人格によって次のように取り扱われています。

なお、公益法人制度改革に伴い、民法第34条（公益法人の設立）の規定が廃止され、従来の社団法人又は財団法人は、一般社団法人又は一般財団法人として存続し、そのうち主に公益目的事業を行っているなどの一定の要件を満たしている法人が、公益認定を受けることにより、公益社団法人又は公益財団法人になります。

また、中間法人法も廃止され、従来の有限責任中間法人及び無限責任中間法人は、一般社団法人として存続することとなります。

１　公益法人

⑴　公益社団法人・公益財団法人

行政庁の公益認定を受けた公益社団法人・公益財団法人は、公益目的事業を行うことを主たる目的とし、営利を目的とする法人ではないことから、収益事業に関して作成する金銭等の受取書であっても、営業に関しない受取書として取り扱われます。

⑵　一般社団法人・一般財団法人

一般社団法人及び一般財団法人に関する法律（平成18年法律第48号）では、事業の公益性の有無にかかわらず、準則主義により一般社団法人又は一般財団法人として法人格を取得することができ、剰余金又は残余財産の分配ができないこととされているので、公益認定を受けていない一般社団法人・一般財団法人が収益事業に関して作成する金銭等の受取書であっても、営業に関しない受取書として取り扱われます。

２　営利法人

営利法人である、会社法の規定による株式会社、合名会社、合資会社又は合同会社がその事業としてする行為及びその事業のためにする行為は商行為であり（会社法第５条）、全て営業（資本取引に係るものなど特に定めるものは除かれます。）に関するものとして取り扱われます。

３　上記以外の法人

公益法人及び営利法人以外の法人については、その事業の実態等を考慮して、会社以外の法人で、利益金又は剰余金の配当又は分配をすることができることとなっている法人が、出資者以外の第三者に対して行う事業については、営業に関する受取書として取り扱われます（出資者に対して行う事業については、営業に関しない受取書として取り扱われます）。

〈参　考〉

営業に関する受取書かどうかの判定表

判定欄の○印は、営業に関する受取書、×印は、営業に関しない受取書を示します。

<table>
<tr><th colspan="4">作　　成　　者</th><th>判　定</th></tr>
<tr><td rowspan="2">公　　法　　人</td><td colspan="3">国・地方公共団体</td><td rowspan="2">×</td></tr>
<tr><td>特別法人</td><td colspan="2">印紙税法別表第２に掲げる法人</td></tr>
<tr><td rowspan="4">私　　法　　人</td><td rowspan="2">公益法人</td><td>公益社団法人・公益財団法人</td><td>行政庁の公益認定を受けている</td><td>×</td></tr>
<tr><td>一般社団法人・一般財団法人</td><td>行政庁の公益認定を受けていない</td><td>×</td></tr>
<tr><td>営利法人</td><td colspan="2">営利を目的とする法人
例　株式会社　合名会社　合資会社　合同会社</td><td>○
（注１）</td></tr>
<tr><td>公益法人及び営利法人以外の法人</td><td colspan="2">出資者以外の第三者に対して行う事業もの</td><td>○
（注２）</td></tr>
<tr><td rowspan="2">人格なき社団等</td><td>商人の活動</td><td colspan="2">収益事業を目的とするもの</td><td>○</td></tr>
<tr><td>商人以外の活動</td><td colspan="2">非営利事業を目的とするもの</td><td>×</td></tr>
<tr><td rowspan="2">自　　然　　人</td><td>商人の活動</td><td colspan="2">商人としての活動</td><td>○</td></tr>
<tr><td>商人以外の活動</td><td colspan="2">商人としての活動でないもの</td><td>×</td></tr>
</table>

（注１）　営利法人が作成する受取書のうち、資本取引に係るものなどは、営業に関しないものとなります。

（注２）　公益法人及び営利法人以外の法人が作成する受取書のうち、出資者に対して行うものは営業に関しないものとなります。

Ｖ　印紙税の還付

収入印紙を誤って貼った場合などで、次の要件に当てはまるものは、還付を受けることができます。

1　印紙税の納付の必要がない文書に誤って収入印紙を貼り付け（印紙により納付することとされている印紙税以外の租税又は国の歳入金を納付するために文書に印紙を貼り付けた場合を除く。）たとき

2　必要以上の金額の収入印紙を貼り付けたとき

3　収入印紙を貼り付けた課税文書の用紙で、書損、汚損等の理由により使用する見込みがなくなったとき

4　印紙税納付計器により印紙税を納付している場合で、上記１～３と同様のとき

なお、印紙税還付の手続きは次のとおりです。

1　税務署に用意してある「印紙税過誤納確認申請書」に所定の事項を記載して、還付を受けようとする文書とともに税務署長に提出します。

2　印紙税につき過誤納確認を受けた文書には、下記のような表示がされて返戻されます。

(注1) 過誤納となっている文書を作成した日から５年以内にその印紙税の納税地の所轄税務署長に提出し、印紙税の過誤納の事実の確認手続を経ることになります。

(注2) 収入印紙は、たとえ未使用であっても買戻しはされませんが、郵便局で、他の収入印紙との交換を受けることができます。

Ⅵ　課税物件表の２以上の号に該当する文書の所属決定表（印紙税法　別表第一　課税物件表の適用に関する通則）

文書の組合せ	左の文書の所属(号)の決定	具体例	備考
 1号文書／3号文書～17号文書	1号文書 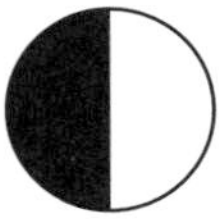	不動産及び債権売買契約書（第１号文書と第15号文書）	(注)　通則３のイの規定により１号又は２号文書となった文書については基本通達第33条に該当する場合を除き、非課税規定（記載金額１万円未満のものの非課税）の適用はない。 ただし、基本通達第33条に該当する場合は、非課税となる。
 2号文書／3号文書～17号文書	2号文書 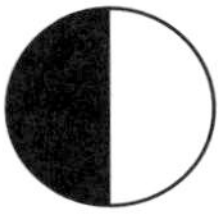	工事請負及びその工事の手付金の受取事実を記載した契約書（第２号文書と第17号文書）	
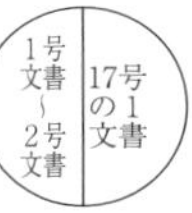 1号文書～2号文書／17号の1文書	17号の１文書 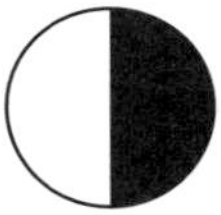	消費貸借契約及び受取書（売掛金800万円のうち600万円を領収し、残額200万円を消費貸借の目的とするもの）（１号文書と17号の１文書）	100万円を超える受取金額の記載があり、当該受取金額が１号又は２号文書の契約金額を超えるもの又は１号及び２号文書に係る契約金額がないものに限る。
 1号文書～2号文書／7号文書	7号文書 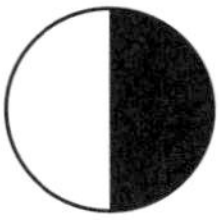	継続する物品運送についての基本的な事項を定めた契約書で記載金額のないもの（１号文書と７号文書）	契約金額の記載のない文書に限る。
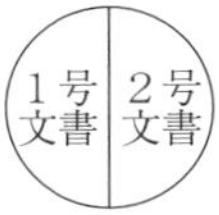 1号文書／2号文書	1号文書 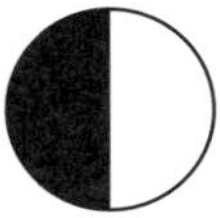	請負及びその代金の消費貸借契約書（１号文書と２号文書）	
 1号文書／2号文書	2号文書 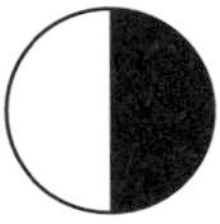	機械製作及びその機械の運送契約書（機械製作費20万円、運送料10万円と区分記載されているもの）（１号文書と２号文書）	契約金額が区分記載されており２号文書に係る契約金額が１号文書に係る契約金額を超える文書に限る。

(注)　1　◯　２以上の課税事項が併記又は混合記載された文書の組合せ。

2　◐　黒塗りの部分に、所属が決定されることを表す。

3号文書〜17号文書 / 3号文書〜17号文書	3号〜17号文書	継続する債権売買についての基本的な事項を定めた契約書（第7号文書と第15号文書）	記載されている事項により3号から17号までのうち最も小さい号の文書となる。
3号文書〜16号文書 / 17号の1文書	17号の1文書	債権の売買代金200万円の受取事実を記載した債権売買契約書（第15号文書と第17号の1文書）	100万円を超える受取金額の記載のあるものに限る。
1号文書〜17号文書 / 18号文書〜20号文書	18号〜20号文書	生命保険証券兼保険料受取通帳（第10号文書と第18号文書）	記載されている事項により18号から20号までのうちいずれか1の号の文書となる。
19号文書〜20号文書 / 17号の1文書	17号の1文書	下請前払金200万円の受取書と請負通帳（17号の1文書と19号文書）	100万円を超える受取金額の記載があるものに限る。
1号文書 / 19号文書〜20号文書	1号文書	契約金額が100万円の不動産売買契約書とその代金の受取通帳（1号文書と19号文書）	1号文書に係る契約金額が10万円を超える文書に限る。 ※平成26年4月1日以後に作成された文書で印紙税の軽減措置が適用される1号文書である場合には50万円。
2号文書 / 19号文書〜20号文書	2号文書	契約金額が150万円の請負契約書とその代金の受取通帳（2号文書と19号文書）	2号文書に係る契約金額が100万円を超える文書に限る。 ※平成26年4月1日以後に作成された文書で印紙税の軽減措置が適用される1号文書である場合には200万円。
18号文書 / 19号文書	19号文書	預貯金通帳と金銭の受取通帳が1冊になった通帳（18号文書と19号文書）	

Ⅶ　請負契約書の単価変更契約書等に対する取扱い

<table>
<tr><th colspan="3">事　　　　　　例</th><th>取　　　扱　　　い</th></tr>
<tr><td colspan="2">原契約書</td><td>清掃請負契約で、「清掃料は月額100万円、契約期間令和４年４月１日から令和５年３月31日までとするが、当事者異議なきときは更に１年延長し、その後もこれによるものとする。」ことを内容とする契約書</td><td>第２号文書（請負に関する契約書）と第７号文書（継続的取引の基本となる契約書）に該当し、当該契約書に契約期間が記載されており、契約金額を計算できることから、通則３イの規定により、記載金額1,200万円（100万円×12月）の第２号文書となる。</td></tr>
<tr><td rowspan="7">上記原契約書の変更契約書</td><td>1</td><td>「原契約書の清掃料月額100万円を令和４年４月１日から令和５年３月31日まで月額150万円とする。」ことを内容とする契約書</td><td>変更金額を計算できることから、通則４ニの規定により、記載金額300万円〔(150万円－100万円）×６月〕の第２号文書となる。</td></tr>
<tr><td>2</td><td>「原契約書の清掃料月額100万円を令和４年10月１日から令和５年９月30日まで月額150万円とする。」ことを内容とする契約書</td><td>変更金額を計算できることから、通則４ニの規定により、記載金額1,200万円（150万円×12月－100万円×６月）の第２号文書となる。</td></tr>
<tr><td>3</td><td>「原契約書の清掃料月額100万円を令和４年10月１日以降月額150万円とする。」ことを内容とする契約書</td><td rowspan="3">いずれも、契約金額が計算できないことから、通則３イのただし書の規定により、第７号文書となる。</td></tr>
<tr><td>4</td><td>「原契約書の清掃料月額100万円を令和５年４月１日以降月額150万円とする。」ことを内容とする契約書</td></tr>
<tr><td>5</td><td>「原契約書の清掃料月額100万円を令和６年４月１日以降月額150万円とする。」ことを内容とする契約書</td></tr>
<tr><td>6</td><td>「原契約書の清掃料月額100万円を令和５年４月１日から令和６年３月31日まで月額150万円とする。」ことを内容とする契約書</td><td rowspan="2">いずれも、新たに作成されたものとみなし記載金額1,800万円（150万円×12月）の第２号文書となる（通則４ニは適用されない。）。</td></tr>
<tr><td>7</td><td>「原契約書の清掃料月額100万円を令和６年４月１日から令和７年３月31日まで月額150万円とする。」ことを内容とする契約書</td></tr>
</table>

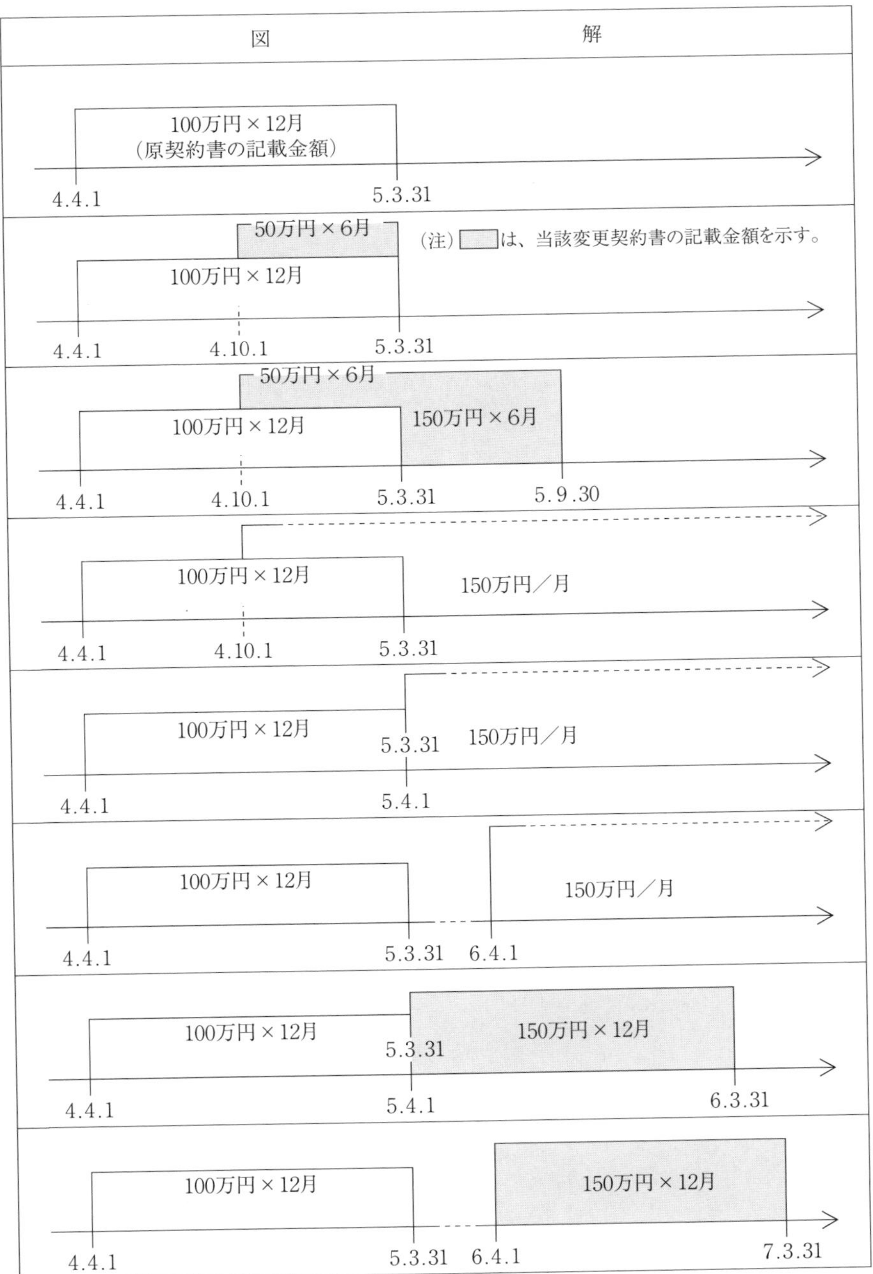
図　解
100万円×12月
（原契約書の記載金額）
4.4.1
5.3.31
50万円×6月
（注）□は、当該変更契約書の記載金額を示す。
100万円×12月
4.4.1
4.10.1
5.3.31
50万円×6月
100万円×12月
150万円×6月
4.4.1
4.10.1
5.3.31
5.9.30
100万円×12月
150万円／月
4.4.1
4.10.1
5.3.31
100万円×12月
5.3.31
150万円／月
4.4.1
5.4.1
100万円×12月
150万円／月
4.4.1
5.3.31
6.4.1
100万円×12月
150万円×12月
5.3.31
4.4.1
5.4.1
6.3.31
100万円×12月
150万円×12月
4.4.1
5.3.31
6.4.1
7.3.31

Ⅷ　印紙税課税物件及び取扱い等表

<table>
<tr><th rowspan="2">番号</th><th colspan="2">課　税　物　件</th><th rowspan="2">課税標準及び税率</th></tr>
<tr><th>物　件　名</th><th>定　　義</th></tr>
<tr><td>1</td><td>1　不動産、鉱業権、無体財産権、船舶若しくは航空機又は営業の譲渡に関する契約書

2　地上権又は土地の賃借権の設定又は譲渡に関する契約書

3　消費貸借に関する契約書

4　運送に関する契約書（傭船契約書を含む。）

上記の１に該当する「不動産の譲渡に関する契約書」のうち、平成９年４月１日から令和６年３月31日までに作成されるものについては、契約書の作成年月日及び記載された契約金額に応じ、右欄のとおり印紙税額が軽減されている。
（注）契約金額の記載のないものの印紙税額は、本則どおり200円となる。</td><td>1　不動産には、法律の規定により不動産とみなされるもののほか、鉄道財団、軌道財団及び自動車交通事業財団を含むものとする。

2　無体財産権とは、特許権、実用新案権、商標権、意匠権、回路配置利用権、育成者権、商号及び著作権をいう。

3　運送に関する契約書には、乗車券、乗船券、航空券及び送り状を含まないものとする。

4　傭船契約書には、航空機の傭船契約書を含むものとし、裸傭船契約書を含まないものとする。</td><td>1　契約金額の記載のある契約書
次に掲げる契約金額の区分に応じ、１通につき、次に掲げる税率とする。
10万円以下のもの　200円
10万円を超え50万円以下のもの　400円
50万円を超え100万円以下のもの　１千円
100万円を超え500万円以下のもの　２千円
500万円を超え１千万円以下のもの　１万円
１千万円を超え５千万円以下のもの　２万円
５千万円を超え１億円以下のもの　６万円
１億円を超え５億円以下のもの　10万円
５億円を超え10億円以下のもの　20万円
10億円を超え50億円以下のもの　40万円
50億円を超えるもの　60万円
2　契約金額の記載のない契約書
１通につき　200円

【平成26年４月１日～令和６年３月31日】
記載された契約金額が
１万円以上50万円以下のもの　200円
50万円を超え100万円以下のもの　500円
100万円を超え500万円以下のもの　１千円
500万円を超え１千万円以下のもの　５千円
１千万円を超え５千万円以下のもの　１万円
５千万円を超え１億円以下のもの　３万円
１億円を超え５億円以下のもの　６万円
５億円を超え10億円以下のもの　16万円
10億円を超え50億円以下のもの　32万円
50億円を超えるもの　48万円
【平成９年４月１日～平成26年３月31日】
記載された契約金が</td></tr>
</table>

<table>
<tr><th>非課税物件</th><th>摘　要</th></tr>
<tr><td>1　契約金額の記載のある契約書（課税物件表の適用に関する通則３イの規定が適用されることにより、この号に掲げる文書となるものを除く。）のうち、当該契約金額が１万円未満のもの</td><td>民法第86条（不動産及び動産）
①　土地及びその定着物は、不動産とする。

民法第265条（地上権の内容）
地上権者は、他人の土地において工作物又は竹木を所有するため、その土地を使用する権利を有する。

民法第269条の２（地下又は空間を目的とする地上権）
①　地下又は空間は、工作物を所有するため、上下の範囲を定めて地上権の目的となすことができる。
この場合においては、設定行為で、地上権の行使のためにその土地の使用に制限を加えることができる。
②　前項の地上権は、第三者がその土地の使用又は収益をする権利を有する場合においても、その権利又はこれを目的とする権利を有するすべての者の承諾があるときは、設定することができる。
この場合において、土地の使用又は収益をする権利を有する者は、その地上権の行使を妨げることができない。

民法第601条（賃貸借）
賃貸借は、当事者の一方がある物の使用及び収益を相手方にさせることを約し、相手方がこれに対してその賃料を支払うこと及び引渡しを受けた物を契約が終了したときに返還することを約するによって、その効力を生ずる。

借地借家法第２条（定義）
次の各号に掲げる用語の意義は、当該各号に定めるところによる。
(1)　借地権　建物の所有を目的とする地上権又は土地の賃借権をいう。

民法第587条（消費貸借）
消費貸借は、当事者の一方が種類、品質及び数量の同じ物をもって返還することを約して相手方から金銭その他の物を受け取るによって、その効力を生ずる。

民法第588条（準消費貸借）
金銭その他の物を給付する義務を負う者がある場合において、当事者がその物を消費貸借の目的とすることを約したときは、消費貸借は、これによって成立したものとみなす。</td></tr>
</table>

番号	課税物件		課税標準及び税率
	物件名	定義	
			１千万円を超え５千万円以下のもの　１万５千円 ５千万円を超え１億円以下のもの　４万５千円 １億円を超え５億円以下のもの　８万円 ５億円を超え10億円以下のもの　18万円 10億円を超え50億円以下のもの　36万円 50億円を超えるもの　54万円
2	請負に関する契約書 上記の「請負に関する契約書」のうち、建設業法第２条第１項に規定する建設工事の請負に係る契約に基づき作成されるもので、令和６年３月31日までに作成されるものについては、契約書の作成年月日及び記載された契約金額に応じ、右欄のとおり印紙税額が軽減されている。 （注）契約金額の記載のないものの印紙税額は、本則どおり200円となる。	１　請負には、職業野球の選手、映画の俳優その他これらに類する者で政令で定めるものの役務の提供を約することを内容とする契約を含むものとする。	１　契約金額の記載のある契約書 次に掲げる契約金額の区分に応じ、１通につき、次に掲げる税率とする。 100万円以下のもの　200円 100万円を超え200万円以下のもの　400円 200万円を超え300万円以下のもの　１千円 300万円を超え500万円以下のもの　２千円 500万円を超え１千万円以下のもの　１万円 １千万円を超え５千万円以下のもの　２万円 ５千万円を超え１億円以下のもの　６万円 １億円を超え５億円以下のもの　10万円 ５億円を超え10億円以下のもの　20万円 10億円を超え50億円以下のもの　40万円 50億円を超えるもの　60万円 ２　契約金額の記載のない契約書 １通につき　200円 **【平成26年４月１日～令和６年３月31日】** 記載された契約金額が １万円以上200万円以下のもの　200円 200万円を超え300万円以下のもの　500円 300万円を超え500万円以下のもの　１千円 500万円を超え１千万円以下のもの　５千円 １千万円を超え５千万円以下のもの　１万円 ５千万円を超え１億円以下のもの　３万円 １億円を超え５億円以下のもの　６万円 ５億円を超え10億円以下の

非課税物件	摘　　　要
1　契約金額の記載のある契約書（課税物件表の適用に関する通則３イの規定が適用されることにより、この号に掲げる文書となるものを除く。）のうち、当該契約金額が１万円未満のもの	法施行令第21条（その役務の提供を約することを内容とする契約が請負となる者の範囲） 　法別表第一第２号の定義の欄に規定する政令で定める者は、次に掲げる者とする。 (1)　プロボクサー (2)　プロレスラー (3)　演劇の俳優 (4)　音楽家 (5)　舞踊家 (6)　映画又は演劇の監督、演出家又はプロジューサー (7)　テレビジョン放送の演技者、演出家又はプロジューサー ２　法別表第一第２号の定義の欄に規定する契約は、職業野球の選手、映画の俳優又は前項に掲げる者のこれらの者としての役務の提供を約することを内容とする契約に限るものとする。 民法第632条（請負） 　請負は、当事者の一方がある仕事を完成することを約し、相手方がその仕事の結果に対してその報酬を支払うことを約することによって、その効力を生ずる。

番号	課税物件		課税標準及び税率
	物件名	定義	
			もの　16万円 10億円を超え50億円以下のもの　32万円 50億円を超えるもの　48万円 **【平成９年４月１日～平成26年３月31日】** 記載された契約金が １千万円を超え５千万円以下のもの　１万５千円 ５千万円を超え１億円以下のもの　４万５千円 １億円を超え５億円以下のもの　８万円 ５億円を超え10億円以下のもの　18万円 10億円を超え50億円以下のもの　36万円 50億円を超えるもの　54万円
3	約束手形又は為替手形		１　２に掲げる手形以外の手形 次に掲げる手形金額の区分に応じ、１通につき、次に掲げる税率とする。 100万円以下のもの　200円 100万円を超え200万円以下のもの　400円 200万円を超え300万円以下のもの　600円 300万円を超え500万円以下のもの　１千円 500万円を超え１千万円以下のもの　２千円 １千万円を超え２千万円以下のもの　４千円 ２千万円を超え３千万円以下のもの　６千円 ３千万円を超え５千万円以下のもの　１万円 ５千万円を超え１億円以下のもの　２万円 １億円を超え２億円以下のもの　４万円 ２億円を超え３億円以下のもの　６万円 ３億円を超え５億円以下のもの　10万円 ５億円を超え10億円以下のもの　15万円 10億円を超えるもの　20万円 ２　次に掲げる手形 １通につき　200円 イ　一覧払の手形（手形法（昭和７年法律第20号）第34条第２項（一覧払の為替手形の呈示開始期日の定め）（同法第77条第１項第

<table>
<tr><th>非課税物件</th><th>摘　　要</th></tr>
<tr><td></td><td></td></tr>
<tr><td>1　手形金額が10万円未満の手形

2　手形金額の記載のない手形

3　手形の複本又は謄本</td><td>法施行令第22条（相互間の手形の税率が軽減される金融機関の範囲）
　法別表第一第３号の課税標準及び税率の欄２ロに規定する政令で定める金融機関は、次に掲げる金融機関（第９号及び第10号に掲げるものにあっては、貯金又は定期積金の受入れを行うものに限る。）とする。
⑴　信託会社
⑵　保険会社
⑶　信用金庫及び信用金庫連合会
⑷　労働金庫及び労働金庫連合会
⑸　農林中央金庫
⑹　株式会社商工組合中央金庫
⑺　株式会社日本政策投資銀行
⑻　信用協同組合及び信用協同組合連合会
⑼　農業協同組合及び農業協同組合連合会
⑽　漁業協同組合、漁業協同組合連合会、水産加工業協同組合及び水産加工業協同組合連合会
⑾　金融商品取引法（昭和23年法律第25号）第２条第30項（定義）に規定する証券金融会社
⑿　コール資金の貸付け又はその貸借の媒介を業として行う者のうち、財務大臣の指定するもの

法施行令第23条（非居住者円の手形の範囲及び表示）
　法別表第一第３号の課税標準及び税率の欄２ニに規定する政令で定める手形は、外国為替及び外国貿易法（昭和24年法律第228号）第６条第１項第６号（定義）に規定する非居住者（第23条の３において「非居住者」という。）の本邦にある同法第16条の２（支払等の制限）に規定する銀行等（以下「銀行等」という。）に対する本邦通貨をもって表示される勘定を通ずる方法により決済される輸出に係る荷為替手形で、銀行等により当該手形であることにつき確認を受けて財務省令で定める表示を受けたものとする。
〔参照　施行規則５〕

法施行令第23条の２（税率が軽減される居住者振出しの手形の範囲及び表示）
　法別表第一第３号の課税標準及び税率の欄２ホに規定する政令で定める手形は、次の各号に掲げる手形（同欄２イに掲げる一覧払の手形を除く。）で、銀行等により当該各号に</td></tr>
</table>

番号	課税物件		課税標準及び税率
	物件名	定義	
			２号（約束手形への準用）において準用する場合を含む。）の定めをするものを除く。） ロ　日本銀行又は銀行その他政令で定める金融機関を振出人及び受取人とする手形（振出人である銀行その他当該政令で定める金融機関を受取人とするものを除く。） ハ　外国通貨により手形金額が表示される手形 ニ　外国為替及び外国貿易法第６条第１項第６号（定義）に規定する非居住者の本邦にある同法第16条の２（支払等の制限）に規定する銀行等（以下この号において「銀行等」という。）に対する本邦通貨をもって表示される勘定を通ずる方法により決済される手形で政令で定めるもの ホ　本邦から貨物を輸出し又は本邦に貨物を輸入する外国為替及び外国貿易法第６条第１項第５号（定義）に規定する居住者が本邦にある銀行等を支払人として振り出す本邦通貨により手形金額が表示される手形で政令で定めるもの ヘ　ホに掲げる手形及び外国の法令に準拠して外国において銀行業を営む者が本邦にある銀行等を支払人として振り出した本邦通貨により手形金額が表示される手形で政令で定めるものを担保として、銀行等が自己を支払人として振り出す本邦通貨により手形金額が表示される手形で政令で定めるもの
4	株券、出資証券若しくは社債券又は投資信託、貸付信託、特定目的信託若しくは受益証券発行信託の受益証券 （注）　出資証券には、投資証券を含みます。	１　出資証券とは、相互会社（保険業法（平成７年法律第105号）第２条第５項（定義）に規定する相互会社をいう。以下同じ。）の作成する基金証券及び法人の社員又は出資者たる地位を証する文書（投資信託	次に掲げる券面金額（券面金額の記載のない証券で株数又は口数の記載のあるものにあっては１株又は１口につき政令で定める金額に当該株数又は口数を乗じて計算した金額）の区分に応じ、１通につき、次に掲げる税率とする。 500万円以下のもの　200円 500万円を超え１千万円以下

非課税物件	摘　　要
	掲げる手形であることにつき確認を受けて財務省令で定める表示を受けたものとする。 (1)　本邦から貨物を輸出する外国為替及び外国貿易法第６条第１項第５号（定義）に規定する居住者（以下この条において「居住者」という。）が本邦にある銀行等を支払人として振り出す本邦通貨により手形金額が表示される満期の記載のある輸出に係る荷為替手形 (2)　本邦から貨物を輸出する居住者が本邦にある銀行等以外の者を支払人として振り出した本邦通貨により手形金額が表示された満期の記載のある輸出に係る荷為替手形につき本邦にある銀行等の割引を受けた場合において、当該銀行等の当該割引のために要した資金の調達に供するため、当該居住者が当該銀行等を支払人として振り出す本邦通貨により手形金額が表示される満期の記載のある為替手形 (3)　本邦に貨物を輸入する居住者が輸入代金の支払のための資金を本邦にある銀行等から本邦通貨により融資を受けた場合において、当該銀行等の当該融資のために要した資金の調達に供するため、当該居住者が当該銀行等を支払人として振り出す本邦通貨により手形金額が表示される満期の記載のある為替手形　〔参照　施行規則６〕 法施行令第23条の３（税率が軽減される手形の担保となる外国の銀行が振り出す手形の範囲） 法別表第一第３号の課税標準及び税率の欄２へに規定する外国の法令に準拠して外国において銀行業を営む者(以下この条において「外国の銀行」という。）が本邦にある銀行等を支払人として振り出した本邦通貨により手形金額が表示される政令で定める手形は、非居住者が外国において振り出した本邦通貨により手形金額が表示された満期の記載のある輸出に係る荷為替手形の割引をし、又は非居住者に輸入代金の支払のための資金を本邦通貨により融資した外国の銀行が、当該割引又は当該融資のために要した資金を調達するため、本邦にある銀行等を支払人として振り出した本邦通貨により手形金額が表示される満期の記載のある為替手形とする。 法施行令第23条の４（税率が軽減される銀行等振出しの手形の範囲及び表示） 法別表第一第３号の課税標準及び税率の欄２へに規定する銀行等が自己を支払人として振り出す本邦通貨により手形金額が表示される政令で定める手形は、前２条に規定する手形を担保として、本邦にある銀行等が自己を支払人として振り出す本邦通貨により手形金額が表示される満期の記載のある為替手形（同欄２イに掲げる一覧払の手形を除く。）で、当該銀行等において財務省令で定める表示をしたものとする。　〔参照　施行規則６〕
1　日本銀行その他特別の法律により設立された法人で政令で定めるものの作成する出資証券（協同組織金融機関の優先出資に関する法律（平成５年法律	法施行令第24条（株券等に係る１株又は１口の金額） 法別表第一第４号の課税標準及び税率の欄に規定する政令で定める金額は、次の各号に掲げる証券の区分に応じ、当該各号に定める金額とする。 (1)　株券 当該株券に係る株式会社が発行する株式の払込金額(株式１株と引換えに払い込む金銭又は給付する金銭以外の財産の額をいい、払込金額がない場合にあっては、当該株式会社の資本金の額及び資本準備金の額の合計額を発行済株式（当該発行する株式を含む。）の総額で除して得た

番号	課税物件		課税標準及び税率
	物件名	定義	
		及び投資法人に関する法律（昭和26年法律第198号）に規定する投資証券を含む。）をいう。 2　社債券には、特別の法律により法人の発行する債券及び相互会社の社債券を含むものとする。	のもの　１千円 １千万円を超え５千万円以下のもの　２千円 ５千万円を超え１億円以下のもの　１万円 １億円を超えるもの　２万円
5	合併契約書又は吸収分割契約書若しくは新設分割計画書	1　合併契約書とは、会社法（平成17年法律第86号）第748条（合併契約の締結）に規定する合併契約（保険業法第159条第１項（相互会社と株式会社の合併）に規定する合併契約を含む。）を証する文書（当該合併契約の変更又は補充の事実を証するものを含む。）をいう。 2　吸収分割契約書とは、会社法第757条（吸収分割契約の締	１通につき　４万円

非課税物件	摘　　　要
第44号）に規定する優先出資証券を除く。） 2　受益権を他の投資信託の受託者に取得させることを目的とする投資信託の受益証券で政令で定めるもの	額） (2)　投資証券 　当該投資証券に係る投資法人が発行する投資口の払込金額（投資口１口と引換えに払い込む金銭の額をいい、払込金額がない場合にあっては、当該投資法人の出資総数を投資口（当該発行する投資口を含む。）の総口数で除して得た額） (3)　オープン型の委託者指図型投資信託の受益証券 　当該受益証券に係る信託財産の信託契約締結当初の信託の元本の総額を当該元本に係る受益権の口数で除して得た額（法第11条第１項第１号の規定に該当する受益証券で同項の承認を受けたものにあっては、当該受益証券に係る信託財産につきその月中に信託された元本の総額を当該元本に係る受益権の口数で除して得た額） (4)　受益証券発行信託の受益証券 　当該受益証券に係る信託財産の価格を当該信託財産に係る受益権の口数で除して得た額 法施行令第25条（出資証券が非課税となる法人の範囲） 　法別表第一第４号の非課税物件の欄に規定する政令で定める法人は、次に掲げる法人とする。 (1)　協業組合、商工組合及び商工組合連合会 (2)　漁業共済組合及び漁業共済組合連合会 (3)　商店街振興組合及び商店街振興組合連合会 (4)　消費生活協同組合及び消費生活協同組合連合会 (5)　信用金庫及び信用金庫連合会 (6)　森林組合、生産森林組合及び森林組合連合会 (7)　水産業協同組合 (8)　生活衛生同業組合、生活衛生同業小組合及び生活衛生同業組合連合会 (9)　中小企業等協同組合 (10)　農業協同組合、農業協同組合連合会及び農事組合法人 (11)　農林中央金庫 (12)　輸出組合及び輸入組合 (13)　労働金庫及び労働金庫連合会 (14)　労働者協同組合及び労働者協同組合連合会 法施行令第25条の２（非課税となる受益証券の範囲） 　法別表第一第４号の非課税物件の欄２に規定する政令で定める受益証券は、同欄２に規定する投資信託に係る信託契約により譲渡が禁止されている記名式の受益証券で、券面に譲渡を禁ずる旨の表示がされているものとする。

番号	課税物件		課税標準及び税率
	物件名	定義	
		結）に規定する吸収分割契約を証する文書（当該吸収分割契約の変更又は補充の事実を証するものを含む。）をいう。 3　新設分割計画書とは、会社法第762条第1項（新設分割計画の作成）に規定する新設分割計画を証する文書（当該新設分割計画の変更又は補充の事実を証するものを含む。）をいう。	
6	定款	1　定款は、会社（相互会社を含む。）の設立のときに作成される定款の原本に限るものとする。	1通につき　4万円
7	継続的取引の基本となる契約書（契約期間の記載のあるもののうち当該契約期間が3月以内であり、かつ、更新に関する定めのないものを除く。）	1　継続的取引の基本となる契約書とは、特約店契約書、代理店契約書、銀行取引約定書その他の契約書で、特定の相手方との間に継続的に生ずる取引の基本となるもののうち、政令で定めるものをいう。	1通につき　4千円

非課税物件	摘　　　要
1　株式会社又は相互会社の定款のうち、公証人法第62条の３第３項（定款の認証手続）の規定により公証人の保存するもの以外のもの	
	法施行令第26条（継続的取引の基本となる契約書の範囲） 法別表第一第７号の定義の欄に規定する政令で定める契約書は、次に掲げる契約書とする。 (1)　特約店契約書その他名称のいかんを問わず、営業者（法別表第一第17号の非課税物件の欄に規定する営業を行う者をいう。）の間において、売買、売買の委託、運送、運送取扱い又は請負に関する２以上の取引を継続して行うため作成される契約書で、当該２以上の取引に共通して適用される取引条件のうち目的物の種類、取扱数量、単価、対価の支払方法、債務不履行の場合の損害賠償の方法又は再販売価格を定めるもの（電気又はガスの供給に関するものを除く。） (2)　代理店契約書、業務委託契約書その他名称のいかんを問わず、売買に関する業務、金融機関の業務、保険募集の業務又は株式の発行若しくは名義書換えの事務を継続して委託するため作成される契約書で、委託される業務又は事務の範囲又は対価の支払方法を定めるもの (3)　銀行取引約定書その他名称のいかんを問わず、金融機関から信用の供与を受ける者と当該金融機関との間において、貸付け（手形割引及び当座貸越しを含む。）、支払承諾、外国為替その他の取引によって生ずる当該金融機関に対する一切の債務の履行について包括的に履行方法その他の基本的事項を定める契約書 (4)　信用取引口座設定約諾書その他名称のいかんを問わず、金融商品取引法第２条第９項（定義）に規定する金融商品取引業者又は商品先物取引法（昭和25年法律第239号）第２条第23項（定義）に規定する商品先物取引業者とこれらの顧客との間において、有価証券又は商品の売買に関する２以上の取引（有価証券の売買にあっては、信用取引又は発行日決済取引に限り、商品の売買にあっては商品市場における取引（商品清算取引を除く。）に限る）を継続して委託するため作成される契約書で、当該２以上の取引に共通して適用される取引条件のうち受渡

番号	課税物件		課税標準及び税率
	物件名	定義	
8	預貯金証書		1通につき 200円
9	倉荷証券、船荷証券又は複合運送証券	1 倉荷証券には、商法（明治32年法律第48号）第601条（倉荷証券の記載事項）の記載事項の一部を欠く証書で、倉荷証券と類似の効用を有するものを含むものとする。 2 船荷証券又は複合運送証券には、商法第758条（船荷証券の記載事項）（同法第769条第2項（複合運送証券）において準用する場合を含む。）の記載事項の一部を欠く証書で、これらの証券と類似の効用を有するものを含むものとする。	1通につき 200円
10	保険証券	1 保険証券とは、保険証券その他名称のいかんを問わず、保険法（平成20年法律第56号）第6条第1項（損害保険契約の締結時の書面交付）、第40条第1項（生命保険契約の締結時の書面交付）又は第69条第1項（傷害疾病定額保険契約の締結時の書面交付）その他の法令の規定により、	1通につき 200円

非課税物件	摘　　　　要
	しその他の決済方法、対価の支払方法又は債務不履行の場合の損害賠償の方法を定めるもの (5)　保険特約書その他名称のいかんを問わず、損害保険会社と保険契約者との間において、２以上の保険契約を継続して行うため作成される契約書で、これらの保険契約に共通して適用される保険要件のうち保険の目的の種類、保険金額又は保険料率を定めるもの
1　信用金庫その他政令で定める金融機関の作成する預貯金証書で、記載された預入額が１万円未満のもの	法施行令第27条（預貯金証書等が非課税となる金融機関の範囲） 法別表第一第８号及び第18号の非課税物件の欄に規定する政令で定める金融機関は、次に掲げる金融機関とする。 (1)　信用金庫連合会 (2)　労働金庫及び労働金庫連合会 (3)　農林中央金庫 (4)　信用協同組合及び信用協同組合連合会 (5)　農業協同組合及び農業協同組合連合会 (6)　漁業協同組合、漁業協同組合連合会、水産加工業協同組合及び水産加工業協同組合連合会
	法施行令第27条の２（保険証券に該当しない書面を交付する保険契約の範囲） 法別表第一第10号の定義の欄に規定する政令で定める保険契約は、次に掲げる契約とする。 一　人が外国への旅行又は国内の旅行のために住居を出発した後、住居に帰着するまでの間における保険業法（平成７年法律第105号）第３条第５項第１号又は第２号に掲げる保険に係る保険契約 二　人が航空機に搭乗している間における保険業法第３条第５項第１号又は第２号に掲げる保険に係る保険契約 三　既に締結されている保険契約（以下この号において「既契約」という。）の保険約款（特約を含む。）に次に掲げる定めのいずれかの記載がある場合において、当該定めに基づき当該既契約を更新する保険契約（当該既契約の更新の

番号	課税物件		課税標準及び税率
	物件名	定義	
		保険契約に係る保険者が当該保険契約を締結したときに当該保険契約に係る保険契約者に対して交付する書面（当該保険契約者からの再交付の請求により交付するものを含み、保険業法第３条第５項第３号（免許）に掲げる保険に係る保険契約その他政令で定める保険契約に係るものを除く。）をいう。	
11	信用状		１通につき　200円
12	信託行為に関する契約書	１　信託行為に関する契約書には、信託証書を含むものとする。	１通につき　200円
13	債務の保証に関する契約書（主たる債務の契約書に併記するものを除く。）		１通につき　200円
14	金銭又は有価証券の寄託に関する契約書		１通につき　200円
15	債権譲渡又は債務引受けに関する契約書		１通につき　200円
16	配当金領収証又は配当金振込通知書	１　配当金領収証とは配当金領収書その他名称のいかんを問わず、配当金の支払を受ける権利を表彰する証書又は配当金の	１通につき　200円

非課税物件	摘　　　　要
	際に法別表第一第10号の定義の欄に規定する規定により、当該既契約の保険者から当該既契約の保険契約者に対して交付する書面において、当該保険契約者からの請求により同号に掲げる保険証券に該当する書面を交付する旨の記載がある場合のものに限る。) イ　既契約の保険期間の満了に際して当該既契約の保険者又は当該既契約の保険契約者のいずれかから当該既契約を更新しない旨の意思表示がないときは当該既契約を更新する旨の定め ロ　既契約の保険期間の満了に際して新たに保険契約の締結を申し込む旨の書面を用いることなく、当該既契約に係る保険事故、保険金額及び保険の目的物と同一の内容で当該既契約を更新する旨の定め 四　共済に係る契約
1　身元保証ニ関スル法律（昭和8年法律第42号）に定める身元保証に関する契約書	
	（参考） 民法第657条（寄託） 寄託は、当事者の一方が相手方のために保管をなすことを約してある物を受け取るによってその効力を生ずる。 民法第666条（消費寄託） 受寄者が契約により受寄物を消費することができる場合においては、消費貸借に関する規定を準用する。 ただし、契約に返還の時期を定めなかったときは、寄託者は何時でも返還を請求することができる。
1　契約金額の記載のある契約書のうち、当該契約金額が1万円未満のもの	
1　記載された配当金額が3千円未満の証書又は文書	

番号	課税物件		課税標準及び税率
	物件名	定義	
		受領の事実を証するための証書をいう。 ２　配当金振込通知書とは、配当金振込票その他名称のいかんを問わず、配当金が銀行その他の金融機関にある株主の預貯金口座その他の勘定に振込済みである旨を株主に通知する文書をいう。	
17	１　売上代金に係る金銭又は有価証券の受取書 ２　金銭又は有価証券の受取書で１に掲げる受取書以外のもの	１　売上代金に係る金銭又は有価証券の受取書とは、資産を譲渡し若しくは使用させること（当該資産に係る権利を設定することを含む。）又は役務を提供することによる対価（手付けを含み、金融商品取引法（昭和23年法律第25号）第２条第１項（定義）に規定する有価証券その他これに準ずるもので政令で定めるものの譲渡の対価、保険料その他政令で定めるものを除く。以下「売上代金」という。）として受け取る金銭又は有価証券の受取書をいい、次に掲げる受取書を含むものとする。 イ　当該受取書に記載されている受取金額の一部に売上代金が含まれている金銭又は有価証券の受取書及び当該受取金額の全部又は一部が売上代金であるかどうかが当該受取書の記載事項により明らかにされていない金銭又は有価証券の受取書 ロ　他人の事務の委託を受けた者（以下この欄において「受託者」という。）が当該委託を	１　売上代金に係る金銭又は有価証券の受取書で受取金額の記載のあるもの 次に掲げる受取金額の区分に応じ、１通につき、次に掲げる税率とする。 100万円以下のもの　200円 100万円を超え200万円以下のもの　400円 200万円を超え300万円以下のもの　600円 300万円を超え500万円以下のもの　１千円 500万円を超え１千万円以下のもの　２千円 １千万円を超え２千万円以下のもの　４千円 ２千万円を超え３千万円以下のもの　６千円 ３千万円を超え５千万円以下のもの　１万円 ５千万円を超え１億円以下のもの　２万円 １億円を超え２億円以下のもの　４万円 ２億円を超え３億円以下のもの　６万円 ３億円を超え５億円以下のもの　10万円 ５億円を超え10億円以下のもの　15万円 10億円を超えるもの　20万円 ２　１に掲げる受取書以外の受取書 １通につき　200円

非課税物件	摘　　　要
1　記載された受取金額が５万円未満の受取書 2　営業（会社以外の法人で、法令の規定又は定款の定めにより利益金又は剰余金の配当又は分配をすることができることとなっているものがその出資者以外の者に対して行う事業を含み、当該出資者がその出資をした法人に対して行う営業を除く。）に関しない受取書 3　有価証券又は第８号、第12号第14号若しくは前号に掲げる文書に追記した受取書 ※　平成26年3月31日までに作成されたものについては、記載された受取金額が、３万円未満のものが非課税とされていた。	法施行令第28条（売上代金に該当しない対価の範囲等） 法別表第一第17号の定義の欄に規定する政令で定める有価証券は、次に掲げるものとする。 (1)　金融商品取引法第２条第１項第１号から第15号まで（定義）に掲げる有価証券及び同項第17号に掲げる有価証券（同項第16号に掲げる有価証券の性質を有するものを除く。）に表示されるべき権利（これらの有価証券が発行されていないものに限る。） (2)　合名会社、合資会社又は合同会社の社員の持分、法人税法（昭和40年法律第34号）第２条第７号（定義）に規定する協同組合等の組合員又は会員の持分その他法人の出資者の持分 (3)　株主又は投資主（投資信託及び投資法人に関する法律（昭和26年法律第198号）第２条第16項（定義）に規定する投資主をいう。）となる権利、優先出資者（協同組織金融機関の優先出資に関する法律（平成５年法律第44号）第13条（優先出資者となる時期）の優先出資者をいう。）となる権利、特定社員（資産の流動化に関する法律（平成10年法律第105号）第２条第５項（定義）に規定する特定社員をいう。）又は優先出資社員（同法第26条（社員）に規定する優先出資社員をいう。）となる権利その他法人の出資者となる権利 ２　法別表第１第17号の定義の欄に規定する政令で定める対価は、次に掲げる対価とする。 (1)　公債及び社債（特別の法律により法人の発行する債券及び相互会社の社債を含む。）並びに預貯金の利子 (2)　財務大臣と銀行等との間又は銀行等相互間で行われる外国為替及び外国貿易法第６条第１項第８号（定義）に規定する対外支払手段又は同項第13号に規定する債権であって外国において若しくは外国通貨をもって支払を受けることができるものの譲渡の対価 ３　法別表第１第17号の定義の欄１ロに規定する政令で定める受取書は、銀行その他の金融機関が作成する信託会社（金融機関の信託業務の兼営等に関する法律（昭和18年法律第43号）により同法第１条第１項（兼営の認可）に規定する信託業務を営む同項に規定する金融機関を含む。）にある信託勘定への振込金又は為替取引における送金資金の受取書とする。

番号	課税物件		課税標準及び税率
	物件名	定義	
		した者（以下この欄において「委託者」という。）に代わって売上代金を受け取る場合に作成する金銭又は有価証券の受取書（銀行その他の金融機関が作成する預貯金口座への振込金の受取書その他これに類するもので政令で定めるものを除く。ニにおいて同じ。） ハ　受託者が委託者に代わって受け取る売上代金の全部又は一部に相当する金額を委託者が受託者から受け取る場合に作成する金銭又は有価証券の受取書 ニ　受託者が委託者に代わって支払う売上代金の全部又は一部に相当する金額を委託者から受け取る場合に作成する金銭又は有価証券の受取書	
18	預貯金通帳、信託行為に関する通帳、銀行若しくは無尽会社の作成する掛金通帳、生命保険会社の作成する保険料通帳又は生命共済の掛金通帳	1　生命共済の掛金通帳とは、農業協同組合その他の法人が生命共済に係る契約に関し作成する掛金通帳で、政令で定めるものをいう。	1冊につき　200円
19	第1号、第2号、第14号又は第17号に掲げる文書により証されるべ		1冊につき　400円

非課税物件	摘　　　要
1　信用金庫その他政令で定める金融機関の作成する預貯金通帳 2　所得税法第９条第１項第２号（非課税所得）に規定する預貯金に係る預貯金通帳その他政令で定める普通預金通帳	法施行令第29条（生命共済の掛金通帳の範囲） 　法別表第一第18号の定義の欄に規定する政令で定める掛金通帳は、農業協同組合法（昭和22年法律第132号）第10条第１項第10号（共済に関する施設）の事業を行う農業協同組合又は農業協同組合連合会が死亡又は生存を共済事故とする共済(建物その他の工作物又は動産について生じた損害を併せて共済事故とするものを除く。）に係る契約に関し作成する掛金通帳とする。 法施行令第30条（非課税となる普通預金通帳の範囲） 　法別表第一第18号の非課税物件の欄２に規定する政令で定める普通預金通帳は、所得税法（昭和40年法律第33号）第10条（障害者等の少額預金の利子所得等の非課税）の規定によりその利子につき所得税が課されないこととなる普通預金に係る通帳（第11条第７号に掲げる通帳を除く。）とする。 法第４条第２項（課税文書の作成とみなす場合等） 　別表第一第18号から第20号までの課税文書を１年以上にわたり継続して使用する場合には、当該課税文書を作成した日から１年を経過した日以後最初の付込みをした時に、当該課税文書を新たに作成したものとみなす。

番号	課税物件		課税標準及び税率
	物件名	定義	
	き事項を付け込んで証明する目的をもって作成する通帳（前号に掲げる通帳を除く。）		
20	判取帳	1　判取帳とは、第1号、第2号、第14号又は第17号に掲げる文書により証されるべき事項につき2以上の相手方から付け込み証明を受ける目的をもって作成する帳簿をいう。	1冊につき　4千円

非課税物件	摘　　要

タックスアンサーコード表

国税庁ホームページのタックスアンサーは、税に関するインターネット上の税務相談室です。
よくあるご質問に対する回答を税金の種類ごとに調べることができます。
アドレスは、https://www.nta.go.jp/taxes/shiraberu/taxanswer/code/index.htm です。

国税に関するご相談・ご質問は電話相談センターをご利用ください。
電話相談センターのご利用は、最寄りの税務署にお電話いただき、自動音声にしたがって番号「1」を選択後、相談する内容の番号を選択（印紙税は「5」）してください。

印紙税関係

（令和５年８月１日現在）

コード	内　　　　容
7100	課税文書に該当するかどうかの判断
7101	不動産の譲渡・消費貸借等に関する契約書
7102	請負に関する契約書
7103	約束手形及び為替手形
7104	継続的取引の基本となる契約書
7105	金銭又は有価証券の受取書、領収書
7106	建物の賃貸借契約書
7107	駐車場を借りたときの契約書
7108	不動産の譲渡、建設工事の請負に関する契約書に係る印紙税の軽減措置
7117	契約書の意義
7118	申込書、注文書、依頼書等と表示された文書の取扱い
7119	他の文書を引用している文書の取扱い
7120	契約書の写し、副本、謄本等
7121	予約契約書、仮契約書、仮領収書
7122	文書の記載金額
7123	契約金額を変更する契約書の記載金額
7124	消費税等の額が区分記載された契約書等の記載金額
7125	営業に関しない受取書
7126	相殺した場合の領収書
7127	契約内容を変更する文書
7129	印紙税の納付方法
7130	誤って納付した印紙税の還付
7131	印紙税を納めなかったとき
7140	印紙税額の一覧表（その１）第１号文書から第４号文書まで
7141	印紙税額の一覧表（その２）第５号文書から第20号文書まで

●編者・執筆者等一覧●

杉　村　勝　之
中　山　ち　え
針　田　雅　史
松　島　雅　浩
野　口　雄　平

令和５年11月改訂 印紙税ハンドブック

2023年12月20日発行

編　者　杉村 勝之

発行者　新木 敏克

発行所　公益財団法人 納税協会連合会
〒540-0012 大阪市中央区谷町1-5-4　電話(編集部)06(6135)4062

発売所　株式会社 清文社
大阪市北区天神橋２丁目北２－６（大和南森町ビル）
〒530-0041　電話06(6135)4050　FAX06(6135)4059
東京都文京区小石川１丁目３－25（小石川大国ビル）
〒112-0002　電話03(4332)1375　FAX03(4332)1376
URL https://www.skattsei.co.jp/

印刷：大村印刷㈱

■本書の内容に関するお問い合わせは編集部までFAX（06－6135－4063）又はメール（edit-w@skattsei.co.jp）でお願いします。

＊本書の追録情報等は、発売所（清文社）のホームページ（https://www.skattsei.co.jp）をご覧ください。

ISBN978-4-433-70263-2